Une autre césarienne ou un
ACCOUCHEMENT NATUREL?

Hélène Vadeboncœur, Ph.D

Une autre césarienne ou un ACCOUCHEMENT NATUREL ?

S'informer pour mieux décider

CARTE **BLANCHE**

Avertissement

Ce livre, écrit par une chercheuse en périnalité, propose un bilan des connaissances scientifiques disponibles actuellement, relativement à l'AVAC et à la césarienne répétée, afin que les femmes enceintes et les couples attendant un enfant puissent être mieux renseignés et qu'ils puissent faire des choix éclairés. Les informations que ce livre contient ne constituent pas un avis médical.

En couverture : photographie de Jacques Bourgeois. La maman : Annie Bourgeois, le petit garçon : Rafaël Bourgeois Mailloux.
Intérieur de la couverture : Marie-Claude Chartrand : naissance d'Émile, le 9 novembre 2006. Marie-Josée Aubin et Sébastien Larocque : première rencontre avec Tommy, le 21 juillet 2007.

Éditions Carte blanche
1209, avenue Bernard Ouest, bureau 200
Outremont H2V 1V7 (Québec)
Tél. : 514-276-1298 - Fax : 514-276-1349
carteblanche@vl.videotron.ca
www.carteblanche.qc.ca

Diffusion au Canada : Fides
514-745-4290

Distribution au Canada : SOCADIS
514-331-3300

Dépôt légal : 4e trimestre 2008
Bibliothèque et archives nationales du Québec
ISBN 978-2-89590-132-7

À ma mère, Marie Gaboury,
qui fut l'une des premières femmes au Québec
à insister pour donner naissance sans être anesthésiée.

À mon père, Pierre Vadeboncœur,
de qui j'ai hérité le plaisir d'écrire.

À mes enfants, Nicholas et Isabelle,
sans qui ce livre sur l'accouchement
n'aurait jamais vu le jour et sans qui
je ne serais pas devenue chercheure en périnatalité.

Quoi que tu rêves d'entreprendre, commence-le.
L'audace a du génie, du pouvoir, de la magie.
GOETHE

REMERCIEMENTS*

Je remercie d'abord mon conjoint Steve de m'avoir soutenue pendant la révision de ce livre, d'avoir patiemment enduré que la table de cuisine et le salon soient envahis de documents – une fois de plus ! Et en particulier d'avoir préparé le souper avec amour presque tous les soirs de ses vacances, afin que je puisse travailler jusqu'en début de soirée. Ce soutien est particulièrement remarquable si l'on sait que quelques années auparavant il m'avait fallu cinq ans pour faire ma thèse de doctorat. Heureusement que la révision de ce livre ne m'a pas demandé autant de temps !

Je remercie toutes les femmes qui m'ont écrit depuis la parution de la première édition de ce livre. Je me suis sentie honorée de la confiance qu'elles m'ont témoignée, et leurs récits d'AVAC – qu'elles ont obtenu parfois non sans difficultés – m'ont fortement encouragée à rééditer *Une autre césarienne ? Non merci.* Certains de leurs témoignages figurent (avec leur permission) dans ces pages, ces accouchements ayant eu lieu depuis 2000 et remplaçant les témoignages de la première édition, que l'on trouvera dorénavant sur mon site web www.helenevadeboncoeur.com.

Je remercie également mon comité de lecture, qui a volontiers accepté de lire des chapitres ou l'entièreté de cette seconde édition :

* Que les professionnels de la santé interviewés pour la première édition de ce livre, ainsi que le comité de lecture, les personnes m'ayant aidée pour la recherche de données, et les femmes et les hommes ayant accepté de livrer leur témoignage pour la première édition soient aussi remerciés.

• Guy-Paul Gagné, obstétricien-gynécologue, directeur pour le Québec du programme AMPRO de la Société des obstétriciens et gynécologues du Canada ;

• France Lebrun, infirmière-chef à l'Unité de naissances du Centre hospitalier Saint-Eustache ;

• Lise Gosselin, infirmière au Centre de santé et de services sociaux de la Haute-Yamaska ;

• Catherine Chouinard, chargée de projet en périnatalité, de l'Association pour la santé publique du Québec ;

• Sylvie Thibault, accompagnante et directrice de Mère et monde ;

• Josette Charpentier, accompagnante à la naissance depuis 25 ans ;

• Audrey Gendron, mère de quatre enfants (deux nés par césarienne et deux par voie vaginale) ;

• Célyne Purcell, mère d'un enfant né par césarienne et enceinte au moment de lire le manuscrit.

J'adresse un merci tout spécial à Jacques Viau, co-propriétaire de la librairie Biosfaire et ami, qui a patiemment numérisé toutes les pages de la première édition de mon livre. J'ai aussi apprécié que Monsieur Martin Renaud, du ministère de la Santé et des Services sociaux du Québec, m'envoie les taux des césariennes et d'AVAC québécois des dernières années.

Je suis de plus reconnaissante à l'organisme américain *The Childbirth Connection* de m'avoir autorisée à traduire et à reproduire dans cet ouvrage des documents sur les risques de la césarienne et de l'accouchement vaginal, dont ils sont les auteurs et qui figurent sur le site web www.childbirthconnection.org.

Merci à Annie Bourgeois, enceinte de sept mois, qui a accepté avec enthousiasme et gentillesse de poser pour la couverture avec son fils Rafaël.

Enfin, j'ai beaucoup apprécié le soutien, la diligence et la rapidité dont a fait part l'équipe des éditions Carte blanche.

Préface

Que de plaisir à lire sur un sujet dont je me croyais un peu lassé ! En fait, on en redemande encore. Hélène Vadeboncœur nous offre un heureux mélange de données scientifiques et de témoignages qui reflètent avec justesse la situation « dramatique » que vit une femme qui choisit l'accouchement vaginal après césarienne en ce début de XXIe siècle. Un drame créé par qui, par quoi ? Par la peur, la peur de l'inconnu, par les médias, par le peu de temps consacré à écouter et surtout à comprendre les désirs des mamans. Ce livre nous offre, à travers une très belle histoire de l'évolution des pratiques obstétricales, des explications logiques sur les différents facteurs nous ayant menés à la situation actuelle de l'AVAC.

Au cours de ma lecture, ce n'est pas sans malaise que, en tant que médecin, j'ai parcouru quelques récits de mamans déçues de leur expérience d'accouchement un peu trop « médicalisé ». Que l'on soit d'accord ou non avec l'interprétation des événements, qu'il s'agisse d'une question de perception ou de faits réels, il n'en demeure pas moins que le résultat est le même… et la cause souvent trop évidente : une mère qui n'est pas écoutée, qui ne se sent pas écoutée, vit une détresse peut-être plus grande que celle associée à devoir passer sous le bistouri.

Je crois sincèrement que tous les intervenants et les mamans faisant face au choix de se lancer ou non dans l'aventure de l'AVAC devraient lire ce petit bijou. L'intervenant en santé pris dans la conjoncture restrictive de notre système y trouvera une solide source de motivation pour offrir le soutien et le petit « coup de pouce » supplémentaire qui permettra de transformer une expérience d'accouchement « tragique » en un moment merveilleux pour les futurs parents. La maman y trouvera la réponse à beaucoup de questions, l'information juste et nécessaire, et surtout tous les éléments lui permettant d'être rassurée et confortée dans son choix d'accoucher après une césarienne. Merci Hélène pour ce cadeau que tu nous fais à tous.

Emmanuel Bujold
Obstétricien-gynécologue
Auteur de plusieurs études et publications sur l'AVAC

PRÉFACE
de la première édition

Le désir d'enfant n'est pas éteint au cœur des Québécoises ; et le désir d'enfanter non plus. C'est du désir d'enfanter, de mettre au monde soi-même son bébé qu'il est question dans ce livre d'Hélène Vadeboncœur. Désir d'enfantement qui transcende le dicton : « césarienne un jour, césarienne toujours ». Les progrès de la science ont rendu possible aujourd'hui, avec un risque minimum et surtout contrôlable, ce qui était naguère impensable : un accouchement par voie vaginale après une césarienne. Cependant, ce qui est théoriquement possible s'avère en réalité très difficile à obtenir. C'est ce combat des femmes, des couples, pour cette forme d'accouchement que raconte Hélène Vadeboncœur. À partir de son expérience personnelle, à partir de celle d'autres femmes ayant vécu des expériences similaires.

Témoignages émouvants que ceux de ces femmes et des hommes qui les ont accompagnées dans cette merveilleuse aventure de l'accouchement vaginal après césarienne. Ces hommes, les conjoints, les pères, mais aussi les médecins qui ont compris l'importance de ce choix et qui ont su faire confiance à ces femmes. En notre époque où l'on ne jure que par les techniques et où tout doit aller vite, y compris l'accouchement, il fait bon de lire ces histoires où il est question de joie, de sérénité, d'amour, de confiance en soi et en son enfant.

« Ce fut la plus grande joie de ma vie… Donner naissance m'a donné une énergie incroyable. Deux ans après, cette énergie ne m'a pas lâchée. Je souhaite à toutes les femmes de vivre cela ! » Marie

Josée, médecin et ostéopathe, témoigne ainsi après la naissance par voie naturelle de son troisième enfant, les deux premiers étant nés par césarienne.

« Si une femme peut vivre son accouchement dans la joie, cette expérience l'habitera toute sa vie », affirmait la sage-femme Ina May Gaskin. Et cela, les femmes le sentent profondément. Dorénavant, elles seront plus nombreuses à refuser de se faire ouvrir le ventre au moindre arrêt dans le travail. Malgré les efforts faits au cours des dix dernières années, il est évident que le soutien reçu au moment du travail demeure insuffisant. Voilà où réside, entre autres, le problème actuel de l'obstétrique au Québec. C'est en augmentant ce soutien que l'on pourra contrer le « raz-de-marée » des césariennes. Contrôler son corps, être maître-d'œuvre de l'enfantement, toutes les femmes aspirent à cela. Pourquoi cet accomplissement n'est-il pas la règle plutôt que l'exception ? Les femmes devront-elles lutter encore longtemps pour obtenir d'être accompagnées d'une sage-femme ? Ou encore d'un médecin, et pourquoi pas, qui possède l'art et les qualités personnelles d'une sage-femme ?

Un livre que toute femme en âge d'avoir un enfant doit lire, ne serait-ce que pour être informée des méthodes qui permettent d'éviter une césarienne inutile. Car il faut savoir qu'au Québec une femme sur cinq donne naissance par césarienne. Il faut aussi savoir qu'une césarienne, même pratiquée sous anesthésie épidurale, demeure une opération avec toutes les conséquences que cela comporte. Un livre que tout médecin qui assiste des femmes lors de la naissance de leur enfant a avantage à lire pour comprendre la frustration ressentie après une césarienne, cicatrice qui n'est pas que physique et, à l'inverse, l'immense joie mêlée de fierté qu'éprouvent celles qui réussissent à mettre elles-mêmes au monde leur enfant. Après une césarienne, tout un exploit !

Madeleine Blanchet, médecin
Présidente, Conseil des affaires sociales

AVANT-PROPOS
La naissance de mes enfants a changé ma vie et celle de mon conjoint

> *Bonjour Madame Vadeboncœur, Je tenais à vous dire merci pour mon accouchement. J'ai accouché par voie naturelle d'un petit garçon le 9 novembre 2006, après avoir eu une césarienne le 21 avril 2004. Mon médecin était en désaccord avec mon choix d'accoucher de façon naturelle. Mais après avoir lu votre livre, j'avais des arguments et surtout confiance en moi, pour m'opposer à la césarienne. Il a fallu que je maintienne ma décision et que j'insiste jusqu'à la dernière minute mais j'ai réussi et cela m'a permis de vivre une expérience extraordinaire. Mon accouchement s'est super bien déroulé sans aucune complication. Après, j'étais tellement fière de pouvoir me lever et d'être en mesure de prendre soin de mon bébé. Pour moi votre livre était d'actualité. Je n'avais pas l'impression que la situation avait évolué: à l'hôpital où j'étais, j'avais l'air d'une extra-terrestre de ne pas vouloir une autre césarienne. À mon arrivée à la maternité, on a imposé plein de conditions à mon accouchement, qui n'avaient été nullement discutées avec mon médecin. Mais encore là, j'étais préparée, grâce à la lecture de votre livre. Sans cela, je n'aurais jamais accouché par voie naturelle.*
>
> Marie-Claude, 20 août 2007 (voir son témoignage à la fin du chapitre 7).

Avril 2008

J'ai écrit *Une autre césarienne ? Non merci*, livre publié pour la première fois en 1989, afin que les femmes enceintes après une ou des césariennes soient informées de la possibilité d'accoucher par voie naturelle. J'avais moi-même eu une césarienne, puis un AVAC et j'avais écrit ce livre alors à titre d'« usagère ».

Depuis ce temps, j'ai travaillé pendant plusieurs années au Canada à la légalisation de la profession de sage-femme, pour que les femmes aient plus de choix en matière d'accouchement, notamment en ce qui concerne le suivi de grossesse et les lieux pour mettre leur enfant au monde. J'ai enseigné – et continue de le faire – aux accompagnantes à la naissance, afin qu'elles se familiarisent avec les études scientifiques et puissent ainsi mieux renseigner leur clientèle sur l'accouchement. J'ai aussi enseigné la recherche aux étudiantes sages-femmes du programme universitaire québécois de formation des sages-femmes. Enfin, j'ai réalisé une thèse de doctorat sur l'accouchement et suis devenue chercheure – en périnatalité – essentiellement pour aider les femmes et les couples à faire des choix éclairés à propos de l'accouchement et contribuer à élargir les connaissances dans ce domaine.

Ce livre a été écrit en Amérique du Nord, mais il concerne *toutes* les femmes qui ont eu une césarienne et qui se posent des questions sur leur prochain accouchement. L'accouchement est un sujet universel et un phénomène physiologique qui est le même pour toutes les femmes. Et la césarienne est de plus en plus fréquente, dans bien des pays. Ce livre s'adresse donc à toutes ces femmes, où qu'elles soient, ainsi qu'à leurs compagnons de vie concernés par la naissance de leur prochain enfant.

Je sais qu'il peut être angoissant de sentir sur ses épaules la responsabilité des choix qu'on fait, en particulier lorsqu'on attend un enfant, et qu'il peut être tentant de souhaiter « que le médecin décide », de vouloir être prise en charge. Mais je crois que c'est fondamentalement aux femmes – et aux couples – que reviennent des décisions aussi importantes.

Il se peut que la lecture de certaines pages de ce livre vous bouleverse, que des émotions relatives à votre césarienne émergent pour la première fois ou qu'elles refassent surface, alors que vous croyiez les avoir laissées derrière vous. Ne laissez pas cela vous arrêter. Vous constaterez à la lecture des témoignages de ce livre que c'est normal, et qu'on peut s'aider à « guérir » d'un accouchement difficile ou que l'on n'a pas vécu, notamment en laissant émerger les émotions que cela suscite. Si cela s'avérait trop pénible, vous pourriez peut-être en parler à un professionnel de la santé.

Je souhaite qu'après la lecture de ce livre, vous vous sentiez plus sereine et en paix avec le choix que vous aurez fait.

Janvier 1989 – Mes accouchements

Il y a un peu plus de trois ans j'entreprenais une recherche sur un dossier qui me tenait à cœur: l'accouchement vaginal après césarienne (AVAC). Je croyais me limiter à un article... Le destin allait en décider autrement!

Le destin déjoua aussi mes prévisions en 1976 quand je donnai naissance à mon premier enfant par césarienne, après 30 heures de travail provoqué et stimulé. Mon fils se présentait par le front (présentation aussi appelée « militaire »), ce qui fut diagnostiqué pendant la poussée, et sa tête resta prise dans les os de mon bassin. Notre obstétricien-gynécologue fit tout pour que l'accouchement ne se termine pas par une opération. Sans succès. Cet homme avec lequel nous entretenions d'excellentes relations nous déclara, après des hémorragies post-partum qui faillirent me faire passer dans l'autre monde, que j'étais son « pire accouchement en 12 ans de pratique ». J'aurais préféré ne pas avoir cet honneur. Mon conjoint aussi. Cet événement fut un choc brutal et signa notre entrée dans la vie adulte. Puis la vie reprit son cours, péniblement au début. Durant les années qui suivirent, je ne me souviens pas d'avoir pensé beaucoup à la césarienne, sauf pour éloigner les questions qui m'envahissaient régulièrement.

Ce n'est que lorsque nous nous sommes finalement décidés à concevoir de nouveau, quatre ans plus tard, que l'impact de mon premier accouchement se fit sentir. Le jour où j'appris que j'étais enceinte, *La Presse* titrait: « Après une césarienne, une femme peut encore accoucher de façon naturelle ». Je sus immédiatement que c'était ce que je voulais, sans pourtant que l'idée ne m'ait jamais effleurée auparavant. Je sus que ni mes peurs ni mes doutes ne m'arrêteraient.

Il n'était pas facile cependant, à l'automne 1980, de trouver un médecin qui accepterait. J'en rencontrai deux ou trois qui auraient accepté « si, si et si... ». Finalement j'en dénichai un pour qui l'AVAC ne semblait pas poser de problèmes, en tout cas pas les premiers temps de nos rencontres. Pourtant, au septième mois de ma grossesse, je dus reprendre mes recherches, mon médecin manifestant de plus en plus de nervosité. La veille du jour où ma fille naquit, j'étais allée voir un autre médecin qui, hésitant, m'a déclaré que ce pourrait être un AVAC si mon bébé ne pesait pas plus de 6 livres et demie à la naissance (mon premier pesait 7 livres et 5 onces).

Pourtant, j'avais un bassin normal. Je connus ce soir-là un moment de découragement intense et je me suis dit : « fini la recherche, à la grâce de Dieu », avant de me coucher sans avoir fait pour une fois mes exercices prénatals et en envoyant tout au diable.

J'ignore qui m'entendit, ou si ma fille dans l'utérus comprit les paroles du médecin mais, à cinq heures le lendemain matin, mes eaux crevaient et les contractions démarraient ; nous étions à un mois, jour pour jour, de la date prévue pour l'accouchement. Tremblants d'excitation et d'énervement – la première fois, aucun travail ne s'était déclenché spontanément –, mon conjoint et moi avons fini par nous calmer puis par nous rendre à l'hôpital quand les contractions furent très intenses, plusieurs heures plus tard.

Le travail se déroula bien jusqu'au moment où, après douze minutes d'efforts, mon médecin – celui qui m'avait suivie au cours de la majeure partie de ma grossesse – décida que je ne devais plus pousser… Je protestai un peu mais acceptai finalement qu'il sorte le bébé à l'aide de forceps, car, insista-t-il : « il est prématuré et être trop longtemps contre le périnée peut provoquer des lésions crâniennes ». Même si je n'étais pas fâchée que l'accouchement se termine – après 15 heures de travail –, accepter ce raccourci fut pour moi une erreur que j'ai longtemps eu de la difficulté à me pardonner. Plus tard, je m'aperçus que ses paroles n'avaient aucun fondement scientifique, en d'autres mots, que ce médecin avait dit quelque chose d'apeurant pour que j'accepte qu'il sorte mon bébé au forceps, comme il faisait habituellement pour les accouchements.

Tout en élevant mes enfants et en travaillant, je passai les années suivantes à essayer de digérer l'impression qu'on m'avait volé la partie de l'accouchement à laquelle je tenais le plus, la mise au monde. J'allai même, pendant la rédaction de cet ouvrage, jusqu'à vouloir redevenir enceinte juste pour « me reprendre ». Heureusement, je ne le fis pas, aidée en cela par le bon sens de mon conjoint.

Durant tout ce temps je songeai à écrire ce livre. Mais je ne me décidai pas avant quelques années, incapable de me réjouir d'avoir eu un AVAC tellement sa fin me pesait. La réaction de certaines femmes à la parution de mon dossier sur l'AVAC* me convainquit

---

* Revue *L'une à l'autre*, « Connaissez-vous l'AVAC ? », printemps 1986, vol. 3, nº 2, p. 8-14.

de continuer, pour faire connaître cette possibilité aux femmes et aux couples ayant accouché par césarienne et pour faire la paix avec cet accouchement. J'ignorais ce qui m'attendait...

Ce furent d'abord des réponses aux questions que je me posais depuis la césarienne, grâce à toutes ces heures passées dans les bibliothèques médicales, aux lectures de témoignages ou aux conversations avec des professionnels de la santé ouverts et progressistes. Chacun de ces éclaircissements, si minime fût-il, m'apportait un réel soulagement. Par exemple, lorsque je découvris que les hémorragies post-partum dont j'avais souffert (et pour lesquelles personne n'avait pu me fournir d'explication) pouvaient être dues au Pitocin* que j'avais eu en perfusion tout au long de mon travail et non à une « déficience » additionnelle de mon utérus. Par contre, je faisais aussi des découvertes plus dérangeantes : je m'aperçus en effet que peut-être ma césarienne – nécessaire au moment où elle fut faite – aurait pu être évitée si on avait procédé autrement dès le début du travail ou si je n'avais pas eu d'épidurale. On aurait pu attendre que le travail commence spontanément, par exemple. Tout cela me fit vivre une large gamme d'émotions, mais surtout de la tristesse et de la colère. Je dus souvent laisser ce travail de côté, pour n'être capable de le reprendre que quelques jours ou quelques semaines plus tard. À plusieurs reprises, et pendant longtemps, je rêvai qu'enfin je réussissais à pousser mon bébé dans le monde.

Il me reste de ces trois années de recherche la conviction qu'il n'y a pas une seule vérité en obstétrique mais plusieurs, et pas nécessairement celles qu'on nous présente souvent comme étant des solutions inévitables. Étant les premières concernées par un accouchement, nous, les femmes, avons notre mot à dire. C'est ce dont j'ai voulu témoigner dans cet ouvrage. Alors que j'en termine la rédaction, j'ai l'impression d'avoir accouché une troisième fois. Mais cette fois, il n'y eut pas d'intervention !

---

* Médicament servant à stimuler l'utérus.

LA NAISSANCE DE NOS ENFANTS, VUE PAR MON CONJOINT*

Pour notre premier bébé, Hélène et moi nous nous étions préparés à un accouchement naturel. Nous avions suivi des cours prénatals, avions trouvé un médecin super. Hélène avait eu une très belle grossesse, tout se présentait bien. Seulement, elle retardait. Au bout de trois semaines, le médecin l'a fait entrer à l'hôpital, un lundi matin, car ses eaux coulaient depuis quelques jours. Il lui a fait passer un test qui indiquait une légère possibilité qu'une infection se développe. Il a décidé de provoquer le travail, au moyen de prostaglandine puis de Syntocinon. Avant d'entrer à l'hôpital, Hélène avait pris de l'huile de ricin**, ce qui avait entraîné quelques contractions mais pas de véritable travail. Les contractions ont commencé mais tout progressait très lentement. Et tranquillement, au fil des heures, moi je me sentais descendre et je la sentais aussi descendre.

Par moments je vivais du désespoir, ne croyant pas qu'elle finirait par accoucher et qu'un bébé finirait par sortir. Je me sentais comme dans un monde irréel. Je suis sorti quelques fois de la chambre, et même du corridor dans la cage d'escalier, et je pleurai mon impuissance. Je revenais et on continuait. On l'a fait dormir quelques heures dans la nuit de lundi à mardi pour qu'elle se repose. Finalement, après une trentaine d'heures de travail constamment sous Syntocinon – sauf lorsqu'elle dormait, ç'a été la poussée, qui n'a pas donné grand-chose, puis les forceps, qui ont failli rester coincés. Cette dernière tentative l'a fait hurler de douleur, puis, lorsque le médecin a annoncé qu'il fallait pratiquer une césarienne, je l'ai accompagnée à la salle d'opération, car elle était très agitée. Dans la salle d'opération je suis demeuré près d'elle, jusqu'à ce que tout soit prêt. Notre médecin m'a alors demandé : « Veux-tu rester ? » J'ai dit : « Pourquoi pas ? » et je me suis assis derrière elle. J'ai donc assisté à la césarienne, elle étant endormie.

À ce moment-là, je n'éprouvais plus rien, j'étais au-delà de tout. J'avais juste hâte qu'on en finisse, qu'on émerge enfin de ce cau-

---

* Steve a été interviewé par Monique de Gramont.

** Huile végétale pouvant provoquer des contractions, car elle stimule les intestins, ce qui peut stimuler l'utérus.

chemar. Je ne croyais plus qu'on allait avoir un enfant. Ils ont fait la césarienne, et je les ai vus lutter pour dégager notre bébé pris dans le bassin d'Hélène. Une infirmière poussait par le vagin tandis que l'obstétricien tirait de toutes ses forces. Je voyais son corps de 6 pieds 6 pouces trembler sous l'effort. Quand ils ont réussi à dégager le bébé, il m'a semblé qu'il était mort. Il n'était pas mort, juste endormi par l'anesthésie générale. J'ai su cela après. Tranquillement je suis revenu un peu sur terre et j'ai vu mon fils. Il était très éveillé. C'est comme si je me regardais moi-même, je me voyais dans son regard. Cela n'a pas duré longtemps mais c'était beau et je m'en souviens encore.

Un peu plus tard, alors que j'étais non loin de la salle de soins intensifs, j'ai entendu Hélène parler de façon incohérente. On ne voulait pas que j'entre, mais j'ai poussé l'infirmière et je suis entré. Hélène n'était pas encore « revenue ». Je lui ai dit qu'on avait eu un petit garçon. Elle ne le croyait pas. Je lui ai dit qu'elle faisait un « bad trip » et que cela finirait bientôt. Finalement, je lui ai mis la main sur son bandage, à l'endroit où elle avait eu une bedaine. Elle a alors commencé à reprendre ses sens. Mais les deux jours suivants et occasionnellement les semaines suivantes, elle revivait durant quelques secondes ces instants où elle ne s'était plus appartenue, ce qui lui faisait très peur. Elle craignait par-dessus tout de revivre ces moments de son accouchement.

Après cela il y eut d'autres difficultés : des hémorragies, une semaine puis 15 jours plus tard, nécessitant des transfusions ; je la sentais saigner et je voyais sa vie s'en aller. On s'est alors dit que tout cela ne se passait pas pour rien et qu'on avait quelque chose à en apprendre. On a décidé de se marier, pour s'engager l'un envers l'autre. C'était une façon de donner un sens à ce qui arrivait, une façon aussi d'aller chercher la force de passer au travers de ce qu'on vivait.

Nous avons vécu l'illusion de l'accouchement parfait qui s'est brisée contre la réalité. Les interventions successives étaient comme un train qui accélérait mais qui n'aboutissait nulle part. J'ai vécu un sentiment d'impuissance comme je n'en avais jamais vécu. Quelques années plus tard, nous avons fait un autre enfant et Hélène a voulu accoucher vaginalement. Je ne sais pas si c'était seulement le désir de se prouver qu'elle pouvait accoucher d'un autre enfant ou celui d'avoir une fille: les deux étaient très présents.

J'ai embarqué dans son désir d'un autre enfant, mais ce que j'ai découvert au cours des rencontres prénatales animées par des sages-femmes (nous avions un suivi conjoint), c'est que je ne voulais pas un autre enfant. J'avais peur de revivre tout cela, toute l'expérience qui m'avait tant vidé. Car après la césarienne, pendant plus d'un an, Hélène a été épuisée, sans énergie, alors tout m'est tombé dessus. Et en même temps je démarrais une entreprise, je portais donc deux « naissances ».

Enceinte de quelques semaines, Hélène s'est mise en branle, à la recherche d'un hôpital ou d'un médecin qui accepterait. C'était beaucoup sa démarche à elle. J'étais plutôt inconscient. Je la soutenais, mais c'est elle qui fonçait. Quand elle avait trouvé un médecin, j'allais le voir avec elle. Je trouvais compliqué d'avoir à se battre autant et à faire autant de recherches pour ça. Et comme j'ai peur d'être importun, quand elle arrivait au bureau du médecin avec sa liste de questions et de demandes, cela me gênait un peu. Je ne suis pas sûr d'avoir été un support très énergique. Pour moi, un AVAC c'était un peu comme un privilège que le médecin nous accordait, alors pourquoi demander en plus « pas de soluté », etc. ? En outre, j'étais très ignorant. Hélène n'en connaissait pas beaucoup non plus, mais plus que moi. Plus tard au cours de la grossesse, on a reçu beaucoup de soutien des sages-femmes et j'ai alors commencé à croire que c'était vraiment possible et à sentir que je pouvais la soutenir là-dedans.

Le deuxième accouchement s'est déclenché avant la date prévue. Aux petites heures, un matin, les eaux se sont rompues et le travail a débuté. C'était excitant. Mais mon sentiment était « je ne veux pas aller à l'hôpital » ! J'avais l'impression qu'à l'hôpital on risquait de se faire encore emporter dans un processus sur lequel on n'avait aucun pouvoir. Mais Hélène ne voulait pas rester à la maison. Elle n'avait pas assez confiance. On a tout de même attendu jusqu'à la fin de l'après-midi pour partir à l'hôpital, une sage-femme venant régulièrement faire son tour. Dans l'auto, les contractions ont commencé à s'intensifier. Notre accompagnante sage-femme est venue nous rejoindre alors que nous étions dans la salle de travail.

Tout avançait bien, les contractions étaient très intenses et la sage-femme était la complice principale d'Hélène. Je ne savais pas trop ce que je faisais là. Mais c'était très beau ce qui se passait entre les deux. La sage-femme a fourni un support assez extraordinaire et au bout de quelques heures la dilatation était complète, sans qu'Hélène ait pris aucun médicament.

A 10 heures 30 du soir, on l'a emmenée dans la salle d'accouchement. Notre médecin est arrivé, de mauvaise humeur : non seulement on était arrivés « tard » à l'hôpital (5 cm) mais l'interne – une femme – avait autorisé contre son désir notre accompagnante à venir dans la salle d'accouchement. Il a « permis » à Hélène de pousser. C'était beau, ça allait bien. Elle était fière de pousser. Mais les choses n'avançaient pas assez vite pour lui. Au bout de 12 minutes, sous le faux prétexte que le bébé était prématuré et qu'il y avait danger pour son cerveau si Hélène poussait trop longtemps, il a dit qu'il allait sortir le bébé aux forceps. Il a fait une épisiotomie, une grande, avec des gestes de chef d'orchestre, clic, clac. J'ai l'impression qu'avec cette intervention il a voulu punir Hélène. Mais les forceps m'ont paru assez doux, il ne tirait pas beaucoup et procédait doucement. Notre fille est née, on l'a mise sur le ventre d'Hélène. Moi, je n'éprouvais pas grand-chose. Je n'avais pas beaucoup de joie. Je me sentais « en dehors du coup ». C'est comme si la présence, l'attitude du médecin m'avaient coupé de mes sentiments. Encore une fois, un train était entré et avait pris le dessus.

C'est quand on est entrés dans la salle d'accouchement qu'on a perdu le pouvoir et que je me suis senti de nouveau impuissant – et notre accompagnante aussi. Je revis parfois la scène, je la refais mentalement, disant au médecin : « Non, non, pas d'épisio », ou : « Tu vas la laisser pousser ». J'aurais aimé m'imposer plus. Je ne savais pas quels étaient mes droits et ce que je pouvais faire. Beaucoup de mes faiblesses étaient dues à un manque d'information et tenaient aussi à ma difficulté de m'affirmer. Je crois qu'Hélène m'en veut de ne pas m'être affirmé avec assez de force à ce moment-là. On n'était pas, ni elle ni moi, en pleine confiance. On était comme sur le qui-vive tout le long. Cela a amené Hélène à vouloir aller à l'hôpital et à développer une relation presque symbiotique avec la sage-femme qui nous accompagnait. Il y avait comme une insécurité qui nous poussait à nous accrocher à quelque chose qui nous permettrait de passer au travers. On n'a pas vécu cet AVAC dans la paix et l'harmonie, mais un peu essoufflés et très fragiles. Un peu comme si avoir un AVAC était un péché. J'avais peur que le médecin arrive et crève notre bulle. Qu'on soit découverts. C'est peut-être le dernier mois de grossesse qui nous manquait pour parfaire notre préparation.

INTRODUCTION

Il y a près de 20 ans, à la fin des années 1980, alors que ce livre était publié pour la première fois, le contexte entourant l'accouchement en général, et en particulier l'accouchement vaginal après une césarienne (AVAC), était bien différent. Il s'agissait alors de faire savoir aux femmes ayant précédemment accouché par césarienne qu'elles pouvaient accoucher par voie vaginale à leur accouchement suivant. En effet, en 1980 et 1985, en Amérique du Nord, deux conférences-consensus scientifiques sur la césarienne avaient conclu que l'accouchement vaginal après césarienne (AVAC) constituait une option tout à fait recommandable. Déjà, l'on se préoccupait de la hausse du taux de césariennes.

À l'heure actuelle, et depuis la fin du 20e siècle, le taux de césariennes continue de grimper, ayant atteint au Québec 23 % en 2006. Par ailleurs, l'AVAC se bute à nouveau à des obstacles, en particulier en Amérique du Nord. Le taux d'AVAC a baissé de plus de la moitié en moins de 10 ans. Au Canada, en 2005-2006, 81,9 % des quelque 330 000 bébés nés cette année-là sont nés par césarienne alors que leur mère avait déjà eu une césarienne auparavant, ce qui donne un taux canadien d'AVAC de 18,1 %[1]. Au Québec, le taux d'AVAC est passé de 38,5 % en 1997-1998 à 18,8 % en 2005-2006. Aux États-Unis, depuis 2004, moins de 10 % des femmes ont un AVAC[2]. Plusieurs médecins et centres hospitaliers refusent de laisser les femmes accoucher vaginalement après une ou des césariennes[3]. Cela n'est pas sans influencer le désir des femmes d'avoir un AVAC. Nous verrons toutefois dans ces pages que le risque de base de l'AVAC n'a pas changé depuis les années 1980, même si nous en connaissons beaucoup plus maintenant sur les situations qui sont reliées à ce risque.

Le contexte général en obstétrique a cependant changé, en 20 ans, au Québec et au Canada. Les médecins sont de moins en moins attirés par l'obstétrique, ce qui fait que ceux que cela passionne toujours ont beaucoup de clientes et manquent de temps. Et plusieurs prendront bientôt leur retraite. Il n'est pas rare aujourd'hui au Québec de devoir attendre quelques mois avant de rencontrer un médecin pour la première fois lorsqu'on est enceinte et même d'avoir des difficultés à trouver un médecin ou une sage-femme pendant sa grossesse[4]. Et il y a de moins en moins de médecins de famille qui font de l'obstétrique[5], ce qui a pu contribuer à la hausse constante du taux de césariennes[6]. Par contre, après des années de luttes de la part des groupes de femmes et des sages-femmes, la pratique des sages-femmes est maintenant légale dans plusieurs provinces canadiennes. Au Québec, des maisons de naissance ont vu le jour et d'autres devraient ouvrir au cours des prochaines années[7]. Les sages-femmes peuvent aussi aider les femmes qui le désirent à accoucher à domicile, ainsi qu'en centre hospitalier, lorsque des ententes existent à cet effet.

De plus, le Québec connaît une pénurie marquée d'infirmières, ce qui n'est pas sans avoir de conséquences en obstétrique. Elles ont ainsi de moins en moins de temps à consacrer au soutien des femmes pendant l'accouchement, comme l'ont démontré deux études faites depuis une dizaine d'années dans des hôpitaux canadiens (entre 6 et 9 % de leurs tâches seulement sont consacrés au soutien des femmes en travail[8]). Des réductions budgétaires ont aussi eu lieu, affectant par exemple les services offerts pendant la grossesse à toutes les femmes enceintes par ce qui était autrefois les CLSC, victimes d'une fusion avec d'autres établissements depuis quelques années. Même si elles ont plus facilement accès à l'information avec la venue d'Internet, les femmes sont peut-être moins préparées qu'avant à l'accouchement.

Et depuis la première édition de ce livre, non seulement la profession des sages-femmes a-t-elle été reconnue légalement, mais l'accompagnement à la naissance* s'est développé, une aide qui peut

* Une accompagnante à la naissance est une femme désireuse d'aider les femmes à accoucher, et qui reçoit une formation à cet effet. Les accompagnantes rencontrent généralement leurs clientes à quelques reprises pendant la gros-

s'avérer précieuse pour les femmes n'ayant pas eu l'expérience d'un accouchement vaginal.

Le climat entourant la grossesse et l'accouchement a aussi changé. C'est ainsi que les tests prénatals se multiplient pendant la grossesse, qu'on en est même rendu à opérer des bébés *in utero*, et qu'on tente de sauver des bébés de plus en plus petits, même si on peut se poser des questions sur l'éthique de sauver des bébés nés prématurément et à peine viables, vu les risques élevés de séquelles importantes encourus. Par ailleurs, si certains taux d'interventions ont baissé, comme le taux d'épisiotomie, et le taux d'accouchements assistés, d'autres ont augmenté, les taux de déclenchement artificiel du travail, les taux de péridurale, les taux de césariennes et certains médicaments n'ayant pas été conçus pour l'accouchement ont commencé à être utilisés en obstétrique, comme le misoprostol*, tandis que des techniques opératoires se modifiaient pour la césarienne. Certains de ces changements ne sont pas sans avoir eu un impact sur l'AVAC, comme nous le verrons dans cet ouvrage.

Et dans nos sociétés, un élément de plus en plus présent et qui affecte les attitudes des uns et des autres à propos de l'accouchement est la peur, comme le soulignait le médecin en obstétrique et chercheuse Vania Jimenez dans la conférence d'ouverture d'un colloque sur l'obstétrique, tenu à Montréal en 2004**. La hausse des taux de césariennes pourrait être reliée au climat de peur qui entoure l'accouchement dans notre société***, et dont plusieurs études ont traité[9].

Ce climat d'insécurité dans lequel nous baignons – et pas unique-

---

sesse, elles leur offrent un soutien pendant tout l'accouchement (travail actif, naissance du bébé) ainsi que pendant la période post-natale. Certaines travaillent dans des organismes communautaires, d'autres sont travailleuses autonomes, d'autres enfin travaillent pour une entreprise. Voir les ressources en annexe pour plus de détails, dont le premier livre en langue française paru en 2008 sur le sujet.

* Le misoprostol est une prostaglandine synthétique, médicament utilisé pour ramollir le col, afin qu'il soit plus favorable au déclenchement de l'accouchement. Il existe d'autres types de prostaglandines servant au même usage.

** Voir la citation au début du chapitre 2.

*** Voir à ce sujet l'article récent paru dans la revue *Mothering* et qu'on peut télécharger sur le site de Childbirth Connection : Cesarean Birth in a Culture of Fear, www.childbirthconnection.org.

ment en obstétrique depuis le 11 septembre 2001 – n'est pas, comme le dit le docteur Jimenez, sans avoir un effet sur les nouvelles générations, qu'il s'agisse des femmes enceintes, des infirmières en obstétrique, des médecins ou des sages-femmes. Et cela, à mon avis, n'est pas sans avoir un impact sur le désir des femmes avoir ou non un AVAC. Le stress croissant qui va de pair avec la vie moderne pourrait expliquer en partie le recours à des médicaments comme la péridurale pendant l'accouchement[10]. Et la césarienne est devenue tellement fréquente qu'elle en a été banalisée ; dans certains milieux elle est considérée comme la solution à bien des maux, sans qu'on accorde toujours l'attention nécessaire aux risques que cette opération présente pour la mère et son bébé. On insiste beaucoup par ailleurs pour renseigner les femmes sur le risque de l'AVAC, sans nécessairement faire la même chose en ce qui concerne les risques des césariennes. Et alors que jusque dans les années 1980 un médecin devait se justifier lorsqu'il effectuait une césarienne, c'est le contraire qui se produit depuis une trentaine d'années. Les médecins se sentent protégés sur le plan médicolégal lorsqu'ils agissent – leur formation les a préparés en ce sens – et non lorsqu'ils évitent d'intervenir.

Il semble que les femmes ont de nos jours de plus en plus peur de l'accouchement[11] et, parallèlement, de moins en moins confiance dans leurs capacités à mettre elles-mêmes au monde leur bébé. Une sage-femme me confiait avoir constaté un tel changement chez la clientèle, même chez la clientèle des maisons de naissance. Elle soulignait tout le travail de « reconstruction » qui doit être fait lors des consultations ou des rencontres prénatales pour que les femmes redeviennent plus confiantes dans leurs capacités d'accoucher. Il semble aussi que les femmes soient ces années-ci plus prêtes à accepter des interventions pendant l'accouchement qu'il y a une vingtaine d'années[12].

Par ailleurs, entre la première édition de ce livre et celle-ci, Internet est entré dans nos vies. Nous avons donc accès, de manière croissante, à toutes sortes d'informations, notamment dans le domaine médical et en ce qui concerne la grossesse et l'accouchement. On pourrait croire que l'accès à toutes ces connaissances prépare les femmes enceintes et leur permet de faire des choix éclairés. Ce n'est malheureusement pas le cas, comme la revue de littérature que j'ai effectuée à ce sujet en 2004 et comme ma thèse de doctorat et des études récentes l'ont révélé[13]. Il était en effet difficile jusqu'à récemment de trouver de l'information sur les effets négatifs des routines entourant l'accouchement ou des interventions obstétricales, même si des études avaient été effectuées ici et là sur ce sujet. Heureusement, deux publications et revues récentes ont marqué un tournant. En 2004, en effet, paraît le premier ouvrage à traiter de l'impact des pratiques entourant l'accouchement sur l'allaitement, qui met l'accent sur la protection de la dyade que forment la mère et son bébé[14]. Il s'agit d'un livre écrit par une infirmière-sage-femme et par une consultante en allaitement. Et en 2007 paraît une revue systématique[15] détaillée des études portant sur l'Initiative Amis des mères*, ses 10 conditions et sous-conditions. Cette revue porte sur les fondements scientifiques permettant de comprendre pourquoi les pratiques entourant l'accouchement devraient se démédicaliser. Et, depuis une vingtaine d'années, de plus en plus d'études ont été publiées, indiquant la pertinence d'éviter telle intervention ou telle routine obstétricale, révélant des bases scientifiques à ce que le mouvement d'humanisation de la naissance qui a vu le jour en Amérique du Nord dans les années 1970 réclame à propos de l'accouchement depuis longtemps.

Toutefois, l'information – et même l'accès – donnée aux cours prénatals est inégale. Les femmes ignorent souvent qu'elles pourraient accoucher avec une sage-femme, et en dehors des centres hospitaliers[16]. Elles ignorent aussi qu'un médecin de famille pourrait les suivre pendant leur grossesse et être responsable de l'accouchement[17]. Elles ne connaissent pas les effets secondaires des médicaments administrés pendant l'accouchement. Plusieurs facteurs peuvent expliquer les manques relativement à l'information fournie aux femmes enceintes. Le temps manque généralement aux médecins pour renseigner les femmes adéquatement. Et les infirmières des départements d'obstétrique hésitent à donner de l'information pendant que les femmes sont en travail et aux prises avec la douleur. Selon elles, cette information devrait être fournie pendant la grossesse. Elles craignent que l'information fournie sur les effets secon-

* Initiative américaine et créée sur le modèle de l'Initiative Amis des bébés (Organisation mondiale de la santé).

daires possibles culpabilise les femmes si d'aventure ce qu'elles leur disent se matérialisait[18].

On passe ainsi souvent sous silence les effets secondaires de la péridurale, une intervention de plus en plus utilisée pour l'accouchement. Les trois quarts des Américaines ont accouché sous péridurale en 2006 (Centers for Disease Control) et 68 % des femmes en ont eu une au Québec en 2006. Les femmes souhaitent avoir une péridurale pour soulager la douleur lors de l'accouchement sans nécessairement savoir ce qu'elle implique comme routines hospitalières ou l'impact possible qu'elle peut avoir, comme l'ont démontré des études : ralentissement possible du travail, hausse des accouchements avec forceps ou ventouse, effets négatifs sur le positionnement du bébé ou sur la rotation de la tête du bébé, etc. Par ailleurs, on évoque peu les risques des césariennes, comparativement aux risques de l'AVAC.

Dans les années 1980, seuls le mouvement de femmes, et en particulier le mouvement d'humanisation de la naissance, réclamait des changements en obstétrique, dans les pratiques, dans les professions intervenant auprès des femmes enceintes ou accouchant, dans les lieux de naissance, dans la façon dont on considérait l'accouchement. Depuis ce temps, plusieurs organismes, parfois aussi prestigieux que l'Organisation mondiale de la santé, ou les gouvernements de certains pays ont pris position sur ce que constituent les meilleures pratiques d'accouchement.

Par exemple en Europe, au Royaume-Uni notamment, des efforts marqués ont été faits pour que l'on réponde mieux aux besoins des femmes pendant l'accouchement (*Changing Childbirth*, 1993) et pour que les pratiques se modifient en ce sens. En 2008 paraissait un rapport unanime endossé par le Royal College of Midwives et par le Royal College of Obstetricians and Gynecologists : *Making Normal Birth A Reality*[19]. Et NICE, un organisme gouvernemental britannique, a publié en 2007 des lignes directrices concernant les pratiques obstétricales ; au pays, la Société des obstétriciens et gynécologues du Canada prend régulièrement position sur différents sujets – dont l'AVAC – et a créé des programmes de formation à l'intention de ses membres (AMPRO*, GESTA, etc.). Et au Québec,

* Au Québec, le programme AMPRO a commencé à être implanté en 2008.

en janvier 2008, démarrait une étude expérimentale, l'étude QUARISMA, visant à mettre en place des mesures pouvant contribuer à faire baisser les taux de césarienne dans 32 hôpitaux et à vérifier l'efficacité de telles mesures.

Par ailleurs, aux États-Unis une initiative similaire à l'Initiative Amis des bébés, lancée par l'OMS en 1992, et qui accrédite les hôpitaux ayant des pratiques favorisant l'allaitement, l'Initiative Amis des mères*, a vu le jour en 1996, entérinée alors par plus d'une cinquantaine d'organismes représentant plus de 90 000 membres, et de nombreux individus préoccupés par les pratiques entourant l'accouchement, auxquels se sont ajoutés de nombreux organismes depuis, dont, au Québec, l'Association pour la santé publique du Québec, le Regroupement Naissance-Renaissance, etc. Cette initiative a été reprise au niveau international et sa version définitive vient tout juste d'être publiée en mars 2008, le texte ayant été approuvé par plusieurs organisations internationales regroupant les différents acteurs œuvrant en obstétrique ou en périnatalité. Il s'agit de l'*International MotherBaby Childbirth Initiative* (IMBCI)**. L'objectif est de faire en sorte que l'IMBCI devienne « le » modèle à suivre concernant les pratiques pendant l'accouchement, tout comme l'Initiative Amis des bébés l'est devenue en ce qui concerne les conditions favorisant l'allaitement et le contact mère-bébé après la naissance de ce dernier. En 2008, donc, nous sommes rendus beaucoup plus loin qu'en 1989 en ce qui concerne les appuis aux pratiques

---

* En anglais *Mother-Friendly Childbirth Initiative*. Voir le site www.motherfriendly.org; voir aussi les résultats d'un sondage international sur l'Initiative Amis des mères sur le site québécois www.aspq.org dans le numéro d'octobre 2007 du *Périscoop* : « Sondage international – un appui important et international à l'Initiative Amis des mères ». Dans ce même numéro, on trouvera une présentation de la revue systématique appuyant les 10 conditions de l'Initiative Amis des mères, intitulée *Revue de littérature systématique – Des preuves scientifiques appuyant les dix conditions de l'Initiative Amis des mères (IAM)*. On peut trouver les versions anglaise et française de ces documents sur le site www.motherfriendly.org et la version française d'un résumé de ces preuves scientifiques sur le site web du Regroupement Naissance-Renaissance : www.naissance-renaissance.qc.ca.

** Voir le site web www.imbci.org. On trouvera aussi la version française sur le site web du Regroupement Naissance-Renaissance (voir note précédente) : l'Initiative internationale pour la Naissance Mère-Enfant.

favorisant l'accouchement par voie vaginale, et notamment son déroulement physiologique, ce dont l'AVAC et les femmes qui le choisissent ne peuvent que bénéficier.

QUE SIGNIFIE CE NOUVEAU CONTEXTE POUR L'AVAC?

Puisque l'AVAC est redevenu depuis une dizaine d'années souvent difficile à obtenir chez nous, les femmes ayant accouché par césarienne doivent être particulièrement bien préparées, en particulier si elles choisissent d'accoucher avec un médecin en centre hospitalier.

Si, pour certaines, l'AVAC s'impose d'emblée dans leur esprit après leur césarienne, pour d'autres femmes le choix est moins facile à faire, vu la « musique de peur » (pour reprendre les mots du docteur Jimenez) qui est en toile de fond non seulement pour l'accouchement en général mais pour l'AVAC en particulier. Ce n'est pas toujours facile pour une femme de prendre une décision de cette nature, pour elle et son bébé, mais il ne faut pas oublier que des décisions importantes, les mères et les pères en auront à prendre pendant la vingtaine d'années du développement de leur enfant jusqu'à l'âge adulte. Sans compter qu'en ce qui concerne l'AVAC, nous avons beaucoup plus d'éléments qui nous aident à prendre une décision que c'était le cas dans les années 1980, alors qu'on commençait seulement à prendre conscience de cette possibilité et que relativement peu d'études avaient été publiées, comparé à ce qui existe aujourd'hui.

LES CHANGEMENTS EFFECTUÉS DANS CETTE NOUVELLE ÉDITION

La seconde édition de ce livre sur l'AVAC comprend deux parties, la première sur l'AVAC et la seconde sur comment s'y préparer. Afin de rendre ce livre moins volumineux, donc plus accessible, le nombre de chapitres ainsi que le nombre de pages ont été revus à la baisse. La section sur la césarienne a disparu, même s'il est question de la césarienne dans certains chapitres de ce livre. J'ai fait ce choix, car au moment d'écrire ces lignes je travaille à la rédaction d'un livre sur la césarienne qui sera publié en 2009. De plus, les récits d'AVAC de la première édition – même s'ils demeurent pertinents étant donné les obstacles toujours d'actualité lorsqu'on désire un AVAC – ont été enlevés, remplacés par des récits d'accouchements ayant eu lieu ces récentes années. Ces récits sont répartis après chaque chapitre. On trouvera par contre les anciens récits sur mon site web www.helenevadeboncoeur.com.

En première partie, le chapitre sur les risques de l'AVAC et de la césarienne a été entièrement réécrit à la lumière des résultats des nombreuses études publiées entre 1989 et début 2008 sur le sujet, sur les facteurs de risques, sur les facteurs favorables à la réalisation d'un AVAC. La section sur les risques de la césarienne a été aussi complètement refaite et a bénéficié du travail effectué par un organisme américain voué à la promotion des études scientifiques sur l'accouchement, *The Childbirth Connection.* La manière dont on perçoit le risque dans notre société justifie qu'on consacre autant de place à la question des risques, puisque ce sont les risques que les professionnels de la santé évoquent souvent lorsqu'il est question d'AVAC, alors qu'on n'aborde pas suffisamment ceux de la césarienne.

Tous les autres chapitres du livre ont été révisés. L'apport des études réalisées dans les années 1990 et jusqu'en 2008 a été intégré ici et là lorsque pertinent* dans ces chapitres, comme par exemple les avantages indéniables de l'accompagnement à la naissance, ou comme ce que peut apporter aux femmes le fait de mettre elles-mêmes au monde leur bébé, en cette époque où des femmes commencent à demander des césariennes sans raison médicale. Une source cruciale d'information a aussi contribué à enrichir la revue des études scientifiques, soit une revue systématique** publiée en 2007. Cette revue systématique – un des types d'études les plus forts en termes de « preuves scientifiques » –, commandée par la *Coalition*

* Lorsqu'elles n'étaient pas remplacées par de plus récentes références, les références de la première édition de ce livre ont été conservées dans certains chapitres, le texte original demeurant toujours d'actualité. Le plus important était de faire une mise à jour des études sur les risques de l'AVAC et des césarienne.

** Une revue systématique signifie l'examen systématique d'études scientifiques sur un sujet.

for Improving Maternity Services, a révélé des effets souvent négatifs des routines hospitalières et des interventions entourant l'accouchement. Enfin, deux chapitres de la partie *Comment se préparer à un AVAC* ont été éliminés: le chapitre sur les approches alternatives («médecines douces»), puisqu'elles sont plus utilisées et maintenant mieux connues de la population en général, et le chapitre «Se préparer mentalement», des éléments de cet ancien chapitre ayant été intégrés au chapitre 5 de cette nouvelle édition.

Cet ouvrage a été documenté de manière minutieuse, après lecture de centaines d'articles faisant état des études des 20 dernières années, comme en fait foi la longue liste de références à la fin de cet ouvrage. Enfin, de nombreuses notes de bas de page ont été incluses, pour plus de clarté.

PREMIÈRE PARTIE

ACCOUCHER CETTE FOIS-CI PAR VOIE VAGINALE OU AVOIR UNE CÉSARIENNE ?

1
LA CÉSARIENNE ET L'AVAC : OÙ EN EST-ON ?

DANS CE CHAPITRE :

La césarienne

- La césarienne est de plus en plus banalisée
- Le phénomène de la « césarienne sur demande » a été grandement amplifié par les médias
- La manière dont on considère l'accouchement dans notre société est reliée aux valeurs qui l'imprègnent, notamment l'accent mis sur la technologie, le contrôle de nos vies dans tous ses aspects, l'évitement de la douleur, un rythme de vie effréné, etc.
- L'obstétrique connaît des difficultés au Canada, notamment la pénurie de médecins en obstétrique, de sages-femmes, le manque d'infirmières, etc.
- Plus du quart des Canadiennes ont eu une césarienne en 2006
- La hausse vertigineuse du taux de césariennes affecte d'autres pays et régions du monde, alors que certaines régions comme l'Afrique manquent de ressources pour les faire lorsque c'est nécessaire

L'AVAC

- Alors qu'en Europe l'AVAC était chose courante, en Amérique du Nord, on a commencé à encourager les femmes à accoucher par voie vaginale après une césarienne au début des années 1980, et jusqu'à 38,5 % des femmes qui avaient eu une ou des césariennes ont eu un AVAC dans les années 1990
- Depuis la 2e moitié des années 90, le taux d'AVAC a beaucoup diminué
- Les lignes directrices des associations médicales se sont modifiées depuis une vingtaine d'années, d'abord encourageantes, puis de plus en plus contraignantes

Pourquoi autant de césariennes et moins d'AVAC ?

- Le facteur « commodité » des césariennes
- Le climat médico-légal : la peur des poursuites judiciaires[20]

LA BANALISATION DE LA CÉSARIENNE

« Aux États-Unis, une femme court un risque élevé d'avoir une césarienne si elle est trop grosse ou trop petite ; si son accouchement arrive trop tôt ou trop tard ; si elle est trop vieille ou trop craintive ; fatiguée d'être enceinte ou trop fatiguée pour être en travail ; si elle attend des jumeaux, si son bébé se présente par le siège, si elle a déjà eu une césarienne ; ou si la date prévue de son accouchement tombe une fin de semaine ou le jour de Noël, l'Action de grâces, ou la veille du jour de l'An. Elle court aussi plus de risques d'en avoir une si son médecin hésite, s'il a peur des poursuites, s'il est trop occupé, s'il doit s'absenter, ou s'il est convaincu que la césarienne est toujours plus sécuritaire… les raisons sont sans fin. »

Diony Young, éditrice de la revue scientifique *Birth : Issues in Perinatal Care*, 2003. *The Push against Vaginal Birth*, vol 30 n° 3, p. 151. Traduction par H.V.*

Déjà, en 1984, le docteur Shulman soulignait qu'il était « *d*ifficile de croire que nous sommes rendus au point où 20 à 25 %** de nos rejetons doivent être délivrés par une opération et ce, pour des raisons médicales. La nature aurait-elle construit le corps féminin de telle façon qu'il lui faudrait une fois sur cinq être opéré pour donner naissance[21] ? » Tandis que les césariennes sont plus fréquentes que jamais, les réflexions de Diony Young et du docteur Schulman demeurent d'actualité. Nous vivons à une époque où la césarienne est devenue banale. On l'effectue souvent pour des raisons autres qu'une urgence médicale. La plupart des intervenants que j'ai consultés, obstétriciens, généralistes, infirmières en prénatal, en obstétrique, chercheurs en périnatalité, etc., s'entendent sur le fait que beaucoup d'accouchements sont déclenchés artificiellement*** et que plusieurs césariennes sont effectuées parce que cela arrange tout le monde : l'hôpital, le médecin, et même nous, les femmes.

* Toutes les citations anglaises ont été traduites par l'auteure.

** Le taux de césariennes atteignait en 2006 31,1 % aux États-Unis (Center for Disease Control and Prevention).

*** On dit dans le langage courant « provoquer » un accouchement, et on utilise l'anglicisme « induction ». J'emploierai les termes « déclenchement artificiel », ou « déclencher l'accouchement » dans cet ouvrage.

C'est évidemment le cas des césariennes répétées, qui ne se font la plupart du temps que parce que les femmes ont accouché précédemment ainsi, mais c'est aussi le cas de certaines césariennes effectuées pour la première fois. Elles peuvent être faites non parce que le bébé ou la mère est en souffrance, mais parce que l'accouchement traîne, que la femme en travail en a assez, que les médecins sont débordés ou qu'on ne veut pas prendre le risque de déranger en pleine nuit l'anesthésiste qui habite loin.

On m'avait dit que « les femmes demandent des césariennes ». Une infirmière dans un CLSC, Janelle Marquis, m'a précisé que : « Les femmes ne demandent pas nécessairement une césarienne la première fois. Mais elles se font souvent offrir un accouchement programmé, c'est-à-dire déclenché artificiellement au jour et à l'heure convenant à toutes les parties. Le médecin fait entrer sa cliente tôt le matin, crève les eaux, puis on lui administre de la prostaglandine * et du Pitocin** en soluté, au besoin. Cela ne réussit pas toujours à déclencher le travail, mais comme les eaux sont crevées, on ne peut attendre plus de 24 heures, et c'est la césarienne. » Marlyse, une infirmière en prénatal, s'est fait offrir un tel accouchement par son médecin, une femme : « Écoute, tu as deux autres enfants, je vais te rentrer à 38 semaines, un lundi, tu vas pouvoir trouver une gardienne. » Stupéfaite, Marlyse lui répond : « Voyons donc ! Je sais ce que c'est, les contractions font plus mal et cela peut entraîner une césarienne. » Après mûre réflexion, elle décide… d'accoucher à la maison, ce qui, entre autres, règle son problème de garde d'enfants.

> *Partout, l'émergence, aussi soudaine que suspecte, d'un discours sur le « choix des femmes », tout prêt à cautionner la césarienne sur demande ou la suppression des menstruations. Où était donc « le choix des femmes » quand nous refusions l'épisiotomie, qu'on nous faisait quand même, et où est-il quand nous voulons, aujourd'hui, accoucher accroupies ? Partout aussi, un discours sur les risques qui nous limite plutôt qu'il nous protège, notamment quand on brandit les risques pour le bébé.*
>
> Isabelle Brabant, *La vie en rose*, numéro hors série, 2005, p. 109.

---

* Médicament hormonal servant entre autres à déclencher un accouchement qui retarde. On peut l'administrer oralement ou localement sur le col, pour le faire « mûrir ».

** Ocytocine synthétique. Aussi connu sous le nom de Syntocinon.

Si lors de la première édition de ce livre en 1989 les femmes attendant leur premier enfant ne demandaient pas de césarienne, ces dernières années on a assisté à la naissance d'un phénomène peu constaté auparavant, la demande de césariennes par des femmes enceintes de leur premier enfant, et qui préfèrent ne pas accoucher par voie vaginale. Plusieurs célébrités américaines telles Britney Spears, Madonna ou Elizabeth Hurley ont par exemple agi ainsi[22]. Mais ce phénomène a été grossi de façon importante par les médias[23], des études récentes ayant révélé qu'un très petit nombre de femmes demandent en fait une césarienne sans raison médicale[24]. Au nom du choix des femmes, des médecins acceptent d'effectuer une telle césarienne[25], même si les associations qui les représentent n'approuvent pas nécessairement ces décisions[26]. L'American College of Obstetricians and Gynecologists (ACOG), qui exerce une influence importante sur les pratiques obstétricales en Amérique du Nord, a toutefois adopté en 2003 une position justifiant sur le plan éthique les césariennes sans raison médicale[27]. Cette recommandation étonne Nicette Jukelevics, éditrice du site web vbac.com, étant donné les preuves scientifiques sur les risques des césariennes sur rendez-vous, et étant donné que les risques de la césarienne sont soulignés par l'ACOG dans d'autres communiqués[28], notamment une préoccupation pour les risques de la césarienne faite avant 39 semaines[29]. Et de plus, on constate que les femmes ayant eu une césarienne n'en connaissent pas nécessairement les risques ou ne les ont pas bien compris[30]. Il me semble qu'il serait important qu'on aide les femmes aux prises avec une grande peur de l'accouchement, plutôt que d'acquiescer immédiatement à leur désir d'avoir une césarienne. Des études ont montré que du soutien, du counselling et jusqu'à une intervention thérapeutique peuvent faire changer d'idée[31,32].

Dans l'enquête américaine Listening to Mothers, une seule femme sur les 1600 interviewées a répondu qu'elle avait eu une césarienne planifiée sans raison médicale, à sa demande.

Source: Declercq, E.R., Sakala, C., Corry, M.P. *et al.* 2006, *Listening to Mothers II – The Second National U.S. Survey of Women's Childbearing Experience*, New York, Childbirth Connection, disponible sur: www.childbirthconnection.org/listeningtomothers/.

Déjà, dans la seconde moitié des années 1980, la césarienne était devenue aussi, comme la sociologue Maria De Koninck a pu le constater en interviewant des femmes quelques semaines après leur accouchement, une façon pour certaines d'éviter d'avoir à vivre le travail et les contractions douloureuses qui l'accompagnent généralement. Elle était aussi devenue, a-t-elle constaté avec étonnement, une façon pour certaines d'avoir une expérience de l'accouchement semblable à celle de leur conjoint. Comme lui, déclarent-elles, elles n'ont pas eu mal (grâce à l'anesthésie), comme lui, elles ont « assisté » à l'accouchement. Des femmes sont mêmes convaincues, comme beaucoup de gens, que la césarienne est – même pour un bébé qui n'était absolument pas en danger – la meilleure façon de naître.

> *Ne pas avoir recours à la technologie durant l'accouchement donne l'impression à de nombreuses femmes qu'elles auront reçu des soins de moins bonne qualité.*
>
> Robbie Davis-Floyd, anthropologue, interviewée par Ponte, W., 2007, « Cesarean: Birth in a Culture of Fear », *Mothering*, n° 144, p. 62.

Il est évident que les valeurs de notre société influent sur notre façon de voir l'accouchement. Nous devons prendre conscience des façons dont nous avons été amenées à considérer l'accouchement comme un événement médical et même, depuis une quarantaine d'années, comme un événement chirurgical. Nous vivons dans une société de gens pressés, où tout doit se passer vite, où toute difficulté est réglée par la technologie, où tout problème de santé a une solution médicamenteuse ou chirurgicale. Nous aimons être maîtres de notre vie, de notre corps, et sur certains plans, il n'y a rien de mieux. Mais la complexité d'un événement aussi merveilleux que l'accouchement ne s'accommode pas nécessairement d'interventions de convenance. Peut-être même s'en trouve-t-il sérieusement perturbé, comme le croit le docteur Michel Odent, qui fut directeur de la maternité de Pithiviers, en France, durant 25 ans et qui aide depuis une quinzaine d'années les femmes à accoucher à domicile, à Londres.

La fréquence élevée des césariennes rend cet événement beaucoup plus banal qu'autrefois. Même si c'est une opération qui présente infiniment moins de risques maintenant pour la mère et son bébé, et même si les femmes opérées s'en relèvent plus facilement qu'il y a seulement une trentaine d'années, il demeure que c'est une opération abdominale majeure requérant une anesthésie et qu'à ce titre au moins on ne devrait y avoir recours que lorsqu'une raison médicale l'exige, c'est-à-dire lorsque l'état de la mère ou de l'enfant le requiert.

Si des césariennes ont lieu parce que les spécialistes sont débordés, il pourrait exister d'autres solutions à ce problème, comme le soulignait en décembre 2007 un dossier dans le quotidien *le Devoir*[33] : augmenter le nombre de sages-femmes, étendre le rôle des infirmières-cliniciennes pendant la grossesse et l'accouchement, redonner le goût aux médecins de famille de faire de l'obstétrique. Pendant des décennies, on a dit aux femmes enceintes qu'un suivi par un obstétricien-gynécologue était important, pour leur santé et celle de leur bébé, et pendant près de vingt ans, les médecins se sont opposés activement à la légalisation de la pratique des sages-femmes. On récolte maintenant les fruits de ce qui a longtemps été véhiculé par le milieu médical. Et le babyboom auquel on assiste depuis quelques années devrait constituer une occasion de recentrer les soins de maternité sur les ressources appropriées.

> *Vous savez, ça ne prend pas nécessairement un gynécologue de niveau III pour faire un suivi de grossesse.*
>
> Diane Francœur, présidence de l'AOGQ, dossier « Femmes enceintes, femmes négligées », *Le Devoir*, 8-9 décembre 2007, p. A-7.

On oublie qu'une femme enceinte en bonne santé n'a pas besoin d'un suivi de grossesse par un spécialiste, même lorsqu'un diabète de grossesse est diagnostiqué, ou qu'elle attend des jumeaux, ou toute situation qu'il faut simplement surveiller plus attentivement. D'autant que là où le ratio obstétricien-population est plus élevé, le taux de césariennes peut grimper[34]. C'est normal, puisque l'obstétricien-gynécologue est essentiellement formé pour intervenir en cas de complications. Ce qui n'est pas le cas du médecin de famille et encore moins de la sage-femme beaucoup plus habitués à accompagner des accouchements normaux et, par le fait même, souvent plus patients. Cette attitude contribue d'ailleurs à éviter des complications: « Il existe une corrélation entre l'augmentation du taux de mortalité maternelle et infantile chez des femmes à grossesse normale et l'augmentation du nombre d'interventions à l'accouchement[35]. » Or entre 1990 et 2006 le taux canadien de mortalité maternelle est passé du 2e au 11e rang mondialement, et le taux de mortalité infantile de la 6e à la 21e place[36]. On commence aussi ailleurs à voir le taux de mortalité maternelle augmenter[37], par exemple aux États-Unis, parallèlement à la hausse du taux de césariennes.

Paradoxalement, l'humanisation de la césarienne qui s'est répandue dans les institutions hospitalières, à la suite notamment des pressions faites par les femmes et les groupes de soutien de la césarienne, a probablement contribué à banaliser cette intervention. Oui, dans la plupart des centres hospitaliers on peut avoir une « césarienne centrée sur la famille », en demeurant consciente et en ayant son partenaire à ses côtés, puisque la péridurale* est maintenant très répandue. Ce qui est infiniment plus satisfaisant, pour plusieurs femmes, que de se retrouver le ventre soudainement vide avec, plusieurs heures plus tard, un bébé qu'on n'a pas vu naître, comme c'était fréquemment le cas il y a une vingtaine d'années. Mais cela ne diminue pas pour autant le fait que la césarienne est une opération qui présente plus de risques qu'un accouchement vaginal, risques immédiats et risques à long terme pour la mère, pour son bébé et ses futurs bébés, le cas échéant, comme nous le verrons au chapitre suivant. La césarienne prive aussi le bébé et même la mère des avantages du travail et abrège considérablement ou retarde le contact initial mère-bébé. Enfin, la césarienne est aussi un événement qui, pour plusieurs, n'est pas sans avoir un impact douloureux, comme nous le verrons au chapitre 4.

---

* J'utilise le terme français péridurale, et non épidurale, un anglicisme. La péridurale est, selon *Le Petit Larousse illustré 2004*, une « anesthésie régionale du bassin par une injection dans l'espace péridural, en passant entre deux vertèbres ». Des substances médicamenteuses sont injectées dans l'espace séparant le canal rachidien de la dure-mère, qui est une enveloppe fibreuse entourant et protégeant le tissu nerveux cérébral et rachidien.

DES TAUX DE CÉSARIENNES DE PLUS EN PLUS ÉLEVÉS

C'est en Amérique que les taux de césariennes sont parmi les plus élevés au monde. Alors qu'aux États-Unis près du tiers des femmes ont maintenant une césarienne (31,1 % en 2006 selon le Center for Diseases Control), au Canada il s'agit de plus du quart des femmes. Alors qu'en 2000 21,2 % des femmes avaient une césarienne, six années plus tard, le taux était de 26,3 %. Au Québec, le taux était passé de 18,5 % en 2000 à 22,9 % en 2005-2006. Et 81 % des Québécoises ayant précédemment accouché par césarienne avaient une autre césarienne en 2005-2006[38]. Rien n'indique que le taux de césariennes ne continuera pas à grimper.

Taux de césariennes à travers le monde

Les taux de césariennes varient beaucoup dans les différentes régions et les différents pays du monde. L'OMS a publié en 2007 les résultats d'une vaste étude internationale sur les taux de césariennes : tous les pays africains sauf deux ont des taux de césariennes sous la valeur recommandée, tandis qu'en Europe, en Amérique du Nord, en Amérique latine et aux Caraïbes, la plupart des pays ont des taux supérieurs au maximum recommandé. Certaines régions, comme l'Afrique, n'ont pas les ressources nécessaires pour faire les césariennes qui seraient requises, et d'autres régions, telle l'Amérique latine, qui ont des ressources intermédiaires entre les régions comme l'Afrique et les régions du monde dites développées, ont des taux de césariennes très élevés, principalement à cause des cliniques privées. Cela ne signifie pas que toutes les Latinos-Américaines qui devraient avoir une césarienne en ont une, bien entendu…

En Europe, dans certains pays comme l'Italie et le Portugal, les taux de césariennes dépassent maintenant les taux d'Amérique du Nord, alors qu'à la première publication de ce livre, il y avait une différence marquée entre l'Amérique du Nord et l'Europe, à l'avantage de celle-ci. Si l'âge moyen des femmes donnant naissance à leur premier enfant est un peu plus élevé qu'avant, il reste que la baisse du taux d'AVAC a pu contribuer à la hausse du taux de césarienne.

Les préférences personnelles des médecins et comment ils perçoivent les opinions de leurs clientes pourraient aussi avoir contribué à faire grimper les taux de césariennes[39].

Taux de césariennes dans les différentes régions du monde

Région du monde	Taux moyen de césariennes	Taux minimum et taux maximum des sous-régions
Afrique	3,5 %	1,8 % à 14,5 %
Océanie	14,9 %	4,9 % à 21,6 %
Asie	15,9 %	5,8 % à 40,5 %
Europe	19 %	15,2 % à 24 %
Amérique du Nord	24,3 %	22,5 % à 24,4 %
Amérique latine et Antilles	29,2 %	18,1 % à 29,3 %

Source : Betrán, A.P., Merialdi, M., Lauer, J.A., *et al.* 2007, « Rates of cesarean section : Analysis of global, regional and national estimates », *Paediatric and Perinatal Epidemiology*, 21 : 98-113.

LES TAUX DE CÉSARIENNES DANS LE MONDE

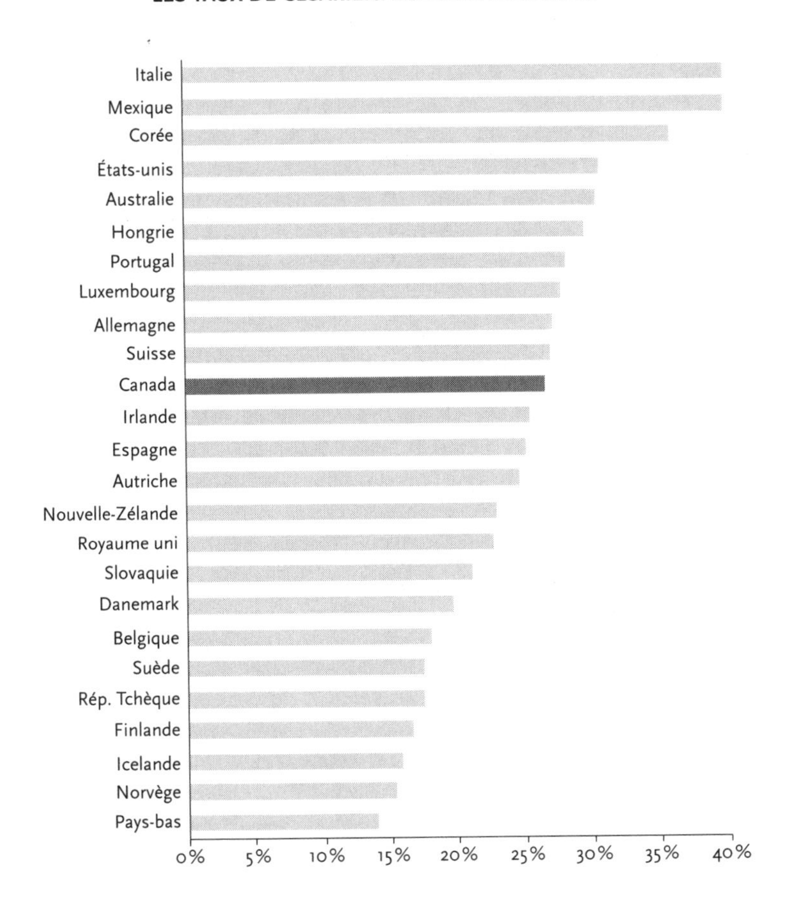

Source : graphique adapté de : http ://www.cdc.gov/mmwf/preview/mmwrhtml/mm5737a7.htm

L'ACCOUCHEMENT VAGINAL APRÈS CÉSARIENNE (AVAC)

Au début des années 1980, après une décennie où l'AVAC était « interdit », on a recommencé en Amérique du Nord à laisser les femmes qui le demandent accoucher vaginalement après une césarienne. Voici quelques lignes sur l'histoire de la césarienne et de l'AVAC.

Jacob Nufer, éleveur suisse, effectua, dit-on, au XVIe siècle une césarienne sur sa femme en travail depuis plusieurs jours. Cette légende est l'une des plus répandues concernant la première césarienne faite sur une femme vivante. Et elle veut que non seulement cette femme survécut mais qu'elle ait accouché par la suite vaginalement à quatre reprises[40].

Il semble qu'en Europe on ait continué dans la même veine, puisque là-bas, le mot AVAC n'existait même pas jusqu'aux années 1990. Selon le docteur Yolande Leduc, de l'hôpital Pierre-Boucher, accoucher alors en Europe, c'était vivre les contractions et l'expulsion, même après une césarienne précédente (sauf en cas de contre-indication médicale). Même si les taux de césariennes ont augmenté, ces dernières années, certains pays comme le Royaume Uni ont encore des taux d'AVAC bien supérieurs aux nôtres : ce pays a un taux d'AVAC qui est presque le double du taux canadien.

UNE « ARRIÈRE-GRAND-MÈRE AVAC »

J'ai eu un AVAC en 1933, en France. Mon premier bébé était né par forceps, et mon deuxième par césarienne. J'ai eu une incision classique. Ma troisième grossesse fut la plus facile. J'occupai mon emploi jusqu'à ce que j'entre en travail. Les soins prénatals n'existaient pas à l'époque et je ne vis pas de médecin. Quand les contractions commencèrent, j'allai à l'hôpital et ma fille naquit après un bref travail relativement sans douleur. Elle pesait 8 ou 9 livres. La pensée de ne pas accoucher vaginalement ne m'effleura jamais.

Source: Baptisti Richards, L., *The VBAC Experience*, Bergin & Garvey, 1987, p. 4.

Les taux d'AVAC

Jusqu'au début des années 1980, il n'existait pas de statistiques sur le taux d'AVAC au Canada, et cette situation perdure dans la plupart des pays du monde à l'heure actuelle. Faye Ryder, alors militante pour l'AVAC en Colombie-Britannique et rédactrice au *Maternal Health News*, estimait le taux canadien de cette époque à 3 ou 4 %. Au Québec, il était estimé à 1 ou 2 %. Et dans les années 1980, des pays européens déclaraient plus de 33 % d'accouchements vaginaux après une césarienne. À l'heure actuelle, si les taux de césariennes des différents pays industrialisés sont relativement faciles à obtenir, il n'en va pas de même pour les taux d'AVAC*.

On pourrait se demander si les pays ayant le plus de césariennes et le moins d'AVAC ont des taux de mortalité infantile moins élevés. Il semble que non. Voici quel était le taux de quelques pays au milieu des années 1990[41].

1994-1995

Mortalité infantile	Césarienne	AVAC	Pays
4,3/1000	27 %	70 %	Singapour
4,7/1000	15,4 %	40,4 %	Finlande
5,2/1000	12,5 %	54,1 %	Norvège
6,2/1000	17,6 %	33,4 %	Canada
6,2/1000	15 %	43,2 %	Angleterre
8,0/1000	20,8 %	35,5 %	Etats-Unis

Dans ce tableau, les deux taux d'AVAC les plus élevés proviennent de pays où la mortalité infantile est assez faible. On remarquera aussi que des pays scandinaves (Norvège, Finlande), où les sages-femmes sont les premières responsables lors des accouchements, ont non seulement des taux de mortalité infantile peu élevés, mais des taux de césariennes parmi les plus bas, tout en ayant un taux d'AVAC assez élevé.

C'est vers le milieu des années 1970 que la demande des femmes en faveur de l'AVAC émerge, tandis que le taux de césariennes croît de façon importante. Des groupes de femmes se forment et mettent d'abord l'accent sur l'information concernant la césarienne, puis sur sa prévention. Quelque temps plus tard, au début des années 1980, des groupes de soutien de l'AVAC commencent à se former en Amérique du Nord.

* J'ai tenté d'obtenir les taux d'AVAC de différents pays auprès de l'OMS et auprès d'autres sources, sans succès. Il est très rare que ces données soient disponibles. Ou alors, on calcule ce taux avec d'autres paramètres, ce qui rend toute comparaison impossible.

Les autorités se prononcent

À la suite de ces actions menées par ces groupes, plusieurs prises de position officielles se révèlent en faveur de l'AVAC dans les années 1980. Au début de cette décennie, pour la première fois en Amérique du Nord, on déclare officiellement que l'accouchement vaginal après césarienne est sécuritaire et présente peu de risques lorsque l'incision utérine est transversale basse (faite à l'horizontale dans la partie inférieure de l'utérus). Même l'Organisation mondiale de la santé, lors d'une conférence sur la technologie appropriée à la naissance tenue au Brésil en 1985, se met de la partie et adopte de façon unanime la recommandation suivante : « Il n'existe pas de preuves que l'on doive automatiquement procéder à une césarienne après une première césarienne. On devrait encourager I'AVAC partout où une équipe peut faire face à une urgence obstétricale[42]. »

Au Canada, la conférence-consensus nationale sur les aspects de la césarienne recommande en 1986 ce qu'on appelle hélas une « tentative de travail » – pas très encourageant comme expression – pour les femmes ayant eu une césarienne par incision transversale basse, dont l'enfant se présente par la tête, du moment qu'il n'existe aucune indication absolue pour une césarienne, par exemple un placenta placé à l'entrée du col.

En 1988, l'American College of Obstetricians and Gynecologists révise ses politiques sur l'AVAC et déclare qu'on devrait encourager les femmes à accoucher vaginalement après une ou plusieurs césariennes, en soulignant qu'aucune mesure spéciale n'est requise pour ces accouchements – rien de plus que ce qui devrait exister partout, soit la possibilité de procéder à une césarienne dans un délai de 30 minutes. L'ACOG ne s'opposait pas au recours à la péridurale ou à l'ocytocine pour un AVAC à cette époque. Et même plus tard, en 1994, elle ne déconseillait pas le recours aux prostaglandines*.

La conférence-consensus canadienne ne juge pas indispensable la présence permanente du médecin pendant le travail pas plus qu'une surveillance électronique fœtale permanente. Elle ne mentionne pas non plus que seul un obstétricien-gynécologue peut

---

* Hormones utilisées pour faire mûrir le col de l'utérus, en vue du déclenchement artificiel du travail.

assister une femme lors d'un AVAC ; un généraliste peut le faire si un obstétricien-gynécologue et un anesthésiste sont avertis et que le premier a fait une évaluation prénatale. Et la conférence conclut que ces recommandations peuvent « servir de base raisonnable et justifiable pour la pratique clinique ». Autrement dit, elles pouvaient servir de normes[43].

À la suite de ces prises de position, le taux de césariennes a diminué aux États-Unis (et aussi au Canada) entre 1989 et 1996. L'ACOG a continué à encourager l'AVAC jusqu'en juillet 1999[44], lorsqu'il publia des lignes directrices ambiguës et controversées, décourageant l'AVAC à moins qu'une équipe médicale et une salle d'opération soient disponibles immédiatement en cas d'urgence.

Au Canada : de moins en moins d'AVAC

> *À l'heure actuelle, un état de crise relié aux poursuites médicales diminue la disponibilité des professionnels de la santé et soulève un questionnement sur le fait que les patientes pourraient avoir moins d'options, moins d'accès aux soins, et être peut-être plus à risques de complications.*
>
> Agency for HealthCare Research and Quality, 2003, US Department of Health, *VBAC Summary Evidence Report/Technology Assessment Number 71.*

HAUSSE ET BAISSE DU TAUX D'AVAC DE 1990-1991 À 2005-2006

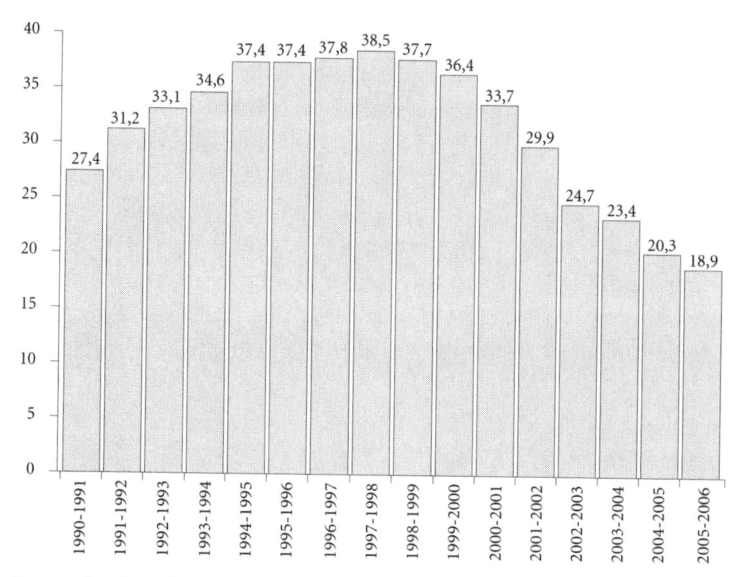

Source des données : www.msss.gouv.qc.ca

Au Canada, les services en obstétrique font face à une crise, en particulier dans les régions rurales ou éloignées, selon le président de la SOGC, le docteur Donald Davis[45]. Dans les grands centres du Québec, il est possible pour une femme de trouver un médecin qui accepte de la suivre pour un AVAC, ainsi qu'un hôpital où il s'en pratique. Mais les réactions des médecins varient en ce qui concerne les situations propres à chaque femme (une césarienne ou plus d'une césarienne antérieure, césarienne antérieure pour dystocie ou disproportion céphalo-pelvienne, grossesse gémellaire, etc.). Au Québec, à l'extérieur des grands centres (c'est-à-dire Montréal, Québec et Sherbrooke), la situation n'est pas très encourageante. Les lignes directrices des associations médicales* nord-américaines ayant donné lieu à des politiques hospitalières de refus d'AVAC, on

* Il s'agit bien de lignes directrices, et non d'obligation, selon les associations médicales. Voir la section *Les positions officielles au sujet de l'AVAC* au chapitre 2.

autorise donc moins les AVAC dans des hôpitaux de niveau I ou II*. Par exemple une étude faite en Nouvelle-Écosse[46] montre que les femmes accouchant dans des hôpitaux de niveau III étaient deux fois plus nombreuses à obtenir un AVAC. Mais si l'AVAC est surtout autorisé dans les grands centres, certains hôpitaux en région continuent d'aider les femmes désirant un AVAC à le vivre, d'autant plus qu'accoucher dans un centre hospitalier à faible volume d'accouchements ne présente pas plus de risques que d'accoucher dans un centre hospitalier où il se fait beaucoup d'accouchements[47].

Même s'il y a eu deux conférences-consensus scientifiques en Amérique du Nord recommandant l'AVAC, cette pratique a été et continue d'être un sujet controversé dans les milieux médicaux, sans compter que l'accouchement par voie vaginale (sans césarienne antérieure) perd aussi du terrain face à la césarienne[48].

POURQUOI FAIT-ON AUTANT DE CÉSARIENNES ?

On évoque souvent le fait que les femmes sont de plus en plus âgées lorsqu'elles donnent naissance pour la première fois, et donc que peut-être leur accouchement est plus fréquemment compliqué, ou que les femmes de tel ou tel groupe ethnique donnent plus souvent naissance par césarienne. Or l'enquête nationale américaine révèle que le taux de césariennes s'accroît pour tous les groupes de femmes, peu importe leur âge, le nombre d'enfants qu'elles ont, leur état de santé, leur race ou appartenance ethnique, etc.[49] Cela va à l'encontre des raisons communément évoquées pour expliquer la hausse du

* Les hôpitaux sont classés par niveau de soins, des soins généraux aux soins très spécialisés. Dans un hôpital de niveau I, les femmes ne doivent pas présenter de facteurs de risques importants ; il peut y avoir des accouchements, mais il n'y a pas nécessairement d'obstétricien-gynécologue ; dans ce cas, les césariennes sont faites par un chirurgien généraliste. Dans un hôpital de niveau II (ex. : hôpital régional), où l'on accepte aussi des femmes dont la grossesse présente certains risques, des spécialistes pratiquent (obstétricien-gynécologue, anesthésiste, pédiatre), mais peuvent effectuer leur tour de garde à partir de leur domicile. Dans un hôpital de niveau III, il y a toujours des spécialistes sur place 24 heures sur 24. Comme il existe une certaine mobilité du personnel médical – par exemple une période où on manque d'anesthésistes ou de pédiatres –, le niveau de soins du CH peut alors varier.

taux de césariennes. Au Québec, l'âge moyen a augmenté de deux ans seulement, c'est-à-dire que si les femmes avaient 26 ans en 1990 lorsqu'elles donnaient naissance pour la première fois, elles ont maintenant 28 ans, selon l'Institut de la statistique du Québec ! Peut-on raisonablement croire que deux ans fassent une si grande différence ?

> *Le taux de césariennes s'accroît plus vite que les conditions médicales ou démographiques ne le justifieraient.*
>
> Source : British Columbia Perinatal Health Program. 2008. Caesarean Birth Task Force Report. Vancouver, C.-B., Fév. 2008.

Il semble plutôt qu'on assiste depuis une dizaine d'années à un changement important dans les pratiques obstétricales. Les médecins seraient plus enclins à suivre la voie de la césarienne[50]. On entend parfois dire que le taux de césariennes a grimpé, car il se fait moins d'AVAC. Si cela peut être un facteur, ce n'est pas le seul. En effet, le taux de césariennes faites pour la première fois grimpe aussi, comme l'indique l'American College of Obstetricians and Gynecologists : « La hausse des césariennes primaires se fait parallèlement à la hausse du taux global de césariennes ; cette dernière hausse ne peut être expliquée par le déclin de l'AVAC[51]. » Si un climat de peur entoure l'accouchement dans notre société[52], il existe d'autres raisons expliquant ce changement important. Elles ont plutôt trait à la soi-disant commodité de la césarienne et au climat médico-légal qui entoure l'obstétrique (la peur des poursuites judiciaires) qu'à la demande des femmes, qui préfèrent pourtant selon plusieurs études accoucher par voie vaginale[53]. Le fait que moins de médecins qu'auparavant soient présents à l'accouchement de leur propre clientèle est peut-être un facteur, comme le suggère le chercheur américain Eugene Declercq à la suite d'une enquête sur les soins de maternité[54]. D'un autre côté, la multiplication des intervenants pendant l'accouchement pourrait avoir un impact : il se pourrait en effet que la présence de chaque infirmière additionnelle auprès de la femme en travail augmente le risque de césarienne de 17 %[55] !

La césarienne, plus « commode » qu'un AVAC

Parce qu'il n'existe pas de données probantes claires,
la pratique d'une césarienne pour des raisons
non médicalement justifiées n'est pas éthiquement acceptable.

J.E. CHRISTILAW*

En 1988, le docteur Usher, alors néonatalogiste à l'hôpital Royal Victoria de Montréal, disait que l'AVAC « deviendra la norme parce que les femmes le demanderont. C'est bien plus facile pour un médecin de faire une césarienne que d'attendre un accouchement vaginal. Un accouchement commence habituellement en pleine nuit, c'est tout ce qu'il y a de plus malcommode, sans compter qu'on ne peut, en aucune façon, prévoir quand le travail commencera. »

Il se pourrait, comme une enquête nationale américaine[56] l'a révélé récemment, que des médecins exercent une certaine pression sur leur clientèle afin que les femmes acceptent cette option : en effet, le quart des participantes à cette enquête disent avoir ressenti des pressions de leur médecin en ce sens et, au Brésil, les médecins réussissent à persuader leurs clientes d'accepter une césarienne pour des raisons médicales fausses ou qui ne justifient pas le recours à cette opération[57]. Il existe un déséquilibre de pouvoir entre les médecins et leur clientèle, et la recherche sur la manière dont les décisions sont prises n'a pas examiné comment les soins sont offerts, ni observé les interactions entre les femmes et leur professionnel de la santé[58]. Enfin, l'OMS soulève l'hypothèse que des motifs d'ordre économique seraient à l'origine des variations dans les taux de césariennes[59]. Au Canada, toutefois, où les soins médicaux sont gratuits, le facteur monétaire entrerait moins en ligne de compte que le facteur « commodité » ou la peur des poursuites. Par exemple, au Québec, il n'y a une différence que de 25 $ entre le remboursement pour un accouchement vaginal ou pour une césarienne (codes 6903 et 6912 de la Régie de l'assurance-maladie du Québec).

Un facteur important à considérer, quand on aborde la question

* Fédération internationale des gynécologues et des obstétriciens (FIGO). Dans Christilaw, J.E., 2006, « Cesarean section by choice : Constructing a reproductive rights framework for the debate », *International Journal of Gynecology and Obstetrics*, 94 : 262-268.

du changement, est l'attitude des femmes envers leur médecin. Au Québec, la médecine est une des professions les plus respectées. Le médecin a souvent beaucoup d'influence sur ses patientes et patients. Son avis compte énormément pour bien des femmes.

La peur des poursuites judiciaires

Pourquoi nous imposer, à nous les mamans sur le point d'accoucher, une façon de faire sans que nous ne puissions participer à la prise de décision ? C'est notre corps. Je ne suis pas une écervelée. Si on m'avait prouvé qu'un AVAC serait impossible ou dangereux pour moi ou le bébé, je comprendrais. Mais là, je n'ai eu aucune raison valable (d'essuyer un refus)... Mon médecin dit avoir soumis mon dossier à deux gynécos qui m'ont refusée. Il m'a également dit qu'il voulait se protéger des poursuites si l'accouchement se terminait mal.

Paule (nom fictif). 2002. Un AVAC refusé par le milieu médical après deux césariennes à 39 semaines de grossesse, alors qu'il avait été entendu avec son médecin de famille que c'était possible jusque-là.
Courriels envoyés à l'auteure

On estime aux États-Unis qu'un obstétricien-gynécologue a en moyenne une poursuite contre lui tous les trois ans. Au Canada, il y a peut-être moins de poursuites, mais ce qui se passe aux États-Unis influence aussi la pratique des médecins canadiens. Les primes d'assurances que doivent payer les médecins ont beaucoup augmenté en Amérique du Nord.

TÉMOIGNAGE DE JUDITH :

Les années 2000 : pas facile d'avoir un AVAC

Judith me passe un coup de fil en 2006. Cette femme que je ne connais pas tient absolument à tenter un AVAC dans un environnement qui favorise les accouchements naturels. Le gynécologue-obstétricien qui la suit refuse d'accéder à ses demandes. Finalement, elle changera de médecin et d'hôpital et me rappellera, tout heureuse, après avoir elle-même donné naissance à son deuxième enfant.

À la fin de ma première grossesse (j'étais rendue à 41 semaines et 3 jours) on prévoyait déclencher l'accouchement le lundi suivant. Mon col était effacé à 80 % et ouvert à 1 cm. Après discussion avec mon accompagnante, j'ai pris de l'huile de ricin. Mes membranes ont fissuré, mais les contractions ont arrêté. La tête de mon bébé n'était pas fixée. Une fois à l'hôpital, on m'a demandé de me coucher et on a commencé à me donner de l'ocytocine. La tête du bébé s'est fixée et le personnel médical a rompu les membranes. Les contractions sont devenues de plus en plus fortes. Mon accompagnante est arrivée. À un certain moment, j'ai commencé à trouver les contractions très difficiles à endurer. Il s'agissait de contractions biphasiques qui ne me laissaient pratiquement aucun moment de répit. Je me suis alors dit que si mon col était ouvert à moins de 7 cm, je demanderais une péridurale. Or mon col était ouvert à 4 cm… Une heure après la péridurale, j'étais complète, mais je ne ressentais pas l'envie de pousser. J'ai néanmoins poussé durant 3 heures et demie, tout en me demandant si mon bébé se présentait en postérieur. Il ne descendait pas. J'ai vu le gynécologue-obstétricien de garde pour la première fois : mon bébé était à + 1 de station. L'accompagnante m'a suggéré de changer de position. Finalement, lors de la deuxième visite du médecin, après plus de 3 heures de poussées, celui-ci a confirmé ce que je craignais depuis le début: mon bébé était en postérieur et il était trop haut que l'on puisse utiliser les forceps. On m'annonça que je devrais subir une césarienne. J'étais très déçue et très triste.

Lors de ma deuxième grossesse, le gynécologue-obstétricien m'autorise à avoir un AVAC à condition que je me soumette au protocole de l'hôpital: intraveineuse, monitoring constant. Lorsque je demande si le monitoring peut plutôt être intermittent, le médecin me répond que le monitoring est essentiel, car il permet de détecter immédiatement toute variation du rythme cardiaque du bébé, ce qui peut indiquer que le bébé est en détresse. Il ajoute qu'un AVAC est risqué et que la vie du bébé et la mienne sont en jeu. Il est très ferme et me dit: «Si tu penses accoucher dans ton bain avec des chandelles, oublie ça! Il s'agit d'un AVAC, cela peut se faire, mais il y a un risque important pour toi et le bébé. Il faut suivre un protocole strict.» Cette attitude me blesse énormément. Comme une amie avait déjà eu un AVAC à ce même hôpital sans soluté ni monitoring continu, je savais que c'était possible. Lorsque je le dis à mon médecin, celle-ci me répond: «C'est impossible! Parfois, les femmes accouchent et ne se rappellent pas comment ça s'est passé.» Je suis complètement abasourdie par cette réponse. J'insiste et le médecin ajoute: « C'est moi le professionnel. Fais-moi confiance, on en fait beaucoup.» Aucune discussion n'est pas possible, il n'est même pas possible d'obtenir explication claire quant aux raisons pour lesquelles ce protocole est en place.

J'en discute avec mon mari et j'envisage de changer d'hôpital et de médecin, ne voulant pas de ce médecin pendant mon accouchement. Je ne veux surtout pas me faire dire pendant que j'accouche: «vous pouvez mourir». Je veux me faire expliquer clairement, comme une personne intelligente, les raisons de ce protocole. En plus, je veux un médecin présent pendant mon accouchement qui m'encourage dans ma démarche et me comprend. Mon mari hésite énormément. Il préférerait demeurer dans cet hôpital spécialisé en grossesses à risques, mais il comprend que l'attitude du médecin est inacceptable pour moi. Il tente de me convaincre de rester en soulignant qu'il est peu probable que ce soit ce médecin qui soit présent lors de l'accouchement. J'accepte alors de revoir ce médecin et je suis déçue une fois de plus par son attitude. Je me suis fait répondre comme si j'étais une personne irresponsable et inintelligente... Je ne trouve pas ça acceptable. Le médecin ne s'objecte pas à ce que je tente d'obtenir l'avis d'un autre médecin, mais elle me dit : « Pose-lui toutes tes questions. Peut-être as-tu besoin qu'un deuxième médecin te dise la même chose pour comprendre. » Encore une fois, je me sens méprisée.

Je rencontre le deuxième spécialiste du même hôpital qui mesure l'épaisseur de ma cicatrice et me confirme que je suis une excellente candidate à un AVAC. Ce médecin prend le temps de répondre à toutes mes questions, m'explique en détail les risques et les raisons associées au protocole que veut respecter le premier médecin. Il admet que dans mon cas, des mesures aussi strictes ne sont pas obligatoires. Je suis très heureuse de cette discussion. Cependant, je ne veux plus accoucher avec le médecin qui me suit, ni à cet hôpital. J'ai été trop blessée par mon premier accouchement et l'attitude de mon spécialiste.

Après de nombreuses discussions avec mon mari, je change de médecin pour un omnipraticien qui ne pratique que l'obstétrique, qui effectue pratiquement tous ses accouchements et qui exerce dans un autre centre hospitalier de niveau II. Ce médecin, chaudement recommandé par mon accompagnante, nous met, mon mari et moi, en confiance. Elle prend tout le temps nécessaire pour répondre à nos questions. Tout sera prêt si l'urgence que redoute mon mari survient, mais on fera également tout pour que l'environnement favorise un accouchement naturel.

Contrairement au premier accouchement, mes contractions débutent naturellement l'avant-veille de la date prévue, vers 23 h. Après que j'eus pris un long bain, nous décidons de partir pour l'hôpital vers 1 h. À mon arrivée à l'hôpital, mon col est déjà ouvert à 7 cm, mais mes membranes ne sont pas rompues. L'omnipraticien ne tarde pas à arriver, tout comme l'accompagnante. Sachant que la position du bébé avait été problématique lors du premier accouchement, le médecin utilise un appareil portatif d'échographie pour vérifier la position de mon bébé. Celui-ci se présente de côté. Le médecin veut laisser les membranes se rompre naturellement et me suggère une position pour encourager le bon positionnement du bébé. Sous une douce musique, avec un lent lever de soleil, je prends les contractions les unes après les autres en encourageant mon bébé à se positionner correctement. Mon mari, l'accompagnante et les visites fréquentes du médecin m'encouragent et me mettent en parfaite confiance. Tout se déroule bien. Vers 5 h, je suis complète, mais les membranes refusent toujours de se rompre. Elles finissent par se rompre partiellement, mais mon médecin est patient et veut laisser faire la nature. Puis, vers 8 h, mon médecin, qui est très présente, me suggère d'aller m'asseoir sur la cuvette des toilettes pendant quelques contractions. On entend littéralement un coup de canon : les membranes explosent. Immédiatement, le médecin présent s'assure que le cordon n'est pas coincé et que mon bébé va bien.

Commence alors la poussée qui ne durera que 30 minutes. Je donne naissance naturellement à une belle petite fille à 8 h 35. Elle pèse 3,540 kg. Je n'ai que quelques points de surface. Le fait d'avoir réussi cet accouchement naturel m'apporte une vague incroyable d'énergie. C'est l'un des grands moments de ma vie. En plus, la rémission est beaucoup plus courte qu'après le premier accouchement et la gestion de la douleur plus facile. Avec mon aînée qui exige temps et attention avec l'arrivée du bébé, ces améliorations sont très appréciées !

2
LES RISQUES DE L'AVAC ET LES RISQUES DE LA CÉSARIENNE

DANS CE CHAPITRE:

Le risque de l'AVAC est plus faible qu'on ne croit et la césarienne est loin d'être sans risques

Risques de l'AVAC

- Le risque « de base » de séparation de l'incision utérine de l'AVAC n'a pas changé; elle peut se produire chez 2 à 6 femmes sur 1000, lors d'un accouchement spontané
- Ce risque a été grossi par les médias
- On a beaucoup plus de connaissances sur les facteurs pouvant influencer ce risque
- Ce qui est dangereux: une séparation de l'incision utérine sur toute son épaisseur, incluant la membrane
- Le risque pour la mère: hémorragie et hystérectomie
- Le risque pour le bébé (5 % des ruptures): manque d'oxygène et décès
- Le signe le plus fiable de rupture: anomalies prolongées du rythme cardiaque du bébé
- Le risque d'avoir à faire une césarienne d'urgence lors de *n'importe quel* accouchement vaginal est de 2,7 % (2-3 femmes sur 100)

Ce qui augmente le risque de séparation de l'incision utérine:

- Le déclenchement artificiel du travail, surtout l'administration de prostaglandine (gel pour faire mûrir le col ou comprimés oraux), en particulier de misoprostol, mais aussi, même si le risque est alors plus faible, l'administration d'ocytocine
- L'incision utérine dite classique, verticale dans le corps de l'utérus, augmente le risque et ce type d'incision; peu fréquente, elle constitue une contre-indication à l'AVAC
- Une technique de suture de l'utérus ayant fait son apparition dans les années 1990 sans avoir été adéquatement évaluée, la technique « une couche », serait plus risquée
- Un segment utérin plus mince que 2,5 mm pourrait accroître le risque de rupture utérine

Les lignes directrices: un guide, pas une prescription

- Les associations médicales américaine et canadienne recommandent que lors d'un AVAC ou puisse procéder rapidement à une césarienne d'urgence en cas de rupture utérine. Mais la SOGC et le Collège des médecins de famille du Canada soulignent que l'information fournie par lignes directrices ne doit pas être interprétée comme dictant aux professionnels de la santé les conduites à suivre, et que les traitements peuvent être individualisés selon les besoins et les circonstances.

Le risque qui a augmenté serait plutôt le risque de poursuites.

Risques de la césarienne:

Les risques pour la mère:

- Au moins 3 fois plus de risque de décès
- 4 à 5 fois plus de risques de complications graves à court terme: infection grave, arrêt cardiaque, hystérectomie, thrombo-embolie, complications reliées à l'anesthésie
- Des risques de complications à long terme: problèmes de fertilité, d'adhérences (douleurs pelviennes, problèmes intestinaux); problèmes sérieux reliés au placenta;
- Une expérience moins satisfaisante; possiblement plus de dépression et de traumatisme, un allaitement plus difficile

Les risques pour le bébé:

- Risque de décès accru, même si grossesse dite à faibles risques, lors de la première césarienne, même en l'absence de complications
- 4 fois plus de problèmes respiratoires, de gravité variée, entraînant plus d'admissions en soins intensifs, d'interventions, etc.
- Plus la césarienne est faite avant 39 semaines, plus le bébé est à risques
- Souffrir d'asthme ou d'allergies
- Et pour le bébé d'une grossesse post-césarienne, risque accru de malformations, lésions du système nerveux et décès

La comparaison entre les risques que présente la césarienne versus l'accouchement par voie vaginale montre

- Beaucoup plus de différents risques avec la césarienne
- Un nombre intermédiaire de risques encourus par les accouchements avec instruments
- Peu de risques lorsque la naissance est spontanée
- Il est préférable pour le bébé, même lorsqu'une césarienne est prévue, de laisser au moins le travail commencer. Les contractions contibuent en effet à la libération d'hormones qui aident l'organisme du bébé à être plus prêt à affronter la vie extra-utérine.

« On est tous pris dans une musique ambiante de peur [en obstétrique] ; on est dans la culture du risque, ne serait-ce que parce que nous sommes voisins, au nord, d'un certain pays qui a inventé la notion de risque en obstétrique. Le risque obstétrical est une invention américaine. On est pris là-dedans, on ne peut pas vraiment y échapper sans vraiment en prendre d'abord fortement conscience. »

Dr Vania Jimenez*

Nous vivons dans une société où il est énormément question de risques, et en particulier en ce qui concerne la santé et la sécurité des êtres humains que nous sommes. Alors que voilà une trentaine d'années, on roulait en voiture sans ceinture de sécurité ou en bicyclette sans casque protecteur, c'est devenu un impératif de se protéger de tous les risques, dans l'illusoire croyance que si on fait tout ce qu'il faut faire, on sera en santé et en sécurité. Bien que les comportements encouragés au nom de la santé et de la sécurité puissent avoir du sens, cette omniprésence de l'obsession du risque a l'effet pervers d'accroître notre sentiment d'anxiété.

Dans la vie des êtres humains, le fait d'attendre un bébé n'est pas nouveau, pas plus que le fait d'éprouver certaines craintes pendant cette période de la vie. Mais probablement que l'anxiété des femmes enceintes a augmenté de manière considérable depuis les années 1970 ou 1980, depuis en fait le développement d'une multitude de tests prénatals qui pourraient avoir comme objectif de rassurer, mais qui créent aussi de l'anxiété, relativement aux choix à faire, à l'attente des résultats de chaque test, successivement, etc. La sociologue Anne Quéniart a d'ailleurs appelé ce phénomène affectant les femmes enceintes « la prégnance du risque** ». Et non seulement les tests prénataux se sont multipliés, parallèlement aussi à l'accroissement du discours général sur le risque, mais on enjoint fortement aux femmes enceintes d'adopter tel ou tel comportement, de s'abstenir de ceci, de consommer cela, d'éviter la consommation de tel aliment,

* Dr Vania Jimenez, obstétricienne, chercheuse, auteure, « Naissances : les intervenantes ont-elles vraiment le choix ? » Conférence annuelle de l'Association pour la santé publique du Québec, 23-30 novembre 2004. *Obstétrique et santé publique : élargir les perspectives sur la réalité de la naissance.*

** Prégnance : « Caractère de ce qui s'impose à l'esprit, produit une forte impression ». *Le Petit Larousse illustré*, 2004.

de prendre telle vitamine… la liste est sans fin, en ce début de XXIe siècle. En plus, la médicalisation de l'accouchement transforme notre perception de cet événement et nous fait perdre confiance dans notre capacité à enfanter, comme le soulignait la sociologue québécoise Maria De Koninck[61], ainsi qu'un médecin canadien le Dr Michael Klein[62] :

> *Trois Canadiennes sur quatre ont une ou plus d'une intervention majeure pendant leur accouchement, tout cela émanant d'une préoccupation louable de sécurité pour la mère ou le bébé. Mais le résultat, c'est que l'état des mères ou des bébés ne s'améliore pas, et qu'on assiste à une véritable épidémie de chirurgies ainsi qu'à une perte de confiance en soi de toute une génération de femmes…*

Dans ce chapitre, il sera question des risques que présente l'AVAC, et des risques que présente la césarienne si on la compare à l'accouchement vaginal. Connaître les risques des deux options est important, lorsqu'on désire faire un choix en toute connaissance de cause. D'autant plus que, comme on l'a vu au chapitre précédent, la profession médicale est moins encline depuis quelques années à laisser les femmes ayant précédemment accouché par césarienne avoir un AVAC. Choisir l'AVAC peut vouloir dire, de nos jours, être bien informée afin de pouvoir vivre ce que l'on a envie de vivre.

Je vous suggère de lire ce chapitre et d'en discuter si vous le souhaitez avec votre médecin, votre sage-femme ou votre accompagnante, d'aller voir l'annexe Ressources pour plus d'informations, et de faire le choix avec lequel vous vous sentirez le plus à l'aise.

LE RISQUE DE L'AVAC : LA SÉPARATION DE L'INCISION UTÉRINE

Dans les pages qui suivent, il sera question de la notion de risque. Selon *Le Petit Larousse illustré*, le risque est un : « danger, inconvénient plus ou moins probable auquel on est exposé ». Retenons le « plus ou moins » probable. Cela veut dire que dans certains cas on sera en présence de plus de probabilité, et dans l'autre de moins de probabilité. Mais ici la notion de probabilité est une notion statistique. Dans le langage populaire, quand on emploie le mot « probable » on pense plutôt à la grande possibilité que telle ou telle chose puisse se produire. Le sens statistique est différent. En ce qui concerne l'AVAC, les chercheurs étudient ce qui arrive chez les femmes ayant toutes accouché précédemment par césarienne. Ils comparent ce qui arrive aux femmes tentant un AVAC et ce qui arrive aux femmes ayant choisi d'avoir une autre césarienne. Ils mesurent surtout combien d'entre elles ont eu ce qu'on appelle une rupture utérine – une séparation de l'incision utérine, qui est essentiellement le risque que présente l'AVAC – et quelles en ont été les conséquences pour la santé des mères et des bébés.

On sait depuis les années 1950 – et même avant en Europe – que l'AVAC constitue un événement sécuritaire dans la plupart des cas, et que le risque particulier qu'il présente est ce qu'on appelle généralement la rupture utérine.

Le risque de rupture utérine*

La rupture utérine est l'ouverture de l'incision utérine, qui peut produire des complications pour la mère et pour le bébé. Dans ce cas, la mère doit être opérée d'urgence pour faire naître le bébé et afin qu'on répare l'utérus. En fait, la grossesse de toute femme qui est enceinte après une césarienne comporte ce risque, mais ce qu'on sait moins, c'est qu'avoir une césarienne répétée sur rendez-vous ne protège pas contre ce risque, puisqu'une rupture utérine peut se produire avant même le début de tout travail. On oublie également souvent de mentionner que la césarienne présente d'autres risques.

Le risque « de base » d'un AVAC n'a pas changé depuis ce qu'avaient conclu dans les années 1980 les revues des études scientifiques faites pour les conférences-consensus nord-américaines. À cette dernière conférence-consensus, on recommandait l'AVAC s'il y avait une seule incision, transversale basse, et un seul bébé se

* Pour la section de ce livre sur le risque de rupture utérine, j'ai retenu les formes d'études les plus solides comme « preuves scientifiques » : les revues systématiques d'études, les méta-analyses, ou encore les études d'envergure (portant sur un grand nombre de sujets) entre 1990 et début 2008, pour la période s'étant écoulée entre la publication de mon livre et sa révision. J'ai aussi consulté les lignes directrices d'associations de professions médicales ou paramédicales.

présentant par la tête. En 1985, l'OMS soulignait aussi que répéter une césarienne n'était pas nécessaire.

Ce qui est dangereux et ce qui ne l'est pas

La plupart des séparations d'incisions dont on traite dans les études sont en fait des déhiscences. Plusieurs études ne font pas de distinction entre rupture et déhiscence, ce qui rend l'interprétation des données malaisée[63]. On rencontre aussi le terme « fenêtre », le type de séparation de l'incision la plus bénigne. Il s'agit d'un trou dans l'incision utérine qui se produit durant la cicatrisation. Cela ne présenterait pas d'inconvénient. On s'en aperçoit si on fait une révision utérine ou encore lors d'une césarienne ultérieure.

La séparation qui s'appelle « déhiscence » est une partie de l'incision où les couches de l'utérus ne sont pas toutes soudées ensemble (un peu comme dans un baklava), ce qui fait qu'on peut voir au travers. Il reste cependant du tissu musculaire, même s'il est mince. Il ne s'agit pas d'une véritable séparation d'incision. Généralement, les membranes demeurent intactes, il n'y a pas de saignement, pas de douleur et le fœtus demeure dans l'utérus. Une déhiscence n'est pas dangereuse comme une rupture utérine symptomatique et n'a pas nécessairement même besoin d'être réparée. On s'en aperçoit aussi lors d'une césarienne répétée. Selon Beckett et Regan[64], il se pourrait que le risque de rupture utérine doive être révisé à la baisse puisque plusieurs études ne font pas la différence entre les deux. D'autres expressions employées pour désigner autre chose que la rupture utérine sont utilisées, mais moins fréquemment, par exemple un amincissement de la paroi utérine[65]. Voici ce que dit de la rupture utérine le très bon site web français Cesarine.

> Pour schématiser, l'utérus peut être comparé à un oeuf: il se compose d'une membrane (la coquille) entourant un muscle (le blanc), le bébé dans son liquide amniotique étant à l'intérieur (à l'emplacement du jaune). Lors d'un accouchement, il est tout à fait possible que le muscle utérin s'écarte, l'utérus n'est alors plus fermé que par la membrane: il s'agit d'une déhiscence de l'utérus. Cela ne pose aucun problème grave, hormis le fait que le travail peut se trouver ralenti, conduisant à une césarienne pour arrêt du travail. Mais le plus souvent, l'accouchement se passe normalement, et l'éventuelle déhiscence n'est même pas détectée (elle n'est détectable qu'en pratiquant une révision utérine, geste qui ne se pratique pas sans bonne

raison, par exemple en cas de saignement anormal). Dans le cas de l'utérus cicatriciel, il arrive que la cicatrice se ré-ouvre. On arrive ainsi à la même situation: l'utérus reste fermé par la membrane. On parle alors de déhiscence de la cicatrice, de désunion de la cicatrice, de pré-rupture ou de rupture incomplète (ces termes sont utilisés indifféremment). Si le muscle et la membrane se déchirent, on parle de rupture utérine complète.

Source: www.cesarine.free.fr

Une « vraie » rupture utérine implique donc toute l'épaisseur du segment utérin – *toutes* les couches incluant la serosa (membrane) –, elle est symptômatique et/ou exige d'être réparée[66]. C'est ce type de rupture qui comporte des risques pour la mère et pour son bébé. Pour montrer l'importance de différencier entre vraie rupture utérine et déhiscence, dans une autre étude[67], le taux de vraie rupture était de 0,3 % et celui de déhiscence était de 0,5 %. Et le déclenchement artificiel du travail doublait le risque de « vraie » rupture relativement à celui de déhiscence.

Quel est le risque pour les femmes?

Le risque additionnel d'une rupture utérine chez une femme tentant un AVAC – une rupture symptomatique – comparé à celui d'une femme ayant une césarienne itérative (répétée) est plus faible qu'on pensait auparavant. Des études ont révélé un variant entre 0,2 % et 0,6 % lorsqu'il n'y a pas de déclenchement ou de stimulation du travail, telle l'étude menée dans les maisons de naissances américaines[68]. Cela signifie qu'entre une et trois femmes sur 500 tentant un AVAC pourraient avoir une rupture utérine*. L'étude menée dans les maisons de naissance montre un risque de 0,2 % pour les femmes ayant eu une seule césarienne et ayant accouché à moins de 42 semaines de gestation. Et on y a mesuré un risque général de 0,4 % incluant les autres situations, taux confirmé par plusieurs autres études[69]. En maisons de naissances, les taux de rupture utérine et

* Le niveau de risque d'une rupture utérine se compare à celui d'une amniocentèse, intervention qu'on n'hésite aucunement à recommander aux femmes enceintes : selon la SOGC, la meilleure estimation dont on dispose actuellement du taux de perte du fœtus lors de cette intervention est de 1 sur 300-500 amniocentèses. Selon Wilson, R.D., 2008, « Choix prénatals offerts aux Canadiennes : liberté de choix ou bien public ? » *JOGC*, 30(1) : p. 15-16.

de mortalité périnatale sont inférieurs aux taux en centres hospitaliers – ou du moins ils ne les dépassent pas[70]. D'autres études montrent un taux de rupture utérine de 0,6 % [71]. Le risque pour la mère lors d'une vraie rupture utérine est un risque d'hémorragie, et aussi celui d'avoir une hystérectomie. Une autre manière de chiffrer le risque, selon de Guise *et al.* (2004), est de dire qu'il serait nécessaire de faire subir à 370 femmes une césarienne itérative pour prévenir une seule rupture utérine symptomatique, .

Et le risque pour le bébé?

Le risque pour le bébé lors d'une vraie rupture utérine est qu'une partie de son corps ou son corps en entier sorte de la cavité utérine, et qu'il manque d'oxygène. Il existe aussi un risque de décès chez le bébé qui se chiffre à environ 5 % des ruptures utérines[72] ou 1,5 sur 10 000 naissances vivantes (AVAC). On estime donc qu'il faudrait faire entre 3846 et 7142 césariennes répétées sur rendez-vous pour prévenir un seul décès de bébé à la suite d'une rupture utérine[73,74]. N'oublions pas cependant que le risque d'avoir une césarienne d'urgence pour *tout* accouchement vaginal (pas nécessairement un AVAC) est de 2,7 %[75]. Il peut s'agir alors d'une procidence du cordon*, d'une hémorragie importante lors de l'accouchement ou encore d'une détresse fœtale aiguë. En fait, le taux de mortalité pour le bébé relié à un AVAC est le même taux que chez les femmes qui accouchent de leur premier bébé[76]. Et, comme nous le verrons plus loin, la césarienne présente aussi des risques pour le bébé.

Une étude publiée en 2004[77] révèle des risques accrus de complications pour les bébés, à la suite d'un AVAC – en particulier après un déclenchement ou une accélération du travail - mais davantage de risques de décès maternel pour les césariennes répétées. Toutefois, cette étude a comparé deux groupes de femmes différents ; celles qui avaient eu un AVAC provenaient souvent de milieux sociaux défavorisés, donc leur grossesse présentait au départ plus de risques. De plus, ce groupe comprenait des femmes ayant eu une incision utérine

---

* Il s'agit du cordon qui est comprimé entre la tête du bébé et le col, par exemple lorsque les eaux sont rompues avant que la tête du bébé soit bien engagée dans le bassin. Cette situation nécessite une césarienne d'urgence.

classique, ce qui accroît de beaucoup le risque de ruptures. Comme d'autres études sur l'AVAC, cette étude fut critiquée[78].

LES SIGNES D'UNE RUPTURE UTÉRINE

On ne dispose pas actuellement de méthode permettant de prédire si une rupture utérine va se produire. Selon Flamm (2001)*, une ou des décélérations prolongées du rythme cardiaque du bébé (bradycardie) seraient le signe le plus précis indiquant qu'une rupture de l'incision de l'utérus pourrait être en train de survenir. Par exemple une baisse jusqu'à 60-70 battements par minute ou moins, durant plus de quelques minutes et n'étant pas modifiée par la stimulation de la tête du bébé, par un changement de position de la mère, etc. D'autres signes peuvent être une régression importante dans la station (on appelle « station » la position du bébé relativement à sa descente vers la sortie), ou encore un saignement vaginal important. Flamm souligne que d'autres signes dont on se préoccupait, comme la tachycardie maternelle (le cœur de la mère bat très rapidement), une baisse de sa tension artérielle, une hématurie (sang dans l'urine) et une douleur importante ne seraient pas fiables. N'oublions pas cependant que l'administration d'une péridurale peut donner lieu, une quinzaine de minutes après, à une chute importante du rythme cardiaque du bébé. Celle-ci ne dure généralement pas, mais peut effrayer les futurs parents et le personnel.

Ce qui accroît surtout le risque de l'AVAC

Si on a pu avoir l'impression, au cours des 20 dernières années, que l'AVAC était moins sécuritaire qu'avant, en lisant les journaux ou en constatant les obstacles auxquels doivent faire face les femmes désirant un AVAC dans notre société, cela serait dû à l'accroissement des interventions faites à partir du moment où l'AVAC est devenu plus courant, et en particulier à l'augmentation de la fréquence du déclenchement artificiel du travail.

L'étude de Lydon-Rochelle : un tournant

Une étude a beaucoup influencé les pratiques en ce qui concerne l'AVAC : celle de Lydon-Rochelle, publiée en 2001, qui a donné lieu

* Flamm, 2001, « Vaginal Birth after Cesarean and the *New England Journal of Medicine: A Strange Controversy* » *Birth* 28(4) :276.

à des titres alarmistes dans les médias, et à des critiques de la part de cliniciens, de chercheurs ou de groupes d'usagères. On y a notamment relevé que cette étude (où l'on n'a inclus que les femmes ayant une seule césarienne antérieure et portant un seul bébé) est basée sur des données consistant en des codes de diagnostic, une méthode sujette à erreurs. Voici ce qu'on en dit: «les codes ICD-9-CM* pour la rupture utérine, établis avant qu'on ne commence à se préoccuper vraiment de ce sujet, manquent de précision et n'ont pas été appliqués de manière constante depuis qu'on les utilise[87]». On a dit que les dossiers obstétricaux des sujets de l'étude de Lydon-Rochelle[88] ayant eu une rupture utérine n'auraient pas été révisés pour vérifier les données fournies par les codes. De plus, l'étude ne précise pas quelle sorte de prostaglandines étaient utilisées, ni si de l'ocytocine** fut utilisée aussi, outre la prostaglandine, pour les femmes dont le travail a été déclenché ainsi. Enfin, l'étude a inclus 105 femmes ayant une incision utérine classique***, le type d'incision présentant le plus de risques de rupture utérine et contre-indiquée pour un AVAC, comme nous le verrons plus loin. Selon le docteur Bujold[89], trois des auteurs de cette étude auraient tenté de faire exclure les cas d'incision classique (qui élèvent le taux de rupture utérine) de l'analyse, sans succès. Pourtant, au Canada, cette étude fit grand bruit et entraîna des changements de politiques hospitalières défavorables aux femmes voulant un AVAC et chez les médecins.

Il est stupéfiant de constater que deux ans après la publication de cette étude, un sondage[90] auprès des obstétriciens-gynécologues canadiens indiquait que 25 % d'entre eux utiliseraient les prostaglandines pour déclencher l'accouchement de leurs clientes pour un AVAC, malgré les conclusions défavorables de l'étude.

---

* ICD-9-CM: International Classification of Diseases, Ninth Revision, Clinical Modification. Il s'agit d'une classification faite par l'Organisation mondiale de la santé. On assigne des codes aux diagnostics et procédures faites dans les centres hospitaliers.

** Il s'agit d'ocytocine synthétique, administrée pour déclencher ou stimuler artificiellement l'accouchement.

*** En France on appelle ce type d'incision une incision corporéale.

Déclenchement et stimulation artificiels du travail

Le déclenchement artificiel du travail présente un risque de rupture utérine, pour toutes les femmes, y compris les femmes n'ayant pas accouché précédemment par césarienne. Mais dans le cas de l'AVAC, le risque est plus grand[79].

LES ENFANTS NE NAISSENT PLUS LE DIMANCHE

Où sont passés les bébés du dimanche? s'interroge le chercheur Alexander Lerchl. Au terme de deux études [...] récemment publiées, de moins en moins de naissances ont lieu le weekend.[...] Tout se passe come si les pratiques médicales et les contraintes financières du secteur public hospitalier dictaient de plus en plus « comment et quand les bébés naissent »

Source: *Le Monde d'aujourd'hui*, rubrique « pratique », novembre 2007, http://le monde.fr/web/tstitres/0,26-0,45-0,0.html

Les dangereuses prostaglandines

Un facteur susceptible d'augmenter parfois de manière considérable le risque de rupture utérine est le fait d'intervenir, en particulier pour déclencher le travail. Même avant l'étude de Lydon-Rochelle, où il est démontré que ce sont les prostaglandines administrées pour déclencher artificiellement le travail qui entraînent le plus de ruptures utérines, on soupçonnait l'impact négatif de ce médicament. Le gel E_1, que l'on applique sur le col pour le faire « mûrir » et ainsi déclencher plus facilement l'accouchement, serait particulièrement nocif. Les prostaglandines provoqueraient des modifications biochimiques qui affaibliraient la cicatrice, favorisant sa rupture[80].

En Europe, depuis le début des années 1990, la pratique de l'AVAC était différente[81]. Non seulement le taux de déclenchement artificiel du travail était inférieur au taux d'Amérique du Nord, mais on avait très peu recours aux prostaglandines. C'est peut-être pour cela que le taux de ruptures était peu élevé, variant entre 0,2 et 0,4 %. Toutefois, en Europe aussi on a accru le recours aux déclenchements artificiels du travail ces dernières années, et on a aussi démontré le risque accru du déclenchement artificiel lors d'un AVAC[82].

Parmi les prostaglandines, le Cytotec (misoprostol, ou E1), un médicament non conçu pour l'accouchement, est particulièrement dangereux, même chez les femmes n'ayant pas eu de césarienne antérieure[83]. On fait état de ruptures utérines[84], de décès maternels, de décès de bébés et d'hystérectomies d'urgence[85]. On a ainsi relevé des décès de mères et de bébés, lors d'accouchements vaginaux ordinaires. Dans ses dernières directives cliniques (2004), l'ACOG déconseille le recours aux prostaglandines pour un AVAC et la SOGC recommande d'en limiter l'usage aux essais cliniques, pour toutes les femmes accouchant vaginalement[86]. Or, il y a quelques années, on rapportait au Québec l'utilisation du Cytotec dans des centres hospitaliers pour déclencher l'accouchement.

TAUX DE RISQUE DE RUPTURE UTÉRINE
Lydon-Rochelle, 2001

Sans travail	0,16 %
Acc. spontané	0,52 %
Trav. déclenché sans prostagl.	0,77 %
Trav. déclenché avec prostagl.	2,45 %

L'ocytocine

En ce qui concerne le recours à l'ocytocine synthétique, son utilisation pourrait provoquer jusqu'à 3,1 % plus de risque[91]. Il se pourrait aussi que l'utilisation durant la phase latente* du travail accroisse le risque[92]. Toutefois, peu d'études font la différence entre déclenchement artificiel du travail et accélération du travail. Ce pourrait être l'utilisation en séquence** des prostaglandines et de l'ocytocine qui hausse de 3 fois le taux de rupture[93]. Toutefois, la SOGC souligne qu'on devrait utiliser l'ocytocine avec précaution pour le déclenchement artificiel d'un AVAC.

Le ballonnet

Cette technique de dilatation du col pour déclencher le travail, c'est-à-dire l'insertion d'un dispositif pour ouvrir graduellement le

* La phase latente du travail se situe avant la phase active du travail, c'est-à-dire avant une dilatation d'au moins 3-4 cm du col utérin et des contractions régulières et assez fortes.

** On les administre l'une après l'autre.

col pendant quelques heures afin de déclencher artificiellement le travail, ne comporterait pas de risque de rupture utérine[94]. La SOGC n'en déconseille pas l'utilisation pour un AVAC.

L'accélération artificielle (ou stimulation) du travail (le fameux « Synto »)

Si on déclenche souvent artificiellement l'accouchement, on le stimule aussi de plus en plus en Amérique du Nord. Aux États-Unis, en 2002, plus de la moitié des femmes ont vu leur travail accéléré par de l'ocytocine artificielle administrée par intraveineuse[95]. Ce médicament augmente la fréquence, la durée et la force des contractions. Plusieurs études de bonne qualité, dont une revue systématique, montrent que l'accélération du travail à l'ocytocine augmente le risque de rupture[96]. Et l'expert américain, le docteur et chercheur Bruce Flamm[97], souligne aussi qu'il serait prudent de faire attention lorsqu'on accélère le travail d'une femme ayant précédemment accouché par césarienne. Parfois, une simple rupture des membranes, en particulier lorsqu'elle est précédée et suivie d'administration de Syntocinon, peut avoir un effet négatif sur le rythme cardiaque du bébé*. Toutefois, la SOGC ne déconseille pas l'utilisation de l'ocytocine pour la stimulation du travail, dans ses lignes directrices n° 148. Et le chercheur québécois et médecin Emmanuel Bujold est d'avis que stimuler le travail à l'ocytocine de façon raisonnable après 5 cm de dilatation ne poserait pas de problème.[98]

* * *

Bref, ce qui semble important, sinon essentiel, lors d'un AVAC, c'est d'éviter que l'on déclenche artificiellement le travail à l'aide de prostaglandines pour faire mûrir le col. Il semble important, de plus, d'éviter un déclenchement à l'ocytocine, même si les risques dans ce dernier cas sont moindres. Le risque de rupture augmente en particulier lorsque le col n'est pas favorable, c'est-à-dire lorsqu'il est long, fermé, dur[99]. Par ailleurs, le déclenchement artificiel du travail accroît le risque que l'accouchement se termine en césarienne[100], ce

* Observation faite durant la réalisation de ma thèse de doctorat, et confirmée par une obstétricienne-gynécologue.

qui est précisément ce qu'on veut éviter lorsqu'on tente un AVAC. Le déclenchement artificiel du travail est aussi associé à plus de tracés non rassurants du rythme cardiaque du bébé, à la dystocie de l'épaule* et aux accouchements avec forceps ou ventouse[101].

ET LES APPROCHES ALTERNATIVES POUR DÉCLENCHER OU STIMULER LE TRAVAIL ?

Plusieurs femmes, ainsi que des accompagnantes, des sages-femmes et certains médecins préfèrent recourir à des moyens naturels pour tenter de déclencher un accouchement. Sauf erreur, ces moyens, comme faire des pressions sur des points d'acupuncture, utiliser des concentrations de plantes comme l'actée à grappes noires, n'ont pas été évalués quant à leurs risques possibles. Si vous n'avez jamais reçu un massage vigoureux de chaque côté des talons sous les malléoles des chevilles, je vous suggère de l'essayer sur une amie *non* enceinte qui commence à avoir ses règles et a mal au ventre; je parie qu'elle va en ressentir l'effet dans l'utérus ! C'est ainsi qu'on doit éviter de stimuler certains points d'énergie sur les femmes enceintes pendant la grossesse. J'en ai été la première avertie, lorsque j'ai fini par relier le déclenchement de contractions pendant les fins de semaine lors de ma deuxième grossesse, au cours du deuxième trimestre, à la séance de massage d'acupression que j'avais le vendredi ! Puisque l'utérus cicatrisé est plus sujet à la rupture de l'incision, il faut être tout aussi prudent avec le recours à des approches alternatives pour déclencher l'accouchement, sinon carrément les éviter.

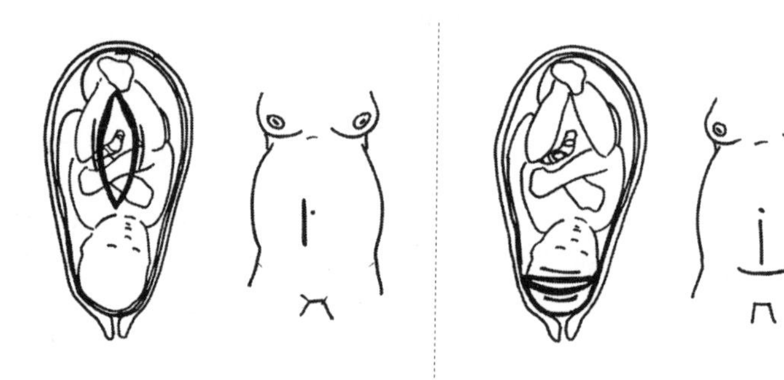

Incision utérine classique et incision de la peau correspondante

Incision utérine transversale basse et incision de la peau correspondant aux incisions utérines basses (horizontales ou verticales)

* Il s'agit de la situation où les épaules du bébé ont de la difficulté à sortir.

Type d'incision

À part les diverses formes de déclenchement ou d'accélération du travail, d'autres facteurs peuvent influencer la possibilité qu'une séparation de l'incision utérine se produise, en particulier le type d'incision utérine.

En effet, il existe plusieurs types d'incisions utérines, et une sorte en particulier présente plus de risques de rupture. Le risque de l'incision dite classique (incision verticale dans le corps de l'utérus, aussi appelée incision corporéale) est beaucoup plus important. Ce type d'incision se développa à partir du début du XXe siècle lorsqu'on commença à faire des césariennes sur des femmes en travail. Le risque de rupture d'une incision classique est estimé généralement à environ 10 à 12 %[102]. On s'entend généralement pour déconseiller l'AVAC aux femmes qui ont eu ce type d'incision utérine. Toutefois, ce type d'incision n'est pas fréquent et aurait lieu dans 5 à 10 % des césariennes seulement. Il constitue une contre-indication à un AVAC selon la SOGC. Par exemple, on fait plus souvent une incision dite classique (faite à la verticale dans le corps de l'utérus) lorsque le bébé est très prématuré (avant 28 semaines de grossesse, période où le segment inférieur de l'utérus n'est pas formé), lorsqu'il se présente par le siège, est en position transverse ou oblique, ou à la suite d'un *placenta prævia*. Ou encore lorsqu'il a fallu agir très rapidement pour sortir le bébé, ou lorsqu'il y a malformation de l'utérus.

Un autre type d'incision verticale est l'incision verticale basse (dans le segment inférieur de l'utérus), qui ne serait pas associée à un risque élevé de rupture utérine, car cette partie de l'utérus est moins vascularisée sur le corps de l'utérus (on y trouve moins de vaisseaux sanguins[103]). Quant aux incisions en T inversé ou en J (transversale basse horizontale et verticale), elles sont rares et il n'existe pas vraiment d'études ayant porté sur ce type d'incision*.

L'incision utérine présentant le moins de risque de rupture est donc l'incision transversale basse (incision horizontale). Le médecin écossais Kerr lui donna son nom, ayant démontré en 1921 qu'elle

* Je n'ai trouvé que le site web www.vbac.com qui en parle ; on y dit que cette incision présenterait 4 à 9 % de risques de séparation.

causait moins d'infection, de saignements et d'adhérences*. Quatre-vingt-dix à 95 % des femmes auraient ce type d'incision utérine.

Normalement, le dossier obstétrical – dont vous avez le droit d'obtenir une copie détaillée de l'hôpital où vous avez accouché – devrait indiquer quel type d'incision utérine fut effectué lors de votre césarienne. Toutefois, les dossiers médicaux ne sont pas toujours limpides. Si vous n'arrivez pas à savoir quel est le type de votre incision utérine, la probabilité que celle-ci soit une incision transversale basse est grande. Une revue d'études et un expert de l'AVAC indiquent l'absence d'augmentation du taux de rupture utérine chez les femmes ayant un type d'incision inconnu[104]. Toutefois, la SOGC recommande que l'on connaisse le type d'incision utérine[105]. Selon l'indication pour la césarienne antérieure, le médecin pourrait aussi avoir une idée du type d'incision que vous avez. Avoir été opérée à l'utérus peut aussi être une contre-indication à un AVAC.

Le risque de rupture pourrait aussi être accru par une technique de suture de l'utérus qui s'est répandue au cours des années 1990.

Type de sutures de l'utérus lors de la césarienne

Au début des années 2000, après avoir été alertée sur des changements d'attitude chez des médecins et hôpitaux – changements défavorables à l'AVAC – et sur une soi-disant augmentation des taux de rupture utérine, j'ai été informée par une omnipraticienne d'une modification du type de sutures de l'incision utérine effectué lors des césariennes et sur l'enseignement de cette nouvelle technique aux futurs obstétriciens-gynécologues à partir de la fin des années 1980. Je me suis alors interrogée sur le rôle négatif que cette technique pouvait jouer dans les ruptures utérines. Or la plupart des études d'envergure ont porté sur des césariennes faites avec la technique deux couches[106]. Comment se fait-il qu'une technique susceptible d'accroître le taux de ruptures utérines ait été introduite sans avoir adéquatement été évaluée ?

* Les adhérences sont la formation de tissu cicatriciel due à la chirurgie.

Les différentes techniques de suture

La suture appelée « une couche » (ou « un plan ») est une suture continue faite sur le segment utérin inférieur de même que des sutures pour contrer les saignements, ajoutées au besoin. La suture « deux couches » (ou « deux plans ») consiste en une seconde suture continue imbriquée et faite au-dessus de la première suture, aussi appelée incision Pfannenstiel[107].

La technique deux couches fut utilisée de manière prédominante jusqu'au milieu des années 1990, et ensuite la technique une couche devint la technique la plus utilisée. Cette technique fut peut-être utilisée d'abord en Allemagne ou en Europe de l'Est, dès 1972[108]. On aurait constaté alors quelques bénéfices[109], comme une légère diminution du temps d'opération et de la perte de sang, concordant avec d'autres études ; et moins d'endométrite et une durée hospitalière plus courte. Pour les femmes désirant avoir un AVAC, on devrait peut-être faire une suture à deux couches, et une étude portant sur un échantillon plus important gagnerait à être réalisée. Il se pourrait donc que la technique une couche entraîne plus de ruptures utérines. Cependant, les preuves scientifiques ne sont pas nombreuses, les résultats des études sont contradictoires et la qualité de certaines études laisse à désirer[110]. Il semble aussi que le matériau de suture puisse avoir un lien avec les ruptures utérines.

Plusieurs auteurs[111] ont cherché à savoir plus récemment quel impact cela pouvait avoir sur la rupture utérine. Et une étude à large échelle faite au Québec[112] a démontré une hausse de 6 fois le risque de rupture utérine liée à la technique une seule couche* (3,1 % comparé à 0,5 %). Un essai clinique randomisé est présentement en cours, l'étude CAESAR, où l'on compare l'impact des deux types de suture[113]. Tout comme le type d'incision, la technique utilisée pour la suture devrait théoriquement figurer dans votre dossier obstétrical.

* Aussi appelée « monocouche ».

Les positions officielles au sujet de l'avac

« Les directives cliniques font état des percées récentes et des progrès cliniques et scientifiques à date de publication de celles-ci et peuvent faire l'objet de modifications. Il ne faut pas interpréter l'information qui y figure comme l'imposition d'un mode de traitement exclusif à suivre. Un établissement hospitalier est libre de dicter des modifications à apporter à ces opinions. En l'occurrence, il faut qu'il y ait documentation à l'appui de cet établissement ».*

*La position de l'ACOG et de la SOGC***

Les professionnels de la santé sont guidés dans leur pratique de la médecine par des prises de position officielles de leurs associations médicales. Aux États-Unis, c'est l'American College of Obstetricians and Gynecologists (ACOG) qui guide la pratique en obstétrique, et au Canada, c'est la Société des obstétriciens et gynécologues du Canada (SOGC). Mais les lignes directrices américaines ont aussi de l'influence sur les médecins d'ici.

Les lignes directrices sur l'AVAC de l'ACOG et de la SOGC ont contribué à modifier depuis une vingtaine d'années les pratiques face à l'AVAC, non seulement aux États-Unis mais aussi au Canada. Ces lignes directrices précisent depuis la fin des années 1990 que dans les hôpitaux où des femmes tentent un AVAC on devrait pouvoir avoir le personnel nécessaire pour faire une césarienne « immédiatement » en cas de besoin, selon l'ACOG, et là où « l'exécution opportune*** d'une césarienne est possible », selon la SOGC[114]. Or la recommandation de l'association américaine ayant inspiré celle de la SOGC est fondée sur un niveau III de preuves, soit sur des résultats de consensus ou sur l'opinion d'experts, niveau moindre que celui fourni par des études scientifiques. En effet, il n'existe pas

---

* Source : Société des obstétriciens et gynécologues du Canada, note sur toutes les Directives cliniques émises par la SOGC, y compris la dernière directive concernant l'AVAC, parue en février 2005.

** Une section du chapitre que j'ai écrit dans le livre *Evidence-Based Midwifery*, sous la direction de Jane Munro et Helen Spiby (à paraître en 2008 aux Éditions Blackwell Publishing) traite de l'évolution de la position des associations médicales à propos de l'AVAC.

*** « Opportune : Qui convient au temps, au lieu, aux circonstances ; qui survient à propos », *Le Petit Larousse Illustré* 2004, p.718.

d'étude ayant démontré que la disponibilité immédiate d'une équipe ou d'une salle d'opération améliore la santé des mères ou des bébés. Ces recommandations ont suscité des réactions, en particulier chez les regroupements d'usagères et chez certains médecins[115]. Et elles ont été interprétées par les milieux médicaux comme devant signifier la présence d'équipes prêtes à opérer, lorsqu'une femme est en travail pour un AVAC. Toutefois, le délai généralement recommandé en obstétrique[116] pour une césarienne d'urgence est inférieur à 30 minutes (à partir de la décision de la faire jusqu'au début de l'opération), certains auteurs ayant précisé qu'on ne devrait pas dépasser un délai 15 à 18 minutes. À l'intérieur de ce délai, le bébé ne devrait pas souffrir de dommages[117]. Et la SOGC recommande un délai maximal de 30 minutes pour l'AVAC « pour la préparation d'une laparotomie* d'urgence » (déclaration n° 155), ce qui semble contredire sa position de faire une césarienne « opportune ».

Les recommandations de ces associations médicales ont aussi été interprétées comme suggérant la présence sur place d'une équipe médicale prête à opérer ainsi que d'une salle d'opération disponible 24 heures sur 24. Toutefois, certains centres hospitaliers l'interprètent de manière plus large, c'est-à-dire réquérant la présence d'une équipe opératoire et la disponibilité d'une salle d'opération dans un délai maximal de 30 minutes, ce qui ne veut pas dire que l'équipe médicale doit être dans l'établissement au moment de l'AVAC. Dans une prise de position conjointe, le Collège des médecins de famille du Canada et la SOGC soulignent en effet que : « Dans certains cas, des changements de pratique peuvent être opportuns, compte tenu des besoins des personnes, des ressources disponibles, et des limites particulières d'un établissement ou d'un mode de pratique. Une directive clinique peut être modifiée et le sera selon les circonstances qui prévalent[118]. »

> *Une césarienne faite dans un délai de 15 minutes est un mythe. J'ai été formé dans plusieurs des meilleurs hôpitaux de Boston et New York et n'ai jamais vu une césarienne d'urgence réalisée dans un délai inférieur à 30 minutes.*
>
> Le médecin américain Pixie Williams

* La laparotomie est une ouverture chirurgicale de l'abdomen (incision large).

Mais à la suite des lignes directrices plus restrictives de l'American College of Obstetricians and Gynecologists, aux États-Unis, en 2005, plus de 300 centres hospitaliers avaient banni l'AVAC. Et certaines compagnies d'assurances américaines ont refusé d'assurer les médecins dont la cliente avait un AVAC[111], alors que dans les années 1990, c'était le contraire, certaines refusant d'assurer les césariennes répétées sans raison médicale.

La peur des poursuites influence-t-elle les pratiques obstétricales ?

Le défi en ce qui concerne les discussions visant le choix éclairé, c'est d'arriver à séparer clairement les risques pour la cliente et son bébé sur le plan clinique, et les risques médico-légaux pour les intervenants. Un médecin américain souligne que le risque qui a augmenté n'est pas le risque de rupture utérine mais bien le risque de poursuites[119]. On tend à confondre ces deux types de risques dans les documents de consentement éclairé des hôpitaux, dans la littérature scientifique et dans les documents des associations professionnelles et administratifs, sans compter ce qui se retrouve dans les médias. Il en résulte une image déformée des risques et, partant, un choix moins éclairé[120].

Certains croient en effet que le changement d'attitude des associations médicales a plus à voir avec la peur des poursuites contre les médecins et les hôpitaux qu'avec le risque de l'AVAC[121]. C'est ainsi que la responsable du site américain sur l'AVAC www.vbac.com souligne cette possibilité, en citant le vice-président des pratiques de l'American College of Obstetricians and Gynecologists, le docteur Stanley Zinberg : « les médecins poursuivis sont en meilleure position pour se défendre s'ils étaient présents lorsque la complication est survenue[122] ». On estime aux États-Unis, nous l'avons déjà dit, qu'un obstétricien-gynécologue a en moyenne une poursuite contre lui tous les trois ans. Des poursuites ont eu lieu dans les années 1990 qui auraient fait peur au milieu médical[105]. Or on parle très peu de la peur des poursuites des intervenants aux femmes qui souhaitent avoir un AVAC. Il y a eu aussi au moins une poursuite concernant l'AVAC au Québec[123].

Une omnipraticienne me soulignait aussi l'influence de ce facteur sur le déclin de l'AVAC depuis quelques années au Québec[124]. C'est ainsi que la recommandation de la SOGC de recourir pour l'AVAC au monitoring électronique fœtal continu tiendrait peut-être plus du désir de protéger ses membres lors d'éventuelles poursuites que de la nécessité scientifiquement prouvée d'une utilisation continue de cette machine pour l'AVAC, qui comporte par ailleurs un taux d'erreurs assez élevé[125]. En effet, certains soulignent l'absence d'études sur le sujet[126]. De plus, la position couchée sur le dos comprimant la veine cave et l'oxygénation du placenta, cette recommandation peut entraîner des décélérations du rythme cardiaque du bébé, l'effet même que l'on veut prévenir et que le monitoring continu est censé déceler. Un monitoring intermittent avec un doppler manuel, beaucoup moins invasif, est considéré comme une alternative suffisante au monitoring continu. On commence par ailleurs dans certains hôpitaux à utiliser la télémétrie lors des accouchements pour surveiller électroniquement le cœur du bébé. Il s'agit d'un appareil de mesure portatif qui capte les battements de cœur du bébé et qui n'empêche aucunement la femme en travail de marcher. Ce peut être une option intéressante pour un AVAC lorsque le protocole hospitalier exige absolument une surveillance continue du cœur fœtal.

Les directives des associations médicales mettent non seulement en cause le droit des femmes ayant précédemment accouché par césarienne à avoir un AVAC (c'était un objectif de la Politique de périnatalité publiée en 1993[127]), mais elles soulèvent des questions quant à la « sécurité » de laisser des femmes n'ayant pas eu de césarienne antérieurement accoucher en CH quand il n'y a pas de spécialistes en permanence, si c'est ce qu'il faut évidemment pour assurer la sécurité des femmes en travail.

La position des médecins de famille et des sages-femmes

Certains médecins de famille ont à cœur d'aider leur clientèle à avoir un AVAC. Il existe même des cliniques de médecins de famille – par exemple en Alberta et en Ontario – qui refusent de suivre les femmes ne souhaitant pas avoir un AVAC, et qui les dirigent vers un obstétricien-gynécologue afin d'optimaliser l'utilisation de leurs ressources (pour ne pas avoir à consacrer de temps aux démarches pour que ces femmes aient une césarienne répétée[128]).

Une association de médecins de famille conteste la restriction recommandée par l'ACOG

L'Academic Academy of Family Physicians s'est prononcée aux États-Unis en mars 2005 sur l'AVAC, après avoir revu systématiquement les études scientifiques retenues par une autorité gouvernementale américaine en matière de santé, l'Agency for Health Care Research and Quality. L'AAFP recommande maintenant que les professionnels en soins de maternité offrent l'AVAC à leur clientèle, ne soutenant pas les restrictions émises par l'ACOG, à savoir que l'on devrait restreindre l'accès à l'AVAC aux institutions disposant d'équipes médicales présentes durant tout le travail. L'AAFP précise qu'elle n'a pas trouvé les preuves scientifiques que ces ressources additionnelles amélioreraient les résultats de ces accouchements[129].

Les infirmières-sages-femmes américaines soutiennent l'AVAC

En novembre 2004, les résultats d'une étude démontraient la sécurité de l'AVAC en maison de naissances (même risque que le risque « de base » de l'AVAC), mais la conclusion des auteurs et leur recommandation d'éviter les AVAC en maison de naissance semblaient contraires à ce que les résultats avaient démontré. Toutefois, l'American College of Nurse-Midwives, un ordre professionnel d'infirmières sages-femmes, soutient fortement la pratique de l'AVAC, soulignant qu'un AVAC complété offre des avantages significatifs et moins de risques pour les femmes et leurs bébés que la césarienne itérative. On ajoute que les sages-femmes peuvent aider les femmes à avoir un AVAC, du moment que des ententes sont faites avec le milieu médical pour consultation et transfert au besoin. On précise que l'aide d'une sage-femme accroît les chances des femmes de « compléter » leur AVAC et abaisse les taux de césariennes, donne lieu à moins d'interventions et à de meilleurs résultats pour les femmes dont la grossesse présente peu de risques, comme nous l'ont montré deux études canadiennes évaluant la pratique des sages-femmes[130] et une étude nord-américaine sur l'accouchement à domicile[131]. Enfin, on indique que l'incidence (la fréquence) d'une rupture utérine est similaire à celle d'autres urgences obstétricales pouvant se produire lors de tout accouchement. Toutefois, il se pourrait que l'AVAC, après deux césariennes ou plus, ou que l'AVAC, lorsque le terme de la grossesse est dépassé, augmentent les risques en maison de naissances[132].

La position des sages-femmes du Québec

Voici quelle est la position de l'Ordre des sages-femmes du Québec : « Les sages-femmes sont qualifiées pour donner des soins à une femme enceinte qui a eu une césarienne antérieure. De plus, lorsqu'une femme qui a déjà eu une césarienne choisit d'accoucher naturellement et d'être suivie par une sage-femme, le support donné par celle-ci peut augmenter les chances de succès. » (OSFQ, juin 2004, *Recommandations pour l'AVAC.*)

Au Québec, l'AVAC ne fait donc pas partie des critères d'exclusion de la pratique sage-femme, même si toutes les maisons de naissances ou toutes les sages-femmes ne sont pas nécessairement à l'aise face à une demande d'AVAC lorsque l'accouchement a lieu en dehors d'un centre hospitalier. Certaines acceptent, comme on peut le constater dans des récits d'accouchements figurant dans cet ouvrage.

OPINION D'UN MÉDECIN NÉONATALOGISTE

Pour le docteur Marsden Wagner, néonatalogiste et ex-directeur de la Santé maternelle infantile pour l'OMS en Europe, les recommandations de l'ACOG manquent de preuves scientifiques. Il ajoute qu'elles ont été faites par des obstétriciens-gynécologues en conflit d'intérêts puisque ce sont eux qui effectuent les césariennes. Il considère qu'elles sont le fruit d'un désir de ces médecins de se protéger et de faciliter leur travail. Il précise que l'important est d'accroître la communication entre la femme en travail, le fournisseur de soins et l'établissement, de sorte qu'on puisse réaliser une césarienne en cas de besoin dans un délai optimal. On doit aussi, selon lui, porter attention à la « gestion » du travail lors d'un AVAC, afin de réduire au maximum la possibilité de rupture de l'incision – et notamment bannir le déclenchement artificiel du travail.

Wagner, M., 2001, *What every Midwife should know About ACOG and VBAC: Critique of ACOG Practice Bulletin*, n°. 5, juillet 1999, « VBAC ». Site www.midwiferytoday.com/articles/acog.asp.

Les résultats des AVAC sous la responsabilité de sages-femmes seraient encourageants, selon une étude[133]: entre 64 et 100% des femmes complétaient leur AVAC; les APGAR des bébés à une minute et cinq minutes étaient respectivement de 7,99 et 8,84. Seulement 5,3% des bébés furent admis à l'unité de soins néontaux. Et la pratique sage-femme donne généralement lieu à moins d'interventions, ce qui peut être un atout lors d'un AVAC. Une étude très récente sur la pratique sage-femme en Hollande[134] (où environ le tiers des femmes accouchent à la maison), portant sur près de 300 000 femmes, souligne même qu'il n'y a eu aucun décès maternel parmi elles, ce qui est loin du taux de 6,1 pour 100 000 de mortalité maternelle après n'importe quel accouchement, taux canadien pour la période 1997-2000[135]. Et on sous-estimerait au Canada le nombre réel de décès maternels reliés à un accouchement[136].

Un risque, c'est relatif!

Des risques de toute nature existent dans la vie courante, ce qui ne nous empêche pas de vaquer à nos occupations quotidiennes. Pourquoi insiste-t-on alors à ce point sur le risque que présente l'AVAC? Il peut être du même niveau qu'un risque que nous acceptons de prendre tous les jours, sans y penser, comme de descendre un escalier, et il peut être même moindre que, par exemple, le risque de traverser la rue. Pense-t-on tous les jours au risque d'avoir un accident en tombant dans un escalier ou en vaquant à ses occupations chez soi? Hésite-t-on à se promener dans la rue de peur d'être victime d'un accident, enceinte ou non? Et en ce qui concerne les risques obstétricaux, hésite-t-on à faire des enfants, de peur d'avoir une grossesse ectopique? Les médecins hésitent-ils à déconseiller l'amniocentèse aux femmes enceintes, de peur qu'elles fassent une fausse-couche? Pourtant, le risque de fausse-couche à la suite d'une amniocentèse a longtemps été similaire au risque de rupture utérine lors d'un AVAC[137]. Et les médecins hésitent-ils à faire des césariennes, de peur des risques qu'elles présentent?

Pour vous aider à prendre une décision, voici un tableau permettant de situer le risque de l'AVAC relativement à des risques de la vie courante ou à des risques en obstétrique.

Comparaison de risques, selon l'échelle de Paling*

Risque très faible 1/10 000	Risque faible 1/1000	Risque modéré 1/100	Risque élevé 1/10
	Mortalité périnatale •	Rupture utérine •	
Décès maternel césarienne •	Grossesse ectopique •	Risque de l'amniocentèse[1] •	
	Risque de mourir d'un accident chez soi •	Risques de se blesser dans un escalier •	Accident piétonnier (décès) • (blessures graves) •

Sources des données de ce tableau :sur l'obstétrique : Stalling SP & JE Paling, 2001. New tool for presenting risk in obstetrics and gynecology. *Obstet Gynecol* 98(2) : 345-349.
Sur le risque de l'amniocentèse : 0,6 % selon Seeds J.W., 2004. Diagnostic mid trimester amniocentesis : How safe ? *Am. J. Obstet. Gynecol.* 191(2) :607-615
Sur les accidents chez soi et dans l'escalier : Bandolier – Evidence-based thinking about health care – *Putting Risks Into Perspective.* Nov. 1997 ; 45-5, site web www.jr2.ox.ac.uk/bandolier/band45/b45-5.html.
Sur les accidents aux piétons : SAAQ, pour l'année 2000 : www.saaq.gouv.qc.ca.
Sur les risques de l'AVAC : Chauhan, S.P., Martin J.N., Henrichs, C.E., *et al.* 2003. Maternal and perinatal complications with uterine rupture in 142 075 patients who attempted vaginal birth after cesarean delivery : A review of the literature. *Am. J. Obstet. Gynecol.* 189(2) : 408-417.

* En 2007, la SOGC a fait une revue de littérature qui aurait montré que le risque de l'amniocentèse est moins grand qu'on pensait. Mid-Trimester Amniocentesis Fetal Loss Rate. Committee Opinion no 194. July 2007. *J. Obstet Gynaecol Can* 29(7) :586-590. Des études menées en 2000 et 2002 montraient un risque de fausse-couche variant de 1/200 à 1/300 : Demott K. 2000. Miscarriage rates following amniocentesis vary widely. *Ob/Gyn News*, 15 déc. 2000 ; Bates B. Amniocentesis fetal loss rate 1:327 for ob-gyns – Earlier Study Questioned. *Ob/Gyn News*, ler juillet 2002. Mais une étude récente montre que la fréquence pourrait être moindre : Eddleman KA, Malone FD, Sullivan L et coll. 2006. Pregnancy loss rates after midtrimester amniocentesis. *Obstet gynecol* 108 : 1067-1072.

On met souvent l'accent sur le risque de l'AVAC, et on voudrait que les femmes tentant un AVAC le fassent dans des conditions que n'ont pas toutes les femmes accouchant. Or le risque dans tout accouchement que se produise une complication grave et imprévisible nécessitant d'urgence une césarienne est de 2,7 %, comme il a été souligné précédemment[138]. Mais la sage-femme française Francine Dauphin[139] précise que toutes ces situations d'urgence peuvent paradoxalement être prévenues: la procidence du cordon en évitant de rompre artificiellement les membranes si le bébé est très haut, la souffrance fœtale aiguë en autorisant les femmes en travail à manger, en évitant d'accélérer le travail au moyen d'ocytocine et en évitant de rompre systématiquement les membranes. Elle ajoute qu'on peut aussi prévenir l'hémorragie en évitant de déclencher ou d'accélérer le travail ou encore en évitant un travail prolongé sous péridurale et ocytocine. Et selon les résultats d'études scientifiques, si on ne peut annuler totalement le risque de rupture utérine de l'AVAC, on peut au moins l'abaisser en évitant le déclenchement artificiel du travail et peut-être aussi la stimulation de ce dernier.

Finalement, selon des obstétriciens-gynécologues experts en pratiques obstétricales fondées sur des preuves (*Evidence-Based Medicine*), le docteur Murray Enkin et ses collègues, l'AVAC serait une pratique plutôt bénéfique. En effet, dans la troisième édition de *A Guide to Effective Care in Pregnancy and Childbirth*, l'AVAC (après une ou plus d'une césarienne) est classé dans la catégorie 2, soit « Forms of Care Likely to be Beneficial » (soins bénéfiques selon toute vraisemblance), les auteurs précisant que les preuves pour fonder cette classification sont solides. Dans leur ouvrage, un chapitre entier est consacré à l'AVAC*.

Le risque de la césarienne

Depuis quelques années, on met beaucoup l'accent sur les risques de l'AVAC. Mais il est peu question des risques de la césarienne. La césarienne est devenue tellement fréquente, en Amérique du Nord,

* La version électronique du livre d'Enkin *et al.* est disponible sur le site www.childbirthconnection.org.

affectant plus d'une femme sur quatre au Canada*, qu'elle en est devenue banale; on oublie presque qu'il s'agit d'abord d'une opération présentant des risques inhérents à toute intervention chirurgicale. Évidemment, quand il s'agit de répondre à une urgence obstétricale réelle, quand il s'agit de sauver la vie de la mère ou du bébé, les avantages qu'offre la césarienne sont indéniables. Il s'agit alors de circonstances où l'importance des bénéfices fait contrepoids aux risques de l'intervention.

Mais il est loin d'être sûr que les avantages de la césarienne *répétée* sont plus considérables que les risques de l'intervention. Si le risque que présente l'AVAC par rapport à tout accouchement vaginal est un risque de séparation de l'incision utérine qui peut entraîner des complications pour la mère ou pour son bébé, la césarienne répétée comporte des risques multiples, en particulier pour la mère mais aussi pour son bébé. Contrairement à ce qui est souvent véhiculé par les médias ou encore par des membres de la profession médicale, la césarienne ne constitue *absolument pas* une solution sans risques. Et les taux élevés de césariennes ne constituent pas une garantie de meilleurs résultats pour la mère et son bébé[140].

Les risques de la césarienne peuvent concerner la période entourant immédiatement la chirurgie, ou les années qui suivent, les risques incluant alors les grossesses ultérieures. On oublie en effet trop souvent que subir une césarienne accroît les risques encourus par les femmes et les bébés lors de grossesses et d'accouchements ultérieurs:

> La plupart des études où l'on compare les deux options font état de complications ayant lieu dans la période périnatale. Leurs auteurs ne prennent pas en considération les risques croissants des césariennes successives lorsqu'ils comparent les effets négatifs possibles de l'accouchement vaginal planifié versus la césarienne itérative planifiée. À cause du risque de rupture utérine présent pendant un AVAC et à

* La revue systématique de CIMS (2007) précise que les taux suivants de césarienne pourraient être atteints: 7 % chez une population dont la grossesse ou l'accouchement présente peu de risques (primipares et multipares); 11 % chez une population à faibles risques de primipares; 12 % chez une population présentant divers niveaux de risques, de primipares et de multipares.

> cause du taux croissant de complications reliées à la césarienne lors de césariennes non prévues, il se pourrait que les deux options soient équivalentes, ou à peu près, en termes de risques pour les femmes qui n'ont pas plus de deux enfants. Toutefois, une proportion notable de femmes auront d'autres grossesses (prévues ou non). Selon un sondage national fait aux États-Unis en 2002 sur la famille, 36 % des femmes âgées de 40 à 44 ans ont plus de deux enfants (US Department of Health and Human Services, 2005). Ce pourcentage sera beaucoup plus élevé chez les populations où les familles nombreuses sont la norme. Le risque accru d'adhérences chirurgicales importantes et la possibilité qui en résulte d'avoir des douleurs chroniques, des lésions au cours des chirurgies subséquentes et de souffrir d'obstruction intestinale n'est pas pris en compte.
>
> The Coalition for Improving Maternity Services, 2007, « Evidence Basis for the Ten Steps of Mother-Friendly Care », *The Journal of Perinatal Education*, 16(1) : Supplément.

Plusieurs chercheurs[141] ont attiré l'attention ces dernières années sur les conséquences* à long terme des césariennes, sur le plan de la reproduction, soulignant l'importance d'éviter les césariennes inutiles et aussi les césariennes sur rendez-vous, lorsque aucune raison médicale ne les justifie. Le risque d'adhérences, par exemple, avec les problèmes qu'il peut entraîner, comme de retarder la sortie du bébé de l'utérus, car on doit « traverser » les adhérences, est présent après la première césarienne, et ces effets s'accroissent avec le nombre de césariennes. Plus de la moitié des femmes ont des adhérences après une première césarienne[142] et certaines ressentent de la douleur sur le site de l'incision pendant longtemps[143].

Les risques pour la mère

> *La césarienne est associée avec un risque accru de décès maternel à la suite de la formation de caillots sanguins, d'infection, ou après l'anesthésie**.*

---

* Accolement anormal de deux organes ou tissus par du tissu fibreux.

** American College of Obstetricians and Gynecologists. 31 août 2006. *ACOG News Release.*

Le risque de décès

Contrairement à ce qui est trop souvent véhiculé dans notre société, la césarienne est loin d'être sans risque. Une étude canadienne[144] portant sur plus de 300 000 femmes ayant accouché entre 1988 et 2000 (femmes ayant précédemment eu une césarienne et ayant eu ensuite une tentative de travail après césarienne ou une césarienne sur rendez-vous) indique que la césarienne sur rendez-vous présente presque quatre fois plus de risque de décès pour la mère que la tentative d'AVAC (1,6 pour 100 000 femmes contre 5,6 pour 100 000 femmes).

Un document publié en 2004 par le département de la santé au gouvernement fédéral – Santé Canada – sur la mortalité et la morbidité maternelle grave au Canada[145] mentionnait que : « Étant donné l'augmentation régulière au cours des dernières années du taux de naissances par césarienne au Canada, une augmentation du nombre de morts maternelles dues aux complications de la chirurgie ou de l'anesthésie est à prévoir. » Le risque de décès de la mère, bien que très rare, est en effet plus élevé lors d'une césarienne ou à la suite de cette opération que lors d'un accouchement vaginal. Aux États-Unis, on constate qu'en 2007 le taux de décès maternels était plus élevé qu'il ne l'avait été depuis des dizaines d'années[146]. Malheureusement, au Québec, il n'existe pas de suivi systématique de la mortalité maternelle, comme cela se fait de manière continue au Royaume-Uni. Or une étude très récente[147] de l'OMS démontre une forte association entre la mortalité maternelle, les complications affectant la mère et l'augmentation des taux de césarienne. L'étude constate aussi plus de décès chez les bébés, plus d'admissions en soins intensifs (séjours de 7 jours ou plus), même lorsqu'on ne tient pas compte des prématurés.

La césarienne sur rendez-vous comporte près de 3 fois plus de risques pour la mère de mourir qu'un accouchement vaginal, et près de 8 fois plus lorsqu'il s'agit d'une césarienne d'urgence[148]. Ce risque peut grimper jusqu'à 11, et serait principalement lié aux complications d'infection et aux accidents liés à l'anesthésie[149]. Ce risque n'est pas théorique, un médecin québécois m'ayant confié avoir eu une cliente qui ne voulait pas d'AVAC et qui est décédée d'une césarienne sur rendez-vous, en salle d'opération. Il estime le risque pour une femme de mourir lors d'une césarienne sur rendez-vous de 1 sur 2000. Et dans un rapport récent sur la mortalité reliée à l'accouchement publié par le gouvernement ontarien, on constate que tous les décès maternels étudiés, reliés directement à l'accouchement, s'étaient produits après une césarienne[150].

Plus de risques de complications graves à court terme

Les complications chez les femmes qui choisissent une césarienne répétée sur rendez-vous seraient plus nombreuses que chez les femmes choisissant l'AVAC. Elles sont plus nombreuses aussi chez les femmes qui ne complètent pas leur AVAC[151]. Une étude ayant porté sur *toutes* les femmes présentant peu de risques et ayant donné naissance au Canada entre 1991 et 2005 montre que les femmes ayant eu une césarienne ont 5 fois plus d'arrêts cardiaques, 3 fois plus d'hystérectomies, 2 fois plus de thrombo-embolies*, 2 fois plus de complications reliées à l'anesthésie et 3 fois plus d'infections graves que celles ayant eu un accouchement vaginal[152].

Une enquête menée par Santé Canada[153] a montré une augmentation de 50 % ou plus des complications maternelles graves lors des accouchements au Canada entre la période 1991-1992 et la période 2000-2001. Même si on n'y différencie pas les césariennes des accouchements vaginaux en ce qui concerne les complications maternelles graves, on pourrait croire que la hausse des césariennes, ainsi que celle des interventions de toutes sortes durant l'accouchement (péridurale, déclenchement artificiel du travail avec prostaglandines ou ocytocine, stimulation du travail à l'ocytocine, etc.), ont pu contribuer à cette augmentation des complications, puisqu'on vient de découvrir que le déclenchement artificiel du travail doublait le risque d'embolie relié au liquide amniotique, une complication rare, certes, mais pouvant être mortelle[154]. D'autres études soulignent ces effets négatifs[155].

Les risques à court terme de complications incluent des risques importants de complications chirurgicales, soit 4,5 fois plus de ris-

---

* Cela veut dire l'embolie pulmonaire et la thrombose veineuse (caillots dans les poumons ou dans les jambes, pouvant avoir des conséquences très graves).

ques de complications graves : une hémorragie grave nécessitant une autre opération, une infection pelvienne, une pneumonie, une septicémie*. Et comme complications mineures, affectant toutefois un tiers des femmes opérées, on trouve la présence de fièvre, d'hématome**, d'infection urinaire, de l'utérus ou de l'incision, paralysie des intestins ou de la vessie. La césarienne double aussi le risque pour la mère de réhospitalisation et de souffrir de douleurs importantes ou de faiblesse pendant la période post-natale, ce qui n'est pas sans avoir de répercussions sur le bébé***.

Une étude récente de l'OMS ayant porté sur les taux de césariennes dans plusieurs pays d'Amérique latine a confirmé qu'un taux élevé de césariennes entraînait une augmentation des complications graves chez la mère[156]. L'OMS suggère aussi que lorsque les taux de césariennes dépassent 15 % des accouchements, les risques pour la santé pourraient être plus nombreux que les avantages. On précise aussi que des taux de césariennes élevés dans les pays développés pourraient entraîner un excès de décès maternels[157].

Des effets sur le plan psychologique

On note aussi les effets suivants reliés à la césarienne, identifiés par la revue du *Childbirth Connection* : expérience moins satisfaisante qu'un accouchement vaginal ; pourrait entraîner une dépression ; peut entraîner un traumatisme ou une faible santé mentale et estime de soi. Je n'élaborerai pas plus dans la première partie de ce livre sur les effets d'une césarienne sur le plan psychologique, car ce sujet sera développé dans les chapitres 4 et 6.

---

* Septicémie : infection grave et généralisée de l'organisme.

** Hématome : formation d'une poche de sang, généralement à la suite d'une hémorragie.

*** Ce médecin chercheuse brésilienne a coécrit un excellent livre, en portugais, sur la césarienne et sur l'accouchement vaginal. Diniz, S.G., et Duarte, A.C., 2004, *Parto normal ou casarea ? O que toda mulher deve saber (e todo homem também)*, São Paulo, Editora, UNESP.

Des effets sur l'allaitement

Il se peut que la césarienne ait des effets sur l'allaitement*, même si les conclusions des études varient à ce sujet, et qu'il pourrait s'y glisser des éléments mêlant les cartes, par exemple ayant trait à la séparation mère-bébé généralisée après une césarienne et à l'administration de substitut de lait, dans certains cas. Il se pourrait que les difficultés de certains bébés nés par césarienne soient liées à moins de catécholamines** dans leur sang, hormones naturelles qui contribuent à un état d'éveil. D'autres hormones pourraient jouer un rôle, soit les taux d'ocytocine et de prolactine*** plus élevés chez les mères ayant accouché vaginalement. Et la césarienne retarderait l'allaitement[158].

Risques de complications à long terme

Les risques de complications à long terme des césariennes comprennent le développement d'adhérences, qui peuvent causer des douleurs pelviennes ou lors des relations sexuelles ou encore des problèmes intestinaux. Il y a aussi le risque d'endommager d'autres organes lors de la chirurgie.

Risques pour les grossesses futures

Les études ont montré un accroissement des problèmes de fertilité, après une césarienne, et un taux plus élevé de grossesses ectopiques (l'embryon se fixe en dehors de l'utérus). Les problèmes reliés au placenta sont particulièrement importants, et augmentent avec le nombre de césariennes, comme un risque accru de décollement prématuré du placenta, de *placenta prævia* (qui couvre le col utérin[159]). Un autre risque important est le risque de *placenta accreta*, lorsque le placenta ne veut pas se séparer de l'utérus après l'accouchement. Ce risque était de 44 % chez les femmes ayant eu une

* *Childbirth Connection*, 2004. Il y aurait beaucoup à dire sur césarienne et allaitement, mais il est impossible dans ce livre d'aborder tous les sujets, lorsqu'ils ne sont pas directement reliés à l'AVAC.

** Voir plus loin la section *Laisser au moins le travail commencer*, pour plus de renseignements sur ces hormones.

*** La prolactine est une hormone associée à la lactation.

césarienne, de 60 % chez celles ayant eu deux césariennes, et il entraînait dans plusieurs cas le décès maternel, et dans presque tous les cas la nécessité d'avoir une hystérectomie. Le risque de décès maternel serait alors de 7 %[160].

Les risques de la césarienne augmentent d'ailleurs avec le nombre de césariennes effectuées. C'est pourquoi effectuer une césarienne ne constitue *jamais* un geste banal, et l'on devrait s'efforcer de ne faire une première césarienne à une femme enceinte que lorsqu'elle est absolument nécessaire.

Les risques pour le bébé

Dans notre société, et même dans le milieu de l'obstétrique, on a l'impression que la césarienne ne présente plus de risques, en particulier pour le bébé. Et les femmes enceintes, avec raison, recherchent ce qu'il y a de mieux pour leur bébé. Or la plupart des études récentes ne démontrent pas que le bébé est moins à risques lors d'une césarienne, qu'il s'agisse d'une première césarienne ou d'une césarienne répétée. Par exemple, pour une première césarienne, le risque de décès des bébés lorsqu'il n'y a pas de complications est quand même plus élevé de 69 % que pour les accouchements vaginaux. Et c'est une étude très récente ayant porté sur 98 % des décès de bébés nés aux États-Unis entre 1999 et 2002 qui l'a démontré. Et il s'agit de grossesses à terme, avec un seul bébé, qui se présente par la tête, sans risques médicaux ni problèmes de placenta[161]. Quant à la césarienne sur rendez-vous, elle est associée à 4 fois plus de problèmes respiratoires pour les bébés[162]. La césarienne répétée (on l'appelle aussi itérative) est associée à des complications respiratoires pour le bébé, et au recours croissant à des soins intensifs néonataux et à l'hospitalisation jusqu'à 7 jours, même lorsque la césarienne était faite après 39 semaines de gestation[163]. Il demeure que l'on sait que les risques augmentent, plus on s'éloigne du terme de la grossesse, comme on le verra un peu plus loin.

Et si l'AVAC présentait plus de risques pour le bébé – dont le risque de décès à la suite d'une rupture utérine –, la mortalité des bébés serait moins fréquente depuis la baisse des taux d'AVAC. Or une étude californienne[164] portant sur près de 400 000 femmes ayant précédemment accouché par césarienne montre que la mortalité n'a pas baissé entre 1996 et 2002, alors que le taux d'AVAC avait chuté de presque la moitié.

Prématurité, problèmes respiratoires, admission aux soins intensifs

On fait souvent des césariennes autour de 37 ou 38 semaines de grossesse de la mère, et il arrive qu'on se trompe dans la date prévue et qu'on s'aperçoit après coup que la césarienne a été faite trop tôt et que le bébé n'était pas prêt à naître. Or on ne devrait pas faire de césarienne à une femme avant 39 semaines de gestation, sauf pour une raison médicale. Les bébés nés à 37 ou 38 semaines de gestation ont 120 fois plus de risques de nécessiter une ventilation pour quantité insuffisante de surfactant* dans leurs poumons que les bébés nés à 39-41 semaines de gestation[165]. Et faite à 37 ou 38 semaines, la césarienne présente au moins 3 fois plus de risques de complications respiratoires. Même à 39 semaines, le risque est presque double**.

Certains de ces bébés peuvent être très malades, et d'autres mourir, soulignent les chercheurs, ajoutant que le risque est principalement relié à l'absence de travail avant la césarienne. Car faire une césarienne avant 39 semaines de grossesse augmente le risque pour le bébé de naître prématurément et de souffrir d'un faible poids[166]. C'est ainsi qu'au Brésil, à cause du nombre effarant de césariennes dans les cliniques privées (jusqu'à 90 % dans certaines cliniques), ce sont les bébés des femmes des classes sociales moyennes et aisées qui courent le plus de risques d'être de faible poids, plutôt que les bébés des femmes des classes défavorisées, comme c'est plutôt le cas dans un pays comme le Canada[167].

Et lorsqu'on compare[168] les risques pour le bébé de l'accouchement vaginal, de la césarienne répétée et de tout type de césarienne – excluant des situations pouvant influencer les résultats comme la prématurité –, le risque pour le bébé de souffrir d'hypertension pulmonaire persistante (qui augmente le risque de décès) est presque

* Le surfactant aide les poumons du bébé à être prêts à respirer hors de l'utérus.

** Source: Hansen, A.K., Wisborg, K., Uldbjerg, N., *et al.*, 2007, « Risk of respiratory morbidity in term infants delivered by elective caesarean section: cohort study », *British Medical Journal* – 11 dec. 2007.

5 fois plus élevé après une césarienne élective que pour un accouchement vaginal. Par ailleurs, la fréquence des troubles respiratoires nécessitant l'admission du bébé aux soins intensifs (NICU) est presque 3 fois plus importante dans le groupe de femmes ayant eu une césarienne sur rendez-vous. L'étude de l'OMS sur les taux de césariennes en Amérique latine démontrait aussi que des taux élevés étaient associés à un accroissement de l'admission des bébés à l'Unité de soins intensifs[169].

Et même chez les bébés nés à terme, le risque de souffrir de difficultés respiratoires est environ 7 fois plus grand chez les bébés nés par césarienne sur rendez-vous que chez les bébés nés vaginalement. *Childbirth Connection* parle de « risques modérés à élevés ». Alors, quand on évoque les risques pour le bébé de l'AVAC, il est important de les mettre en perspective avec ceux de la césarienne répétée. Toutefois, attendre que le travail commence avant d'effectuer la césarienne diminue le risque de détresse respiratoire du bébé[170].

Et plus tard, les enfants nés par césarienne seraient à risque élevé de souffrir d'asthme[171], maladie qui augmente de manière alarmante dans nos sociétés, et d'allergies[172].

Risques pour le bébé et enfant d'une grossesse ultérieure

On a récemment découvert, sans qu'on puisse nécessairement expliquer pourquoi, que les bébés de grossesses se déroulant après une ou des césariennes sont plus à risques que les autres. C'est ainsi qu'ils ont un plus grand risque de souffrir de malformation congénitale, de lésion au système nerveux central, et même de décès dans l'utérus[173], risque qui serait de 1 sur 1000[174], ce qui milite en faveur de réduire la fréquence des premières césariennes et des césariennes subséquentes. Et les femmes ayant accouché par césarienne auraient moins d'enfants par la suite[175].

Une comparaison détaillée des risques que présente la césarienne versus l'accouchement par voie vaginale faite par l'organisme *Childbirth Connection**, montre qu'il existe un nombre beaucoup

* Voir l'annexe 2. Cette comparaison vous aidera à voir quel est le niveau de chacun des risques (entre « très faible » et « très élevé »).

plus élevé de risques côté césarienne, un nombre intermédiaire de risques lorsqu'il s'agit d'accouchements vaginaux avec instruments, et peu de risques lorsque l'accouchement est spontané.

*Pour diminuer les risques pour le bébé : laisser au moins le travail commencer**

Si on choisit d'avoir une autre césarienne, ou si l'on doit en avoir une pour une raison non urgente, il serait sage de laisser au moins le travail de l'accouchement commencer. En effet, pour augmenter les chances que le bébé soit à terme et pour augmenter ses chances de bien s'adapter à la vie extra-utérine, il est préférable de faire la césarienne une fois le travail commencé.

Certaines études soulignent l'importance d'attendre le travail[176]. Comme le souligne le docteur Julie Choquet, et comme le publiait déjà la revue *Scientific American*[177] en 1986, la circulation des catécholamines chez le bébé, provoquées par le travail, aide à vider ses poumons de leurs sécrétions, à promouvoir la respiration après la naissance. L'article du *Scientific American* expliquait pourquoi les contractions sont bénéfiques pour le bébé. Cet article avait été précédé et suivi par la parution de quelques études sur les problèmes pulmonaires affectant les bébés nés par césarienne dans les années 1980[178]. Dans le même magazine, on décrivait le rôle qu'un type d'hormones, les cathécholamines, jouent dans la protection du bébé contre un manque d'oxygène pendant le travail et dans la préparation de ses poumons à la vie extra-utérine. Ces hormones faciliteraient les fonctions respiratoires du bébé en aidant l'absorption par les poumons des liquides, et en favorisant la production de surfactant qui aide les poumons à être prêts à entrer en fonction à la naissance. Déjà à ce moment-là, une étude au Karolinska Institute, en Suède, avait démontré que la capacité des poumons du bébé à se déployer et à se remplir d'air est reliée au niveau de cathécholamines présentes dans la circulation du bébé à sa naissance. Elle avait aussi démontré que deux heures après la naissance, les bébés nés vaginalement avaient des poumons qui fonctionnaient mieux quex ceux

* Voir aussi à ce sujet au chapitre suivant la section sur les avantages de l'accouchement vaginal pour le bébé.

des bébés nés par césarienne, ce qui est confirmé par de nombreuses études. Un autre effet de ces hormones est d'accélérer le métabolisme du bébé, de sorte qu'il se constitue des réserves énergétiques dans le foie et les cellules de graisse, afin d'avoir des réserves jusqu'à temps qu'il commence à être nourri. Ces réserves aideraient aussi les bébés à conserver leur température corporelle. Chez les bébés nés par césarienne, ce mécanisme fonctionne moins, et ils risquent d'avoir un niveau de glucose dans le sang moins élevé.

Un autre effet des cathécholamines est que plus de sang se rend aux organes vitaux. Par exemple, les bébés nés vaginalement ont une meilleure circulation sanguine pulmonaire que ceux nés par césarienne. Enfin, ces hormones produisent un état d'éveil chez le bébé qui pourrait contribuer à favoriser le processus de *bonding* (l'attachement mère-bébé) dès sa naissance.

L'année où cet article fut publié, Sulyok et Csaba[179] faisaient aussi l'hypothèse que le faible taux de prostaglandines (naturelles) pendant une césarienne sur rendez-vous pourrait être responsable de troubles pulmonaires chez les bébés nés par césarienne.

La circulation des hormones favorise aussi la mobilisation des graisses brunes, importantes pour la température du bébé, et la circulation du sang vers le cerveau et le cœur[180]. De plus, vers la fin de la grossesse, le taux d'endorphines augmente chez le bébé, en préparation des contractions du travail[181]. Les endorphines diminuent la perception de la douleur, augmentent la sensation de bien-être. Ces hormones, dont la production est accrue durant l'accouchement, ont des effets bénéfiques chez le bébé, selon les auteurs d'une importante étude danoise publiée en 2007[182].

Par ailleurs, les auteurs d'une étude publiée en 1995, cités par Richardson, Czikk et da Silva (2005)[183], précisent que la réabsorption par les poumons du liquide aurait aussi un lien avec l'argipressine, une hormone qui joue un rôle dans la rétention d'eau.

On peut constater les effets bénéfiques du travail que rapportent des études publiées depuis et ayant comparé les dossiers des bébés nés par césarienne, avec ou sans travail préalable, ainsi que les bébés nés vaginalement. On conclut que les contractions sont bénéfiques pour le bébé et ce, même si l'accouchement se termine par une césarienne. On constate aussi que plus le bébé naît à terme, mieux il se porte.

Chaque semaine compte, et plus le temps passe, plus on constate une baisse des complications respiratoires pour chaque semaine de gestation complétée[184]. Par exemple, entre 37 et 39 semaines de gestation, on passe de 14,3 fois plus de risques à 3,5 fois plus de risques. Il ne faut pas oublier que ces complications sont sérieuses et nécessitent l'admission des bébés à l'Unité de soins intensifs pour nouveau-nés.

C'est l'absence de travail qui constituerait le facteur de risque le plus important pour les bébés nés par césarienne[185]. Car quelle que soit la durée de la gestation, le risque de complications respiratoires s'accroît en l'absence de travail.

Il ne faut pas oublier que ces complications sont sérieuses. Donc, quelle que soit votre décision (un AVAC ou une autre césarienne), essayez d'obtenir que la césarienne ait lieu lorsque vous serez entrée en travail spontanément, et si c'est impossible, qu'elle ait lieu lorsque le terme de votre grossesse sera atteint.

Malheureusement, il est rare qu'on permette à une femme dont la césarienne a été planifiée d'entrer en travail au préalable. Pourquoi ? Parce que c'est moins pratique pour les intervenants et pour le centre hospitalier. Il est malheureux qu'on fasse passer le bien-être du bébé à naître après des considérations d'ordre pratique. Bien sûr, c'est parfois une façon pour une femme de s'assurer que « son » médecin fera la césarienne ou assistera le spécialiste qui la fera. Bien sûr, c'est plus facile d'organiser la garde du premier enfant ou des autres enfants ou de planifier la présence du conjoint ou de l'aide pour la convalescence lorsqu'on connaît à l'avance la date de l'opération. Mais est-ce mieux pour le bébé qui s'en vient ? Non, sauf exception d'ordre médical bien sûr. Une césarienne sur rendez-vous prive le bébé de bénéficier des avantages du travail et de naître à l'heure qui sera la sienne, et non celle de l'institution hospitalière.

Pour la pédopsychiatre et psychanalyste française Myriam Szejer, auteure de *Les femmes et les bébés d'abord,* il est important de ne pas forcer la naissance, que ce soit en déclenchant l'accouchement ou en programmant une césarienne :

> Si on est à leur écoute, de nombreux nouveau-nés manifestent d'emblée leurs difficultés à se remettre d'une naissance vécue comme violente. Ils seront douloureux, tristes, pleurnichards, voire anorexiques ou insomniaques, parfois malades. Malheureusement, ces

symptômes, parallèlement à la démarche médicale qu'ils suscitent, sont rarement appréhendés dans leur dimension symbolique et resitués en paroles au sein de leur histoire et de son sens. Le plus souvent ils ne sont vus que comme des manifestations du seul registre pédiatrique à faire taire au plus vite.

Source: Szejer, M., 2004, *Qu'en est-il à moyen et à long terme?*, Association pour la santé publique du Québec, Obstétrique et santé publique: élargir les perspectives sur les réalités de la naissance, Montréal: JASP.

TÉMOIGNAGE D'ANTOINETTE

Un AVAC avec une sage-femme: la naissance d'un bébé de 4,8 kilos!

Ma première grossesse s'est bien déroulée. J'ai été suivie par une gynécologue. J'ai dû passer une échographie à 34 semaines qui a révélé que je portais un gros bébé, d'un poids prévu à terme de 4 kilos. Le gynécologue craignait un diabète de grossesse et elle voulait pratiquement que je cesse de manger pour ne m'en tenir qu'aux fruits et légumes!

À 37 semaines et demi de grossesse, je perds mes eaux et c'est un peu en panique que je me rends à l'hôpital. Dès mon arrivée, on m'examine et on constate que mon col n'est dilaté que de un centimètre et que la tête du bébé n'est pas engagée. On décide alors de m'installer un soluté et on m'administre des antibiotiques. On ne me permet pour toute nourriture que des glaçons, et je dois demeurer allongée, sans mouvements permis. Le lendemain matin, on m'examine à nouveau et je ne suis toujours qu'à un centimètre de dilatation. Le travail est jugé non efficace et on m'injecte de l'ocytocine synthétique (Pitocin).

Je passe tout l'avant-midi en travail douloureux avec pour seul encouragement une infirmière qui entre et sort, prenant juste le temps de vérifier les tracés du moniteur. En après-midi, ma dilatation est à trois centimètres, je n'en peux plus de la douleur et demande la péridurale. Bientôt, je ne peux plus marcher, car j'ai les jambes carrément paralysées par l'anesthésie. Après 16 heures de travail, le médecin de garde me communique son évaluation de la situation: « Le bébé est gros et sa tête ne semble pas vouloir descendre, il va falloir faire une césarienne. » Je suis épuisée et je reçois la nouvelle comme un soulagement, me disant que je n'aurais pas à subir la poussée d'un gros bébé. Ma fille Sabrina, 3,8 kilos, vient au monde à 21 h et je ne peux la voir que durant quelques minutes dans la salle d'opération, sans pouvoir l'allaiter, car on l'emmène pour l'observer, à cause du fait qu'elle a avalé du liquide amniotique. La séparation avec ma fille est plus difficile à supporter que ma césarienne.

Vers trois heures du matin, l'infirmière me ramène enfin mon bébé dans ma chambre après près de six heures de séparation. À l'hôpital où j'ai accouché, je ne pouvais pas la garder avec moi suite à la césarienne. L'infirmière m'a dit qu'elle allait me montrer comment allaiter mon bébé. Elle lui a pris le visage d'une main et a pris mon sein de l'autre; elle a voulu qu'elle ouvre sa bouche. Ma petite fille pleurait beaucoup, car il était évident qu'elle ne s'y prenait pas avec douceur mais plutôt avec impatience. Je lui ai dit que je souhaitais essayer seule. Elle m'a dit qu'elle n'était pas disponible toute la nuit pour me montrer comment faire et que le bébé devait manger tout de suite (c'était l'heure!). Ça m'a vraiment choquée; de plus, j'avais des douleurs dans tout le corps qui m'empêchaient de bouger et je sentais que je ne pouvais pas y parvenir toute seule. Je lui ai dit que, pour cette nuit, elle pouvait lui donner les compléments et que le matin je voudrais à tout prix qu'elle me la ramène pour essayer de l'allaiter. Elle est partie avec mon bébé dans les bras. Je rêvais depuis longtemps à un allaitement réussi mais les circonstances ont fait en sorte que le début a été un peu difficile. Malgré tout, j'ai voulu persévérer. Le matin suivant, l'infirmière est revenue avec mon bébé. Cette fois-ci, je lui ai dit que je souhaitais qu'elle me laisse seule, que je voulais l'allaiter toute seule. C'est avec douceur que je lui ai dit d'ouvrir la bouche. Elle m'a écoutée et a pu boire quelques gouttes de colostrum. Comme j'étais fière de moi! J'ai su qu'il fallait s'y prendre avec douceur et calme et suivre son instinct maternel. J'ai poursuivi mon allaitement à l'hôpital jour et nuit, j'ai allaité en position couchée. Ma montée laiteuse a eu lieu environ quatre jours après l'accouchement. Alors que ma fille buvait au sein, la première odeur du lait qui venait de couler m'a vraiment marquée pour toujours. Quelle belle sensation de savoir que son bébé s'abreuve et grandit grâce au lait de sa mère rempli d'amour pour lui !

Suite à ma césarienne, j'ai beaucoup lu : *Une autre césarienne, non merci, Une naissance heureuse* et *Au cœur de la naissance*. Ces livres m'ont donné beaucoup de courage pour tenter un AVAC à ma prochaine grossesse.

Je me retrouve enceinte une année après. J'appelle la maison de naissance Côte-des-Neiges, mais il n'y a plus de place. À celle de Pointe-Claire, je me retrouve sur la liste d'attente. J'appelle mon gynécologue et je lui explique durant mon premier rendez-vous mon projet de vivre un AVAC. Cette dernière m'avise que j'ai plus de 50 % de chances de vivre une césarienne par crainte d'une dystocie céphalo-pelvienne. Elle ajoute : « Ton bassin ne fait pas passer les bébés et il y a des risques de rupture utérine. Si tu veux essayer un AVAC, tu peux toujours essayer par toi-même, mais moi je prédis une deuxième césarienne. » Je me dis intérieurement : « Quoi ? Je suis difforme ? » Je ne peux pas croire tout ça, je sais que je peux accoucher naturellement comme la majorité des femmes. J'ai l'impression de venir d'une autre planète avec mon désir d'AVAC. Je pleure beaucoup devant la perspective de vivre une autre césarienne et je suis très triste de n'avoir pas de place en maison de naissance.

Puis la chance tourne, une place se libère et je rencontre ma sage-femme à la maison de naissance Lac-Saint-Louis. Tout de suite, je me sens en confiance, la sage-femme croit en moi, elle m'encourage et me dit que je suis capable d'accoucher. Je me sens tout à coup plus autonome.

Durant ma grossesse, à un certain moment, mon hémoglobine était un peu basse, et si elle ne remontait pas, je risquais de devoir accoucher à l'hôpital. Heureusement, ma formule sanguine s'améliore et ce nuage se dissipe. Quand je pensais à mon accouchement prochain, je me disais que puisque j'étais toujours en train d'allaiter Sabrina, cela stimulera mes contractions et pourra m'éviter l'induction au Pitocin. J'ai une échographie à 20 semaines et ensuite, je refuse d'en avoir d'autres, car je ne voulais pas savoir quel serait le poids prévu de mon bébé.

Le temps passe et le terme arrive. À 40 semaines, je perds le bouchon muqueux. Ma sage-femme me rend visite et l'examen révèle un col à un centimètre de dilatation. La tête du bébé est flottante. Je suis un peu angoissée, car on dirait que le scénario se reproduit, et je crains d'en arriver à la césarienne. Mais elle garde espoir et chasse les idées négatives. La nuit passe, j'ai des contractions et ne dors pas vraiment. Au petit matin, mon col est toujours à un centimètre. Pour ne pas que le scénario se répète, j'essaie de respirer et de me concentrer sur mon AVAC. Cette fois, je ne reste pas clouée au lit. Je décide de prendre un bain et de continuer ma journée normalement, avec Sabrina et ma mère.

La journée passe, le travail se poursuit. Au soir, je décide de rester à la maison pour cette deuxième nuit. Cette fois, mes contractions m'empêchent complètement de dormir. Le lendemain, je me rends à la maison de naissance. Je prends un bain qui me soulage. Mon mari est toujours à mes côtés et sa présence est indispensable. Je me sens traitée aux petits oignons, la sage-femme m'assure une ambiance feutrée, lumière tamisée, bougie, massage… Tout cela m'aide à me détendre tout en poursuivant mon travail. La sage-femme s'occupe de moi et pas seulement du bébé, contrairement à ce que j'avais connu lors de mon premier travail. La sage-femme m'offre aussi de délicieux repas qui m'aident à reprendre des énergies et de la force. De plus, j'ai le droit de me reposer avec mon mari dans une ambiance intime sans être dérangée par quiconque. Le « sac magique » est aussi d'une grande utilité, de même que la décoration de la chambre, qui invite à la relaxation et à la visualisation.

Une troisième nuit blanche m'attend. Je suis de plus en plus épuisée. Le matin suivant, je sens que mes forces me quittent. J'ai vraiment besoin de me reposer et dormir, sinon je ne vois pas comment je pourrai affronter la poussée. Je demande un transfert à l'hôpital et une péridurale pour prendre quelques heures de sommeil avant de pousser. À ce moment, mon col est dilaté à 8 cm et la seule stimulation qu'a eue mon travail est l'allaitement de Sabrina et ce, depuis que j'ai perdu mon bouchon muqueux. L'allaitement me permet de relaxer, de me détendre et d'oublier un peu la douleur des contractions. Ma fille Sabrina n'hésite pas à me donner quelques bisous et câlins quand elle me sent souffrante, ce qui me soulage beaucoup. Mon mari m'emmène en voiture à l'hôpital vers 5 heures du matin. Une fois à l'hôpital, le médecin a toute une surprise devant l'effet évident de la tétée sur mes contractions.

Après quelques heures de sommeil, le soir venu, mon col est à 10 cm et la poche des eaux se rompt lors de l'examen de la gynécologue. Je demande au médecin pourquoi elle a rompu les membranes. (Je ne veux aucune intervention qui risquerait de me conduire vers une césarienne, surtout en sachant que la tête du bébé n'est pas engagée.) La gynécologue lui dit : « Ne t'en fais pas, les eaux se sont rompues d'elles-mêmes avec mon examen et je sens la tête du bébé qui est engagée dans ton bassin, le nez pointant vers le bas ! » Je suis tellement heureuse que je n'y crois pas ! Je suis arrivée à mon but, dix centimètres, bébé engagé dans le bassin (moi qui étais censée avoir un petit bassin…). Je suis maintenant prête à pousser et à mettre ce bébé au monde ! Je suis les consignes : « Respirez, bloquez, poussez… » Je pousse avec toute l'énergie que je peux puiser au plus profond de moi-même. Je suis soutenue par mon mari qui m'encourage par des massages et qui compte avec moi à chacune des poussées. Mes deux anges-gardiens (ma sage-femme et la stagiaire sage-femme) me donnent à boire entre les contractions, me massent les jambes et m'encouragent dans mes efforts. Je leur dis que leur présence est très utile ! Vers la fin, j'entends la gynécologue me dire que je dois pousser plus fort, sinon elle devra utiliser une ventouse ou les forceps… Je pousse plus fort, je ne lâche pas, je pousse encore, durant des heures et des heures, je pousse toujours. Après cinq heures de poussée, mes efforts sont enfin récompensés. Ça y est, j'ai réussi toute seule, j'ai fait naître mon bébé qu'on a déposé sur moi. C'est le plus beau moment de ma vie, ma fille me regarde, c'est magnifique, j'entends les gens pleurer autour de moi, on me dit : « Wow ! Tu as réussi ! » On fond tous en larmes de joie.

À sa naissance, ma « petite » Sandra faisait 4,8 kilos et ses fontanelles n'étaient même pas chevauchées. « Finalement, je me dis que mon bassin est bien meilleur que ce que je pensais ! » J'ai allaité en tandem et je n'ai pas connu le *baby blues* qui avait suivi ma césarienne. Après une césarienne, on cherche à nous consoler en nous disant qu'au moins, le bébé est en santé. C'est vrai, mais malgré tout, on veut se sentir une femme complète.

Note : Ce témoignage a été publié dans *MAMANzine*, vol. 11 nº1, septembre 2007. Bulletin d'information du Groupe Maman, Mouvement pour l'autonomie dans la maternité et pour l'accouchement naturel. Reproduit avec la permission de Lysane Grégoire, du Groupe Maman, septembre 2007, et avec la permission de l'auteure du témoignage.

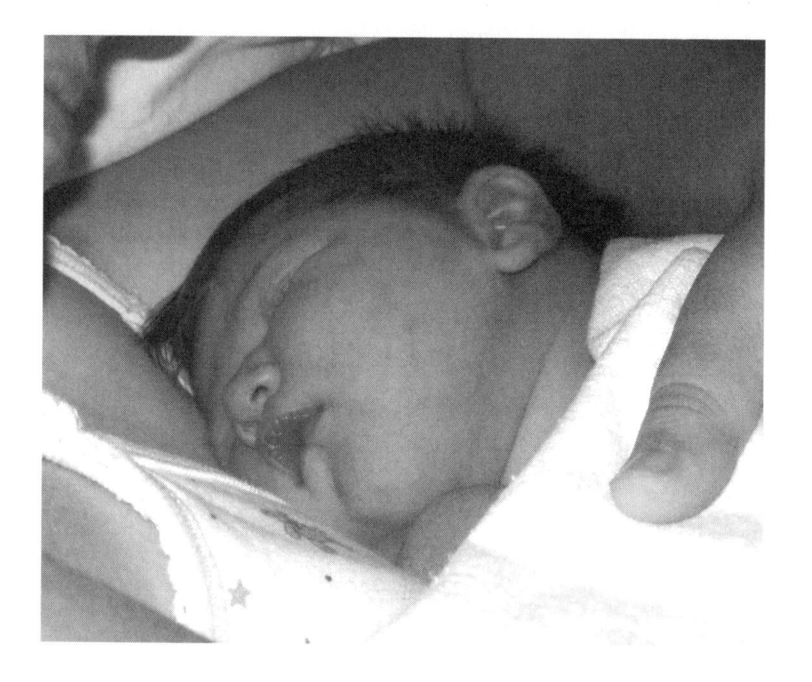

3
UN AVAC OU UNE AUTRE CÉSARIENNE ?

DANS CE CHAPITRE :

Un AVAC ou une autre césarienne ?

- Presque toutes les femmes peuvent avoir un AVAC
- L'accouchement vaginal est bénéfique pour le bébé car :
  - Cela le prépare à la vie extra-utérine : de prépare ses poumons et son métabolisme
  - Plus il naît proche du terme de la grossesse, mieux c'est
  - Les premiers contacts entre la mère et son bébé, sitôt après sa naissance, sont importants pour le développement du bébé et pour l'établissement des liens familiaux
- Voici comment les femmes choisissent entre une autre césarienne et un AVAC :
  - Elles identifient ce qui est important pour elles
  - Elles changent parfois d'idée durant la grossesse
  - Elles décident à partir de ce qu'elles ressentent, après avoir pesé les faits
  - Les doutes ou anxiétés qu'elles peuvent éprouver sont normales
  - Les décisions des femmes sont influencées par l'opinion du médecin

Pourquoi ai-je eu une césarienne ?

- Il importe de trouver réponse à ses questions
- Et si ma césarienne n'était pas nécessaire ? Indications absolues et relatives

Quelles sont mes chances de réussir un AVAC ?

- Dans de bonne conditions, 75 à 95 % des femmes peuvent compléter un AVAC
- On en sait beaucoup plus sur les facteurs de « succès » d'un AVAC, relativement aux situations suivantes : situations reliées à l'accouchement antérieur ou aux accouchements antérieurs, aux caractéristiques de chaque femme, à leur grossesse, aux circonstances de l'AVAC
- Tenir compte de son niveau de risques personnel peut aider à identifier quelles sont les meilleurs conditions pour l'AVAC souhaité

On peut changer d'idée à la dernière minute :
un AVAC à minuit moins cinq – une histoire

- Il existe des institutions soucieuses de favoriser l'accès à l'AVAC pour leur clientèle

J'ai aussi pris conscience qu'il ne faut pas toujours se fier aux médecins et au personnel infirmier... Qu'il ne faut pas s'abandonner littéralement entre leurs mains. Que s'informer est important, remettre leurs décisions en cause également, et ne pas se gêner pour prendre les décisions qui nous semblent les plus adaptées à nous.

Caroline.

Courriel envoyé à l'auteure. « Un AVAC après 2 césariennes »

Ce chapitre veut vous aider à prendre une décision, relativement à la naissance de votre prochain bébé. Il faut savoir, toutefois, que le portrait actuel véhiculé dans notre société est biaisé et plus favorable à la césarienne répétée qu'à l'AVAC, comme le soulignent et l'expliquent les auteurs de la revue systématique des études scientifiques publiée en 2007 dans *The Journal of Perinatal Education*[187]. Ce livre tente de remédier à cette situation, pour que vous puissiez faire un choix vraiment éclairé.

Presque toutes les femmes peuvent avoir un AVAC

S'il est une chose que seule la parturiente peut décider, c'est bien d'avoir ou non un AVAC. Que son conjoint soit pour ou contre, c'est d'abord la femme que cela regarde. Le soutien du conjoint est un élément très important, mais pas nécessairement essentiel, dans la réussite de la démarche. Sans cet appui, il faut évidemment être très déterminée et aller chercher du soutien ailleurs. Certains hommes s'inquiètent au début du désir de leur partenaire de vivre un AVAC, mais au fur et à mesure qu'ils se renseignent, leur attitude change. Parfois aussi, c'est le contraire qui se produit et c'est l'homme qui insiste pour que sa partenaire tente un AVAC.

En Amérique du Nord, terre de liberté, c'est la femme qui, en théorie, décide ou non d'avoir un AVAC. Toutefois, on lui refuse souvent ce choix[188]. En cours de travail et particulièrement vers la fin de la dilatation, une femme exprime parfois le désir d'avoir une césarienne après avoir choisi l'AVAC. Un médecin progressiste peut lui rappeler sa décision, certains refusant même de lui faire cette opération sans raison valable. Il est souvent arrivé que, dans un milieu ouvert à l'AVAC, on laisse une femme devant subir une césarienne répétée continuer son travail, si celui-ci s'était déclenché avant la date prévue pour l'intervention.

Ce qui est bénéfique ou néfaste pour le bébé à la sa naissance

On oublie souvent, dans cette ère où on aborde la question de la césarienne sur demande comme une prérogative des femmes et où on met l'accent sur les dangers de l'accouchement, que ce dernier a pour fonction non seulement de faire naître le bébé mais de le préparer à la vie hors de l'utérus[189]. Il en a donc été question à la fin du chapitre précédent. Nous verrons maintenant ce qui est bénéfique pour le bébé dès qu'il naît.

Alors que le mouvement d'humanisation de la naissance a mis depuis longtemps l'accent sur le contact immédiat de la mère avec son bébé[190], de plus en plus, comme le soulignait en 2007 le médecin québécois Julie Choquet, la recherche en neurobiologie et en psychologie révèle l'importance des premiers contacts entre la mère et son bébé pour son développement ainsi que pour favoriser les liens affectifs entre les deux. En effet, le contact peau-à-peau stabilise et régularise le pouls du bébé, son rythme respiratoire et sa température. Ces bébés pleurent moins, et dorment mieux[191], ce que les parents apprécient ! Idéalement, il ne devrait pas y avoir de séparation entre une mère et son bébé, tôt après sa naissance. Le contact précoce entre la mère et son bébé favorise aussi l'allaitement. Et il accélérerait l'adaptation métabolique du bébé, préserverait son énergie, préviendrait le refroidissement et diminuerait les pleurs. Il améliorerait son développement neurocomportemental[192] et favoriserait l'attachement par l'accroissement du taux d'ocytocine chez la mère, une hormone qui favorise l'établissement de liens[193] entre celle-ci et son bébé. Ce contact aiderait aussi à protéger le bébé contre les infections nosocomiales*, car un contact étroit avec la peau de la mère, donc avec la flore bactérienne familiale, l'aide à se protéger de la flore bactérienne de l'hôpital[194].

Par ailleurs, les femmes ayant eu ce type de contact avec leur bébé après sa naissance utilisent un langage évoquant les puissantes émotions alors ressenties : elles rapportent avoir éprouvé un senti-

* Infection nosocomiale : il s'agit d'une infection contractée lors d'un séjour en centre hospitalier. Par exemple : la bactérie C. Difficile.

ment immédiat de *bonding* avec leur bébé, d'avoir pu le toucher et le caresser, de l'avoir regardé dans les yeux et de ne pas avoir voulu le laisser aller. Elles se rappellent avec grand plaisir de ce moment qui a eu une influence profonde sur leur expérience d'accouchement[195]. L'Organisation mondiale de la santé recommande ce type de contact mère-bébé.

Et les interventions, telles la pesée, la mesure de la taille du bébé et de la circonférence de sa tête, l'administration de gouttes antibiotiques dans les yeux, faites tôt après la naissance du bébé pourraient être retardées au minimum d'une heure ou deux afin de favoriser un contact sans entraves entre la mère et son bébé. Un article publié en 2007 dans *Les Dossiers de l'Obstétrique*[196] remet en effet en question les interventions faites sur le bébé dès qu'il naît. L'auteure, qui a effectué une étude sur le sujet, souligne que des pratiques comme l'aspiration des voies aériennes supérieures et du contenu gastrique du bébé peuvent entraîner des complications, sans compter que c'est douloureux et possiblement à l'origine d'une augmentation de la pression artérielle. Cette forme d'aspiration est déconseillée par l'OMS. D'autres soins de routine comme les mesures, la pesée, le bain diminueraient les réflexes neuro-comportementaux, les repères olfactifs et la température du corps du bébé[197]. Et la circoncision n'est pas sans l'affecter (boires moins fréquents, bébé plus abattu, etc.)[198].

Donc si vous choisissez d'avoir une césarienne ou si vous devez en avoir une, assurez-vous de pouvoir avoir un contact peau-à-peau avec votre bébé dans les minutes qui suivent sa naissance. Oui, c'est possible, même après une césarienne, de passer quelques moments avec votre bébé collé sur vous, même si ce n'est pas une pratique courante. S'il s'avère impossible pour vous d'avoir ce type de contact avec votre bébé, rien n'empêche par exemple le père du bébé ou votre compagnon de passer ces instants privilégiés avec son enfant contre lui, ce qui a aussi des effets bénéfiques non seulement pour lui, mais pour le bébé[199].

Comment les femmes choisissent

Il y a bien sûr les risques objectifs, que l'on connaît grâce aux recherches effectuées en obstétrique, et dont nous avons traité précédemment. Les avantages et désavantages plus subjectifs des deux choix tiennent souvent aux circonstances vécues par nous, et dont on veut tenir compte. Par exemple, certaines femmes croient que l'AVAC leur permettra de récupérer plus vite et plus facilement. D'autres apprécient la possibilité de planifier l'aide à la maison ou la garde des autres enfants, autour de la date prévue de la césarienne, bien qu'elles n'ignorent pas qu'on se relève moins facilement d'un accouchement par césarienne. Pour plusieurs, le contact immédiat et constant avec le bébé à partir de la naissance est primordial, ce qui est facilité par un accouchement vaginal. Ou encore, des femmes tiennent à vivre la naissance accompagnées de leur conjoint, et parfois, les horaires de travail de celui-ci favorisent la césarienne. Dans certains hôpitaux québécois en région, il arrive qu'on ne puisse avoir une césarienne sous anesthésie épidurale en tout temps. Souvent aussi, l'hôpital veut garder en pouponnière le bébé né par césarienne afin de pouvoir l'observer, ce qui n'est pas nécessairement justifié.

Les sentiments qu'une femme éprouve par rapport à une césarienne ou à un accouchement vaginal entrent aussi en ligne de compte dans le choix qu'elles font. Malheureusement, les études sur les motifs de choix entre une césarienne répétée ou un AVAC étaient rares jusqu'à très récemment[200]. Selon McClain[201], les femmes pensent beaucoup aux effets que telle ou telle décision pourra avoir sur leurs relevailles, se demandant quand elles pourront commencer à prendre soin du bébé, à tenir maison, à retourner au travail ou encore à mener une vie sociale. De plus, même si les risques médicaux influent sur leur décision, il ne s'agit pas de facteurs décisifs au moment de faire le choix. Elles considèrent aussi d'autres avantages et désavantages des solutions possibles et sont souvent influencées par leur conjoint dans ce processus. Chose curieuse, l'argument d'un retour plus précoce à la « normale » après la naissance du bébé est mentionné à la fois par celles qui choisissent un AVAC et celles qui préfèrent une césarienne. Mais les raisons les plus souvent évoquées pour choisir un AVAC sont les relevailles plus faciles et le souhait d'être plus rapidement en mesure de s'occuper de ses autres enfants. Les femmes qui ont accouché par césarienne ne savent pas nécessairement d'emblée comment elles aimeraient accoucher la fois suivante. Elles se renseignent auprès du personnel médical, et certaines préféreraient ne pas avoir à décider elles-mêmes. Certaines changent d'idée souvent au cours de leur grossesse. Et leur niveau de confiance dans les décisions qu'elles prennent varient[202].

Les aspects psychosociaux peuvent influencer les préoccupations relatives à la santé, lorsqu'on a eu une césarienne[203]. Par exemple, une femme peut choisir une césarienne répétée à cause d'un premier accouchement long et pénible et de son impression d'avoir été sauvée par la césarienne. Une autre, ayant vécu des difficultés similaires, peut au contraire choisir un AVAC, car elle veut se donner une chance de vivre un accouchement « ordinaire », de se reprendre en quelque sorte.

D'après les auteurs de *Pregnancy as Healing*, le docteur Lewis Mehl et la thérapeute Gayle Peterson, on doit fonder sa décision non sur les faits, mais sur ce que l'on ressent après avoir pesé les faits. Selon eux, le fait de prendre une décision relève avant tout du domaine irrationnel. En réalité, on décide bien souvent avec son cœur plutôt qu'avec sa tête, et on choisit la solution avec laquelle on se sent le plus en sécurité.

En effectuant des entrevues pour sa thèse sur les réactions de Québécoises à leur accouchement vaginal ou à leur césarienne, la sociologue Maria De Koninck a constaté que beaucoup de femmes craignent l'accouchement vaginal et peuvent même être soulagées d'avoir eu une césarienne, même si elles n'ont pas nécessairement trouvé l'expérience facile. Le fait de se décider en faveur d'un AVAC ne veut pas dire qu'on ne traversera pas de temps en temps une période de doute, de remise en question, d'anxiété face à la décision prise et à la façon dont on va la vivre[204]. On pourra s'inquiéter aussi des doutes et des craintes exprimées par son entourage.

Selon Kathy Koelker, « lorsqu'on a vécu une expérience difficile la première fois, n'ayant jamais terminé ou même commencé un travail, il est normal d'éprouver, comme devant l'inconnu, des doutes et des craintes. On se demande si on va réussir, si toute l'énergie investie dans la préparation en vaut la peine, si cela ne serait pas plus simple de prendre rendez-vous pour une césarienne. En plus, accoucher fait souvent peur, car cela fait mal (une césarienne aussi, mais après). L'accouchement peut être long. En un sens, on vit alors les peurs que toute femme enceinte vit à un degré quelconque par rapport au futur accouchement, sans compter le fait que ces craintes se sont matérialisées la première fois[205]. » Afin d'y voir plus clair, c'est bien d'en parler, de soulever la question aux cours prénatals, d'en discuter avec d'autres femmes qui ont accouché vaginalement ou ont eu un AVAC ou encore d'en parler avec le médecin ou la sage-femme, ou encore d'entrer en contact avec un organisme pouvant offrir du soutien (voir la liste de ressources en annexe). S'informer et exprimer ses peurs, sans les juger, voilà qui libère et aide à remettre les choses en place. Penser à ce qu'on peut ressentir si on donne naissance soi-même à son bébé peut également être très motivant.

Certains s'inquiètent de voir que beaucoup de femmes choisissent une césarienne répétée et que la césarienne soit banalisée dans notre société. Voici ce qu'en dit une éducatrice prénatale : « Je me sens déchirée quand je vois quelqu'un qui veut absolument une autre césarienne. Cela ressemble à quelqu'un qui boit et décide quand même de conduire. » Un médecin américain va jusqu'à dire que « consentir à une telle opération – la césarienne répétée – sur demande n'a pas de sens. On ne le ferait pas pour toute autre chirurgie[206]. » Mais il est presque impensable dans notre société de forcer une femme à accoucher vaginalement après une césarienne. Par ailleurs, certains médecins accepteraient de faire une première césarienne simplement parce que cela convient à la cliente ou que celle-ci a peur d'accoucher et craint la douleur. Une recherche sur les réponses des médecins à une demande de césarienne indique que ceux-ci, lorsque les indications sont claires, n'hésitent généralement pas. Mais quand les indications sont floues, les opinions des médecins divergent. C'est lorsque la nécessité d'une césarienne n'est pas absolue que la femme peut prendre une plus grande part à la décision ; hormis les cas extrêmes, il vaut mieux présumer qu'une femme en travail est capable de prendre une décision et que la grossesse ne nuit pas à ses capacités de le faire[207]. Elizabeth Shearer, une éducatrice prénatale américaine, suggérait que si on interdit l'AVAC dans les hôpitaux où il n'y a pas de gynécologue-obstétricien ou d'anesthésiste 24 heures sur 24 et qu'on expédie les femmes de ces régions dans les grands centres, on devrait aussi le faire pour les femmes enceintes qui fument, par exemple. Les recherches ont en effet clairement établi un lien entre le tabagisme durant la grossesse et des risques additionnels pour le bébé. Si on veut parler de risques!

Pourquoi ai-je eu une césarienne*?

Toute femme ayant accouché par césarienne veut savoir pourquoi. Même celles qui n'en sortent pas psychologiquement meurtries et qui l'acceptent assez bien tiennent à savoir ce qui s'est passé ou, si la césarienne était prévue, quelles sont les raisons exactes qui l'ont motivée. Ce n'est pas toujours simple d'avoir réponse à ses questions. La médecine ne peut tout expliquer, l'information sur la césarienne n'est pas nécessairement facile à obtenir, les dossiers médicaux ne sont pas toujours très clairs et les médecins sont débordés. Dans les cours prénatals, on omet souvent d'en parler. Quand on le fait, l'information peut être succincte ou bien celle qui la reçoit fait la sourde oreille, car il est difficile d'envisager que « ça peut m'arriver à moi ». Pourtant, une femme sur quatre a une césarienne – c'est beaucoup. La peur superstitieuse qu'une situation arrive simplement parce qu'on en parle est bien ancrée. Malheureusement, une femme ou un couple non informés ou qui n'ont pas prêté attention à l'information donnée, non seulement sont estomaqués quand la chose se produit, mais peuvent difficilement participer à la prise de décision, ni indiquer dans quelles conditions ils voudraient vivre la césarienne. Or selon un sondage québécois réalisé en 2005, 88 % des femmes trouvent très important qu'on les informe sur ce qui se passe et sur les choix qui s'offrent à elles; elles désirent aussi participer aux décisions[208].

Ma césarienne: nécessaire ou pas?

Certaines femmes ou certains couples s'aperçoivent, après s'être renseignés, que la césarienne qui a eu lieu n'était peut-être pas

* Pour en savoir plus, consulter mon site web, les sites renseignant sur la césarienne dont fait état la liste de ressources en annexe, ou mon livre sur la césarienne qui devrait être publié en 2009.

nécessaire, ce qui peut s'avérer assez bouleversant. Même si plusieurs médecins s'inquiètent de la hausse du taux de césariennes, peu sont prêts à dire qu'une certaine proportion des césariennes n'était pas justifiée. Mais si on examine les taux de césariennes actuels à la lumière des recommandations de l'OMS à l'effet que les taux de césariennes ne devraient pas dépasser 10 à 15 % (établissements pour clientèle présentant peu de risques et établissements pour clientèle à risques), on peut malheureusement avancer qu'au Québec, entre le tiers et un peu plus de la moitié des césariennes seraient non nécessaires*, ce que confirmait une étude exploratoire effectuée récemment et dont les résultats n'ont pas été publiés. En Amérique latine par exemple, on évaluait à près d'un million le nombre de césariennes non nécessaires effectuées chaque année[209].

Au Québec, plus de 90 % des césariennes sont faites pour l'un ou l'autre des motifs suivants, par ordre décroissant d'importance : antécédant de césarienne, travail dystocique**, présentation du bébé par le siège et détresse fœtale. Aucun de ces motifs ne constitue un motif absolu de faire une césarienne. C'est le cas, même si la détresse fœtale aiguë peut nécessiter une césarienne et que la césarienne est habituellement depuis la fin des années 1990 ce qui est fait en cas de présentation du bébé par le siège, alors qu'on commence depuis quelques années à remettre cette pratique en question, comme on le verra plus loin.

Des indications absolues

Il existe bien sûr des raisons parfaitement valables et indiquées de procéder à une césarienne. Dans ces cas-là, pas d'hésitation possible. En voici la liste :

- déformation sérieuse du bassin causée par la polio, le rachitisme ou un accident ;
- procidence du cordon*** ;

---

* Pour un taux de césariennes de 23 % (22,9 % en 2005-2006), 23 % –10 % = 13 % et 23 % –15 % = 8 % ; 8 % représente près du tiers de 23 % et 13 % plus de la moitié de 23 %.

** Le travail ralentit, arrête, la tête du bébé est mal placée et descend mal, bref le travail est dysfonctionnel.

*** Il s'agit du cordon ombilical qui s'introduit dans le passage vaginal avant

- décollement placentaire ou mauvaise position du placenta mettant en danger la vie du bébé ou de la mère (ex. : sérieuse hémorragie) ;
- présentation transversale du bébé (par l'épaule, le bébé étant à l'horizontale), lorsqu'on n'a pas réussi à le faire changer de position ;
- mauvaise santé de la mère, tel un état cardiaque sérieusement compromis.

Des indications relatives

L'autre catégorie d'indications est la catégorie des indications relatives : celles-ci ne nécessitent pas toujours une césarienne et sont sujettes à controverse. Elles donnent lieu à 90 % des césariennes, pour les quatre motifs que l'on a vus tantôt. D'autres indications, plus rares, comme une césarienne à la suite d'un déclenchement du travail non réussi après la rupture des membranes, ou à la suite d'un dépassement de terme*, un état de pré-éclampsie, la présence d'herpès génital, le diabète, la grossesse gémellaire, ne sont pas des indications absolues de césarienne. J'aborde ici uniquement les indications les plus fréquentes.

Quant on parle de césarienne, on pense généralement qu'elle est faite, comme c'était de règle autrefois, pour une raison médicale, c'est-à-dire pour « sauver la mère ou le bébé ». De nos jours ce n'est pas toujours le cas. D'abord, dans les pays industrialisés, une femme ne meurt plus en accouchant, sauf exception, quoique ce risque soit plus élevé pour la césarienne. Ensuite, un bébé réellement en souffrance**, ce n'est pas aussi fréquent qu'on le dit. Le médecin qui a

---

la tête du bébé. La pression exercée par celle-ci peut comprimer le cordon, privant ainsi le bébé d'oxygène. Cette condition peut survenir après la rupture de la poche des eaux, dans moins de 1 % des cas.

* L'Organisation mondiale de la santé définit une grossesse à terme comme variant de 37 à 42 semaines.

** La souffrance fœtale, selon le *National Institute of Health* américain, est « une condition résultant d'un apport insuffisant d'oxygène au bébé dans l'utérus (ou dans le passage vaginal s'il s'y est engagé) et d'excès de monoxyde de carbone. Elle se manifeste par un pH sanguin acide, la présence de méconium (première selle du bébé, normalement évacuée après la naissance) dans le liquide amniotique et des irrégularités du rythme cardiaque du bébé. » Un

inventé le moniteur de surveillance fœtale électronique disait en 1987 que le taux de césariennes pour souffrance fœtale ne devrait jamais dépasser 1 ou 2 %. Au-delà de ce taux, disait-il, il s'agit de césariennes faites inutilement. Il n'est pas facile de trouver des taux fiables de détresse fœtale. Une certaine proportion des diagnostics de souffrance fœtale sont erronés. Il s'agit d'une erreur du moniteur. Il n'est pas nécessaire de brancher de manière continue les femmes en travail actif à un moniteur de surveillance fœtale, selon la SOGC, l'auscultation intermittente étant la méthode à préférer (SOGC, déclaration n° 112). L'auscultation peut se faire avec un doppler (appareil portatif) permettant aux femmes en travail de ne pas se coucher pour être auscultées. Il existe même des doppler permettant d'écouter le cœur du bébé d'une femme en travail dans un bain.

La présentation du bébé par le siège, qui entraîne généralement depuis plusieurs années une césarienne, n'est pas non plus une raison absolue de recourir à cette opération, comme on l'a vu précédemment. Mais un accouchement vaginal, dans ce cas, nécessite la présence d'un médecin expérimenté en la matière, et à la suite des politiques de césarienne automatique pour cette situation, malheureusement de moins en moins de médecins savent comment gérer un accouchement vaginal lorsqu'un bébé se présente par le siège. En 2006, plus d'une étude concluait qu'on devrait recommencer à laisser les femmes dont le bébé se présente par le siège accoucher par voie vaginale[210], et cette conclusion était appuyée par la présidente de l'Association des obstétriciens et gynécologues du Québec, le docteur Diane Francœur, dans le cadre de l'émission *SimonDurivage.com* à Radio-Canada le 11 mai 2006. La situation a peut-être évolué après la parution en 2004 d'une étude sur l'impact du type d'accouchement (enfant né par césarienne ou vaginalement) sur la mère deux ans après la naissance du bébé[211].

La disproportion céphalo-pelvienne réelle, c'est-à-dire quand la tête d'un bébé ne passe pas dans le bassin de sa mère, n'est pas aussi fréquente qu'on le laisse entendre. Le plus souvent, il s'agit d'une mauvaise présentation de la tête du bébé, qui peut être très légère.

---

seul de ces signes n'est pas suffisant pour conclure à la souffrance fœtale, sauf, évidemment, une baisse sérieuse et prolongée des battements du cœur fœtal.

Et quant au travail qui se prolonge ou arrête, il donne aussi lieu à une proportion importante de césariennes. Beaucoup d'imprécision régnait dans les années 1980 relativement au diagnostic de travail dystocique, et de l'imprécision subsiste encore. On en connaît mal les causes. On peut tenter de le prévenir ou d'y remédier en s'assurant de varier les positions que l'on prend durant le travail, en marchant régulièrement, en se mettant aussi à quatre pattes, en s'accroupissant, en s'alimentant, etc. (voir l'avant-dernier chapitre de ce livre pour plus de détails sur ce qui favorise le bon déroulement d'un accouchement). Par ailleurs, le rythme du travail n'est pas le même pour toutes les femmes. Certaines ont un travail latent* qui peut durer longtemps (jusqu'à quelques jours), d'autres entrent rapidement en travail actif, bref même si certaines courbes de progression du travail peuvent donner une idée d'à quoi s'attendre, on ne devrait pas imposer de limite à la durée du travail tant que la mère et le bébé se portent bien. Une étude exploratoire ayant réexaminé un outil très utilisé dans les départements d'obstétrique, la courbe de Friedman, conclut que des femmes qui accouchent pour la première fois peuvent avoir une première phase du travail (la dilatation) allant jusqu'à 26 heures, et une seconde phase (de la dilatation complète du col à la naissance du bébé) allant jusqu'à 8 heures, sans effets négatifs pour la mère et le bébé, et des durées respectives de 23 et 4,5 heures en ce qui concerne les femmes dont ce n'est pas le premier accouchement vaginal[212]. Ce sont des durées plus longues que celles de la courbe de Friedman.

Les mythes sur les problèmes qui seraient prévenus par la césarienne

Il existe plusieurs mythes tenaces relativement à la césarienne. En ce qui concerne l'incontinence**, il n'existe pas de preuves que la césarienne prévienne ce problème, qui serait plutôt associé à la gros-

* La phase de latence du travail est la phase préparatoire au travail actif, qui est celle de la dilatation du col entre 3-4 et 10 cm. La phase de latence « prépare » le travail, ramollissant et amincissant le col de l'utérus. Certaines femmes ont des contractions douloureuses durant la phase de latence, d'autres non. On l'appelle aussi « faux travail ».

** Incontinence urinaire ou fécale : évacuation involontaire d'urine ou de selles (ex. : à l'effort, éternuement, etc.).

LES POSITIONS DU BÉBÉ À LA FIN DU 7e MOIS

Présentations du sommet

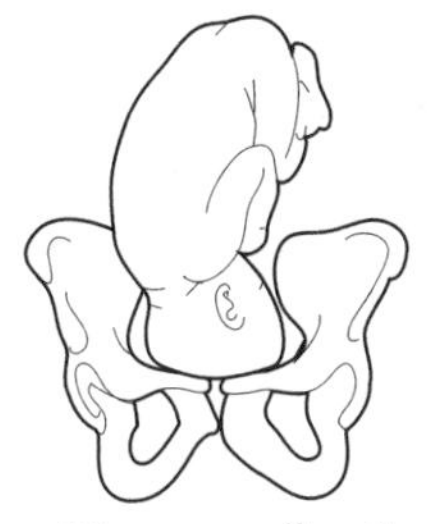

1 • Visage vers l'arrière

2 • Visage vers l'avant

3 • Présentation de la face

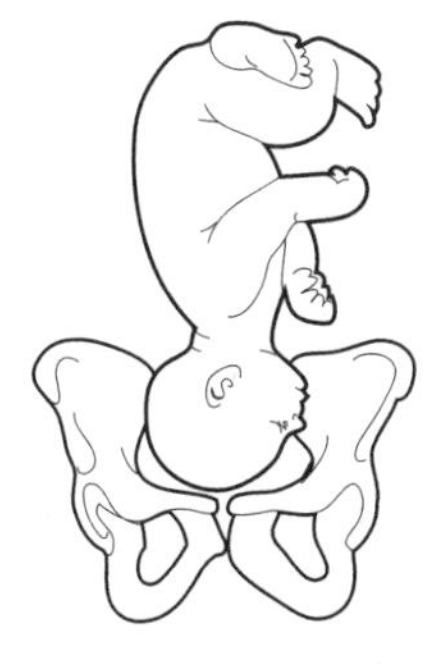

4 • Présentation du front

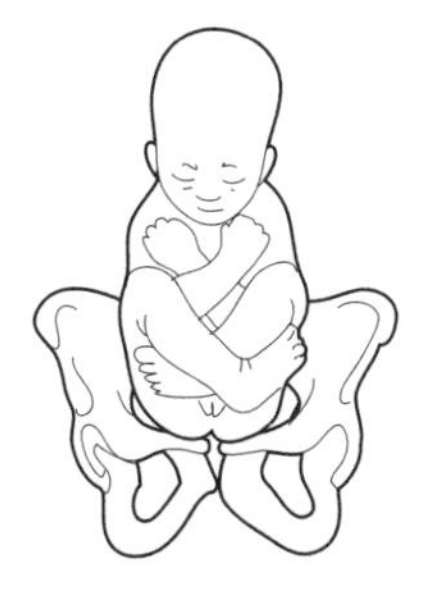

5 • Présentation du siège (siège complet)

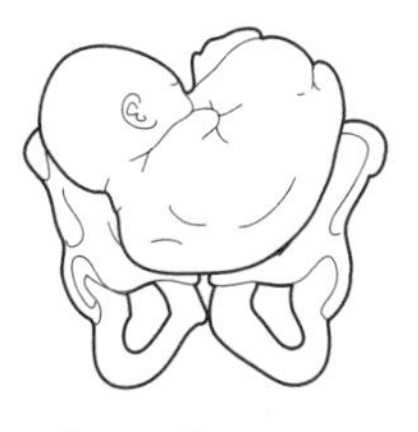

6 • Présentation transversale

La manière dont se présente le bébé est souvent définitive à la fin du septième mois. La position 1 est la plus fréquente. Les autres positions présentent de plus en plus de difficultés, et augmentent donc de manière croissante la possibilité d'avoir une césarienne.

sesse, au fait d'avoir plusieurs enfants, et aux accouchements avec forceps. À tout le moins, les avis et résultats d'études varient. Même chose en ce qui concerne les fameuses « descentes d'organes » (prolapsus de l'utérus). Quant à la vie sexuelle après la césarienne ou l'accouchement vaginal, en 20 ans de lectures des études scientifiques dans ce domaine, je n'ai rien vu de sérieux concernant ce sujet.

UN AVAC, EST-CE POUR MOI ?

En 2005, alors que je donne une formation sur l'AVAC au Regroupement Naissance-Renaissance, je rencontre une femme de religion juive hassidique qui me raconte son histoire. Plusieurs années auparavant, elle a réussi à vivre un AVAC après... 6 césariennes, dans un gros hôpital montréalais. Elle me dit sa joie d'avoir réussi à mettre un terme aux césariennes, ce qu'elle apprécia particulièrement parce que, par la suite, elle mit au monde par voie vaginale tous ses autres enfants.

Quelles sont mes chances de réussir un AVAC ?

Plusieurs femmes hésitent à tenter un AVAC, par peur de ne pas réussir. Une des questions posées fréquemment par les femmes est : « Quelles sont mes chances d'y arriver ? » La première réponse à donner est que la proportion de femmes qui complètent leur AVAC est très encourageante. Selon la récente revue systématique de littérature de CIMS (2007), dans la population générale, les trois quarts des femmes ayant accouché précédemment par césarienne peuvent compléter un AVAC. En France, une étude donne ce même taux[213]. Mais des taux aussi élevés que 87 % ont été rapportés, et chez les femmes ayant un profil optimal pour l'AVAC, par exemple la clientèle à bas risques des sages-femmes[214], on fait état de taux aussi élevés que 95 %[215].

> Les taux d'accouchements vaginaux chez les femmes qui planifient un AVAC dépendent beaucoup de la philosophie de l'intervenant et des politiques concernant l'AVAC [...] Les politiques et protocoles dont l'Initiative Amis des mères fait la promotion contribuent à promouvoir des AVAC plus sécuritaires et des taux plus élevés d'AVAC.
>
> The Coalition for Improving Maternity Services 2007, « Evidence Basis for the Ten Steps of Mother-Friendly Care », *The Journal of Perinatal Education*, 16(1) : Supplément Condition n° 6, première page.

Si une femme ayant eu une césarienne sur rendez-vous car son bébé se présentait par le siège a plus de chances de vivre un AVAC jusqu'au bout à l'issue de sa grossesse suivante, c'est peut-être parce que la confiance de cette femme n'a pas été ébranlée par un accouchement qui aurait mal tourné.

Depuis la publication de la première édition de cet ouvrage, de nombreuses femmes m'ont écrit pour savoir si l'AVAC était possible dans telle ou telle situation[216]. Plus souvent qu'autrement, les premières années, aucune étude n'avait porté sur la situation dont elles me parlaient. Toutefois, depuis la fin des années 1980, les connaissances sur l'AVAC se sont développées, des études ont été publiées et elles précisent soit la probabilité de compléter un AVAC dans telle ou telle situation, soit le risque qui y serait relié. Par exemple, une étude importante ayant porté sur 13 532 femmes vient de confirmer que le risque de rupture utérine décroît après le premier AVAC complété, ainsi que le risque de déhiscence et d'autres complications[217], que l'on ait eu une seule ou plus d'une césarienne.

Voici donc, sous forme de tableau, ce que l'on sait actuellement des diverses circonstances reliées à une grossesse ou à un AVAC après une ou des césariennes. Les données comprennent les recommandations de la SOGC faites en février 2005. Vous n'y trouverez pas nécessairement les réponses à toutes vos questions, puisqu'il manque encore d'études sur certains aspects de l'AVAC, mais les connaissances sont bien plus avancées en 2008 qu'elles ne l'étaient en 1989.

Situations reliées à mon accouchement antérieur

Situation	Risque de séparation de l'incision utérine	Facteur de succès de l'AVAC	Recommandation* de la SOGC
Plus d'une césarienne antérieure[218]	Plus de risque en général mais les études se contredisent ; « une option raisonnable »	Moins de succès si plus d'une césarienne ; 83 % de succès au lieu de 87 %	Bien qu'il soit associé à un risque accru de rupture utérine, il est probable qu'un essai de travail soit couronné de succès
Intervalle entre césarienne et AVAC inférieur à 18-24 mois[219]	Un intervalle supérieur à 18-24 mois diminuerait le risque de moitié ; un intervalle inférieur pourrait doubler ou tripler le risque		Pas une contradiction mais on devrait informer les femmes de l'accroissement du risque
Accouchement vaginal antérieur à la césarienne ou à l'AVAC ou AVAC antérieur2[20]	Diminue le risque ; chaque AVAC diminue le risque ; ou même risque, selon d'autres études ;	Augmente la probabilité de compléter un AVAC ; chaque accouchement vaginal accroît cette probabilité ;	
Raison de la césarienne antérieure : présentation du bébé par le siège ou détresse fœtale[221]		Augmente la probabilité de compléter un AVAC	
Raison de la césarienne : dystocie ou disproportion céphalo-pelvienne[222]	Pas d'effet négatif ; pas une contre-indication à un AVAC ; un travail dysfonctionnel à un accouchement ne se répète pas nécessairement au suivant		

Technique de fermeture de l'incision utérine une couche ou fermeture un plan (suture utérine)[223]	Augmenterait le risque selon des études		
Moment où eut lieu la césarienne : bébé prématuré[224]	Une étude indique qu'avoir eu une césarienne lorsque le bébé était très prématuré accroîtrait le risque de rupture (segment utérin inférieur moins développé) ; une autre aboutissait à la même conclusion, pour bébé prématuré ; une autre ne montre pas un risque accru		

* Société des obstétriciens et gynécologues du Canada, février 2005.

Situation	Risque de séparation de l'incision utérine	Facteur de succès de l'AVAC	Recommandation* de la SOGC
Être diabétique (diabète sucré)[225]		Moins d'AVAC complétés	Pas une contre-indication à un AVAC
Avoir plus de 30 ans[226]	Plus de 30 ans, risque plus élevé ; avoir 35 ans ou plus : risque plus élevé	Après 35 ans le taux de succès diminue	
Avoir une anomalie utérine (double utérus, etc.)[227]	Risque plus élevé mais petite étude		
Être de petite taille (164 cm ou moins, chez des Suédoises)[228]	Risque plus élevé		
Faire de l'obésité[229]		Moins d'AVACs complétés	

* Société des obstétriciens et gynécologues du Canada – février 2005

Situations reliées à ma grossesse actuelle

Situation	Risque de séparation de l'incision utérine	Facteur de succès de l'AVAC	Recommandation* de la SOGC
Attendre un « gros » bébé (estimation : plus de 4 kg)[230]	Pas plus de risque ; peut-être un léger risque additionnel	Moins d'AVAC complétés, plus le poids du bébé est grand, mais bon pourcentage de succès ; et ne pas oublier que l'échographie peut mal évaluer le poids du bébé et que la pelvimétrie ne peut prédire l'issue de l'accouchement	Pas une contre-indication à un AVAC
Attendre des jumeaux[231]	Pas de risque additionnel de rupture ou de complications pour les bébés		Pas une contre-indication à un AVAC
Grossesse de ou dépassant 40 semaines[232]	Résultats contradictoires : pas de risque additionnel (ni après 41 semaines) ; risque additionnel à partir de 41 semaines ; à partir de 42 semaines	Moins de succès qu'avant 40 semaines ; selon la condition du col avant l'accouchement (mûr ou non)	Pas une contre-indication à un AVAC
Une version externe (bébé se présente par le siège)[233]			Manœuvre pas contre-indiquée
Le bébé se présente par le siège[234]			En France ce n'est pas une contre-indication à un AVAC (Marpeau, 2000)

Le bébé est prématuré[235]	Moins de risques de rupture utérine	Plus d'AVAC complétés	
Faire de l'hypertension durant la grossesse ou être en état de pré-éclampsie[236]	N'augmenterait pas le risque, selon une étude publiée en 2006	La pré-éclampsie diminue la probabilité de compléter un AVAC	

Situations reliées aux circonstances de l'AVAC

Situation	**Risque de séparation de l'incision utérine**	**Facteur de succès de l'AVAC**	**Recommandation* de la SOGC**
Un AVAC en maison de naissances[237]	Risque de rupture de 0,2 à 0,4 % après une seule césa-rienne = pas plus de risques qu'en CH (une seule étude)	Accoucher avec une sage-femme en maison de naissances accroît la probabilité de compléter l'AVAC	
Un AVAC à la maison[238]	Dans la seule petite étude à avoir été conduite, ni rupture ni déhiscence	Taux de succès de 88 % ; et 93 % d'accouchements spontanés	
Travail déclenché artificiellement sur col défavo-rable[239]	Augmente le risque	Défavorable	
Travail déclenché artificielle-ment[240]	Augmente le risque (voir le chapitre sur le risque de l'AVAC)		
Limiter la durée du travail à l'avance[241]		Défavorable	

Col favorable en début de travail[242]		Favorable	
Mobilité réduite pendant le travail[243]		Défavorable	
Recours à l'ocytocine	Voir le chapitre sur le risque de l'AVAC	Défavorable	
Un travail dystocique pendant la phase active (qui arrête de progresser pendant quelques heures)[244]	Peut accroître le risque de rupture utérine	Les ¾ des femmes complètent l'AVAC selon Bujold et Gauthier, 2001	Peut accroître le risque de rupture utérine

Les données de ces tableaux ne signifient pas qu'on doive exclure l'AVAC dans les situations où le risque de rupture utérine est plus élevé que normal; cela indique toutefois que pour ces situations, il serait prudent de prendre plus de précautions, c'est-à-dire s'assurer qu'on ne déclenche pas le travail sur un col défavorable, ou avec des prostaglandines, ou encore s'assurer qu'on a le personnel et les installations requis pour répondre à une urgence si elle se présentait.

L'AVAC ou la césarienne répétée sont deux options qui comportent des bénéfices et des risques, comme le chapitre 3 l'a démontré. Reste qu'il y a peu de contre-indications absolues à un AVAC.[245]

D'après le docteur Shea, les critères d'admission à un AVAC ont peu de chose à voir avec les causes de la ou des césariennes précédentes ou même avec le type de cicatrice: «Je trouve qu'on porte trop d'attention aux statistiques et pas assez à la femme elle-même, à son style de vie et à son état d'esprit.» Selon lui, l'important, c'est que les femmes soient déterminées, motivées et qu'elles aient de bonnes habitudes de vie (pour éviter les complications). Ce médecin prend beaucoup de temps pour connaître ses clientes. Il a aidé à accoucher des femmes qui avaient eu une, deux ou même davantage de césariennes et qui avaient différents types de cicatrices. Pour lui, le plus important pour un AVAC, ce sont les conditions dans lesquelles il se déroule. Un milieu encourageant, l'absence ou la diminution de restrictions en favorisent selon lui l'issue heureuse.

QUAND UNE FEMME REFUSE D'AVOIR UN AVAC

Lors des entrevues réalisées pour cet ouvrage, et en d'autres occasions depuis, plusieurs médecins m'ont raconté que souvent les femmes refusent de tenter un AVAC : c'est le cas d'une femme sur deux, m'a dit l'un, d'une sur trois, m'a dit un autre. Certaines femmes n'ont pas le goût de revivre un travail. D'autres préfèrent une césarienne répétée avec leur médecin, plutôt que de changer de médecin pour accoucher vaginalement. Les AVAC étant souvent réservés (sans raison) aux obstétriciens-gynécologues, certaines femmes préfèrent rester avec leur médecin de famille, plus disponible, même si elles doivent revivre une césarienne.

D'une part, comme le souligne le docteur J. N. Martin[246], les décisions d'une femme ou d'un couple sont fortement influencées par la façon dont le médecin aborde la question. D'autre part, je me demande si on offre vraiment aux femmes qui hésitent, durant la grossesse et le travail, le soutien dont elles auraient besoin pour se décider et persister. Les encourage-t-on ? Leur insuffle-t-on la confiance de réussir ? Leur fournit-on des renseignements complets sur les risques d'une autre césarienne et les avantages pour le bébé de naître vaginalement ? Leur offre-t-on le soutien nécessaire pour réussir un AVAC, y compris l'autorisation d'avoir une accompagnante durant tout l'accouchement ?

Il est curieux de constater à quel point les médecins exerçant dans des institutions où l'AVAC est courant ont peu de difficultés à convaincre les femmes. Ainsi, le docteur Clark souligne que, dans l'hôpital qu'il dirige, la plupart des femmes à qui on propose l'AVAC et qu'on informe l'acceptent.

> *Si une femme choisit une césarienne répétée, on devrait l'informer, pour des raisons médicales et légales, qu'elle choisit la plus dangereuse des deux options.*
>
> Barry Schiffin, obstétricien. Cité dans Baptisti Richards, L., 1987, *The VBAC Experience*, Bergin & Garvey, p. 103.

Il offre même des rencontres destinées à aider les femmes et les couples à prendre une décision[247]. En fait, ce qui nuit au choix des AVAC, ce sont souvent les restrictions imposées aux femmes dans bien des hôpitaux (qui parfois ne diffèrent pas des routines habituelles : soluté, moniteur électronique, limitation de la durée du travail, etc.), quand ce n'est pas l'atmosphère de peur qui règne parfois dans le service d'obstétrique où se déroule un AVAC. « Ah oui, vous êtes l'AVAC ? » dit-on à la femme qui se présente en travail. Et on se précipite... En effet, même dans certains endroits où l'AVAC est courant, il arrive de temps en temps qu'on se trouve face à une infirmière qui panique ou à un médecin nerveux, ce qui ne facilite rien. Voici ce qu'une accompagnante m'a raconté. Alors qu'elle accompagnait une femme en travail dans un hôpital montréalais où les AVAC étaient autorisés depuis au moins deux ans, elle voit avec stupéfaction – et colère – une résidente s'approcher de sa cliente et lui dire : « Je ne veux pas te faire peur, mais ton utérus peut exploser. » Toute la volonté de la femme s'évanouit et l'accouchement finit en césarienne. Il y a encore du travail à faire avant que tous les professionnels de la santé soient convenablement renseignés. Malheureusement, plus de 25 ans après les premières recommandations officielles sur l'AVAC stipulant que les femmes peuvent en avoir un si elles le désiraient, on entend encore ce genre de commentaires de la part de médecins ou d'infirmières, comme en fait foi un échange de courriels que j'ai eu au début des années 2000 avec une femme tentant d'avoir un AVAC, et que l'on peut lire dans le recueil de témoignages sur l'accouchement *Au cœur de la naissance*.

En revanche, certains médecins, connus pour avoir aidé de nombreuses femmes à avoir un AVAC, ne rencontrent jamais de clientes refusant un tel accouchement. C'est le cas du docteur James King, qui m'a dit : « Jamais une de mes clientes n'a refusé un AVAC. Si cela arrivait, j'expliquerais à la femme que la solution la plus sûre, si elle ne démord pas d'une césarienne, est d'attendre que le travail commence. J'ajouterais que si on ne peut l'aider durant le travail et que cela s'avère trop difficile pour elle, elle pourra avoir une césarienne répétée. » En ce qui concerne le docteur Bujold, 80 % de ses clients désirent avoir un AVAC[248].

Quant à moi, je n'ai pas rencontré de médecin canadien qui refuserait à une femme ayant précédemment accouché par césarienne de lui en faire une autre, si tel était son désir. Mais certains l'informeraient quand même des risques et lui recommanderaient d'entrer d'abord en travail.

QUAND ON CHOISIT L'AVAC À MINUIT MOINS CINQ!

Voici une lettre adressée par un heureux père[249] à une revue québécoise:

Ma femme Coleen était, au moment de la parution d'un article sur l'AVAC dans une revue, enceinte de sept mois de notre deuxième enfant. Nous avons lu et relu l'article et en avons discuté avec notre médecin de famille. Notre premier garçon était né par césarienne parce que la tête était mal engagée... Les échographies avaient révélé que le deuxième serait costaud. La césarienne était donc inscrite au calendrier. Coleen, qui appréhendait les contractions, n'était pas fâchée à l'idée que la césarienne les lui éviterait. Quant à moi, je n'avais qu'un regret: ne pas vivre avec elle un accouchement vaginal «normal», ordinaire, comme tout le monde. Mais c'était à elle de décider. Entre la lecture de l'article et la date prévue de l'accouchement, il n'y avait, à son avis, pas assez de temps pour la préparer à un changement de cap radical. Césarienne il y avait eu, césarienne il y aurait... Trois jours après une belle fin de semaine sur les routes de terre de l'Estrie, Coleen se réveilla à 5 h du matin, tout étonnée de sentir quelques contractions. Elles prirent vite de l'ampleur et à 7 h, nous étions à l'hôpital. Le col de l'utérus était ouvert à 2 cm. Le médecin de Coleen n'était pas de service, mais il conféra quand même avec le médecin de garde, puis revint nous voir et dit à Coleen d'une voix rassurante mais ferme: «Puisque tu as commencé toute seule, tu vas te rendre au bout toute seule.» Un éclair de panique passa dans les yeux de ma femme entre deux contractions, mais l'infirmière, le médecin et moi parvinrent à la rassurer un peu. Le bébé, prématuré, était petit et devrait passer sans trop de difficultés... Vers 10 h 30, on l'emmena dans la salle d'accouchement et je suivis, un peu inquiet mais absolument ravi. Coleen violaçait à chaque poussée et avait bien hâte d'en finir. À part ça, tout allait bien. À 11 h 02, après l'épisiotomie de règle, Coleen poussa une dernière fois et un Patrick de 2,85 kilos naquit. Aujourd'hui, nous sommes tous les deux heureux de cet AVAC inattendu. Et si vous demandiez à Coleen ce qu'elle a le moins aimé, elle vous répondrait, se faire recoudre!

ET SI ON VOUS REFUSE LA POSSIBILITÉ D'AVOIR UN AVAC

Puisqu'il n'est pas possible dans tous les hôpitaux ou auprès de tous les médecins ou sages-femmes d'obtenir un AVAC, vous vous demandez peut-être comment faire, si tel est votre choix. Vous avez le droit de refuser que l'on vous fasse une césarienne, même si un tel refus risque d'être mal accueilli et peut donner lieu à de fortes pressions pour que vous changiez d'avis. Au Québec, la Loi sur la santé et les services sociaux garantit aux personnes hospitalisées le droit de refuser un traitement, comme les articles de loi cités vers la fin du chapitre 6 de ce livre en font foi.

Aux États-Unis, des groupes commencent à protester[250] contre le manque d'accessibilité à l'AVAC, et on commence à guider les femmes faisant face à de tels refus, les aidant par exemple à avoir recours à des procédures légales[251]. Bien que certaines de ces recommandations ne soient applicables qu'aux États-Unis (car le système de santé américain est différent du système canadien), certaines suggestions s'appliquent ici. Au Québec, avant (de préférence) ou après l'accouchement, on conseille de protester auprès de l'administration de l'hôpital, de faire une plainte officielle au Collège des médecins du Québec, auprès de l'Association québécoise d'établissements de santé et de services sociaux (AQESSS), auprès des associations médicales comme l'Association des obstétriciens et gynécologues du Québec ou la Société des obstétriciens et gynécologues du Canada. On suggère d'alerter les associations de consommateurs – au Québec le Regroupement Naissance-Renaissance, ou l'Association pour la santé publique du Québec, ou le Réseau canadien pour la santé des femmes, ou le Réseau québécois d'action pour la santé des femmes – et même le député, aux deux niveaux de gouvernement. Et aux femmes qui veulent aller plus loin on suggère d'avoir recours aux services d'un avocat. Certaines femmes ont ainsi réussi à poursuivre après une césarienne imposée faute d'accès à un AVAC et à avoir un dédommagement pour syndrome de stress post-traumatique[252]. Et au Brésil, pays où les taux de césariennes sont très élevés, un mouvement en faveur de l'accouchement par voie vaginale a exigé qu'aient lieu des audiences publiques sur l'abus des césariennes, demande soutenue par le Procureur du pays à la suite de l'examen d'un dossier décrivant ce qui se passe dans ce pays, études scientifiques à l'appui[253].

TROIS EXEMPLES D'HÔPITAUX SOUCIEUX D'ACCROÎTRE L'ACCÈS À L'AVAC

Il existe toutefois des institutions qui tentent d'accroître l'accès à l'AVAC. Par exemple, aux États-Unis, des centres de santé ont fait un travail important pour accroître l'accessibilité à l'AVAC. C'est ainsi que le Dartmouth-Hitchcock Medical Center et le Fletcher Ellen Health Care, en collaboration avec l'Université du Vermont, ont précisé dans le *Vermont/New Hampshire VBAC Project*, les lignes directrices de l'ACOG de manière à éviter que toutes les femmes désirant un AVAC entrent dans la catégorie « à risques élevés », même si l'Association américaine des obstétriciens et gynécologues n'a aucunement parlé de « risques élevés » dans ses lignes directrices. Ce groupe a aussi développé un formulaire de consentement éclairé et un dépliant destiné à aider les femmes à avoir toute l'information nécessaire non seulement sur les avantages et les risques de l'AVAC mais aussi sur ceux des césariennes répétées[254].

Cette initiative est née de plusieurs constatations : que l'accès à l'AVAC avait diminué considérablement dans la région, à cause de la confusion qui régnait dans les normes nationales, à cause d'articles négatifs dans les médias et de poursuites s'étant conclues par l'attribution d'énormes montants d'argent. La moitié des hôpitaux au New Hampshire et plusieurs hôpitaux du Vermont avaient cessé d'offrir l'AVAC*. Un groupe de près de 200 personnes s'est réuni en 2002 pour élaborer un projet. Ce projet précisait trois niveaux de risques associés à l'AVAC et les modalités correspondantes entourant un AVAC :

1. Un niveau de risques peu élevé, lorsque la femme enceinte a précédemment eu une seule césarienne, lorsque son travail débute spontanément et n'est pas stimulé à l'ocytocine, lorsque le rythme cardiaque du bébé est satisfaisant ou lorsque cette femme a déjà eu un AVAC. Ce niveau de risques serait le même que pour toute femme enceinte dite à risques peu élevés. Dans ce

* Aujourd'hui, 35 hôpitauxoffrent l'AVAC dans ces deux États.

cas, un centre hospitalier sans soins spécialisés peut être adéquat.

2. Un niveau de risques moyens, relié à un déclenchement artificiel du travail ou à la stimulation de ce dernier, à la présence de deux césariennes antérieures ou plus, ou à un intervalle entre la césarienne antérieure et l'accouchement prévu inférieur à 18 mois ; ce niveau de risques demande selon ce projet la présence pendant la phase active du travail d'un médecin capable de faire une césarienne et d'un anesthésiste, la présence d'une salle d'opération disponible (avec le personnel et l'équipement requis).
3. Un niveau de risques élevés : lorsque le rythme cardiaque du bébé présente à répétition des tracés non rassurants et qui ne répondent pas à l'intervention clinique, lorsque des saignements indiquent la possibilité de problèmes avec le placenta et lorsqu'il y a eu arrêt de travail (pas de changement dans la dilatation du col) durant 2 heures pendant la phase active du travail, malgré des contractions adéquates.

Des protocoles ont été établis pour les consultations prénatales, pour l'accouchement ainsi que des ententes inter-hospitalières. Cette initiative a reçu un prix décerné par l'ACOG. Les auteurs du projet soulignent qu'il en coûterait des sommes énormes (7,5 millions de dollars) pour prévenir chaque cas de dommages au bébé relié à une rupture utérine, sans compter que beaucoup plus de bébés – si on empêchait la plupart des femmes d'avoir un AVAC – auraient besoin de soins intensifs à la suite des complications pulmonaires qu'ont certains bébés nés par césarienne.

De son côté, une maison de naissances rattachée à un hôpital communautaire de l'Oregon, le Family Birth Center du Three Rivers Community Hospital, a décidé que, s'ils n'offrent pas officiellement la possibilité d'avoir un AVAC, ils vont aider les femmes qui refusent une césarienne répétée. Les médecins de ces clientes acceptent de demeurer à l'hôpital durant l'AVAC, et un anesthésiste est de garde 24 heures sur 24. Cet hôpital est le premier centre hospitalier américain à avoir reçu le label Ami des mères[254].

L'hôpital de Cowansville, au Québec, le premier hôpital canadien à avoir obtenu la certification Ami des bébés, a trouvé une solution pour respecter la recommandation de la SOGC concernant la surveillance électronique du cœur fœtal de manière continue pendant un AVAC : l'administration a acheté un appareil portatif, fonctionnant par télémétrie, qui permet à la femme en travail de continuer à se déplacer, à marcher, ne l'immobilisant pas au lit comme les appareils classiques. Depuis, d'autres hôpitaux ont acheté ce type d'appareils.

Ces exemples montrent que lorsqu'on est réellement soucieux du droit des femmes à mettre elles-mêmes leur bébé au monde, il y a moyen de trouver des solutions qui respectent les lignes directrices des associations médicales. La SOGC précise que les professionnels de la santé doivent tenir compte des besoins des individus, des ressources des patients, des limites des institutions ou des types de pratique. Elle ajoute qu'on peut adapter les lignes de pratique aux conditions locales, et que si on le fait, on devrait le noter par écrit.

TÉMOIGNAGE DE CÉLINE

Le poids des générations : renverser la vapeur

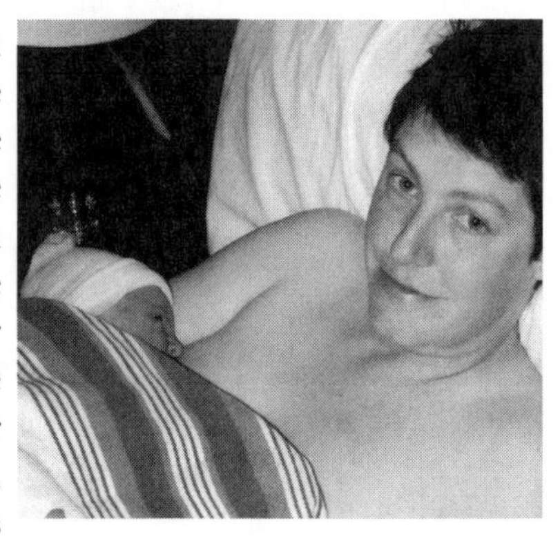

Bon, par où commencer ? Mon histoire débute il y a à peine plus de trente-trois ans, lorsque je suis née par césarienne « élective » parce que mon grand frère était né de la même manière trois ans plus tôt. Par la suite, ma mère, ayant enfanté deux fois sans jamais avoir connu une seule contraction, n'avait cessé de me casser les oreilles avec ses lamentations à ce sujet. Vingt-neuf ans plus tard, avant même de m'être demandé si j'aimerais un jour avoir des enfants, je me retrouvai devant un test de grossesse positif. Stupeur, panique, incrédulité, joie… Depuis la nuit des temps, l'idée d'avoir des enfants m'angoissait. Oh, ce n'était pas tant les mystères de la grossesse ni les responsabilités de la maternité qui m'effarouchaient que la douleur insupportable de l'accouchement. J'avais prévu dès mon plus jeune âge me faire poser la péridurale à 39 semaines de gestation afin de m'assurer de ne rien ressentir lors de ce terrible événement. Par contre, le 20 octobre 2003, devant la réalité du fait accompli – et, surtout, celui qu'il restait à accomplir! – mon petit doigt me disait que même la péridurale ne parviendrait pas à masquer l'incommensurabilité de ce qui allait m'arriver...

Ça a commencé avec un livre. J'avais besoin de savoir ce qui m'arrivait et ce qui m'attendait. Je me souviens être allée à la librairie et avoir eu un mal fou à trouver un livre qui ne prenait pas un ton qui me paraissait infantilisant. J'en ai choisi un qui m'allait et, une fois à la maison, j'ai lu d'une seule traite le chapitre 10 : « Labour and birth ». Au bout de ma lecture, je me suis dit : « Tiens donc, ça me paraît presque réalisable! » Au bout d'une semaine, j'annonçai la nouvelle à mes parents. Premièrement, pour partager mon bonheur, mais aussi pour savoir ce que je devais faire! Comme je n'avais même pas encore décidé si oui ou non je voulais des enfants (on avait plutôt décidé à ma place) j'étais à des années-lumière d'une « philosophie de naissance », m'étant toujours imaginé que les questions se résoudraient au cours de la grossesse. Je ne me doutais pas que la chose était devenue aujourd'hui si compliquée...

Ma mère me refila une liste d'obstétriciens de l'hôpital Royal Victoria. J'en choisis une au hasard et téléphonai pour prendre un rendez-vous pour six semaines plus tard. Cela me parut une éternité! Entre-temps, j'avais trouvé le « filon » des sages-femmes et me trouvais quelque part sur les longues listes d'attente des deux maisons de naissance. Je commençais à me rendre compte qu'énormément de grossesses se terminaient sur la table d'opération, et que la grande majorité des femmes semblait avoir besoin de drogues pour commencer le travail, pour l'accélérer, pour l'arrêter, pour calmer la douleur, pour arrêter les saignements, et cela me paraissait absurde. Je commençais à avoir une vague idée de ce que j'espérais pour la naissance de mon enfant. Mais je découvris une chose très importante : il aurait fallu que je réfléchisse à cette fameuse « philosophie de naissance » bien plus tôt... Qu'allait-il m'arriver? Quel serait le contexte de mon accouchement? Je m'apercevais que l'on vivait dans une culture de terreur vis-à-vis de l'enfantement, mais de quoi au juste devions-nous avoir peur? Et, surtout, quels étaient mes choix?

Cela me prit une seule rencontre avec mon médecin (cinq minutes) pour constater que le mot « choix » n'avait pas de sens là où je me trouvais. Au bout de la deuxième rencontre avec le médecin (quatre minutes maximum), je demandai le transfert de mon dossier au centre hospitalier de Lasalle, dont on m'avait parlé en bien. C'est là qu'on me proposa un plan de naissance, qu'on me demanda de m'exprimer sur mes attentes, mes craintes, bref, ma philosophie. Après le rendez-vous avec mon médecin, j'avais l'impression de vivre un superbe revirement de situation. Et, surtout, je commençais à prendre confiance. Un appel de la maison de naissance Côte-des-Neiges vint à lâcher un nouveau chien dans mon jeu de quilles, et je passai une bonne semaine dans un nouveau doute : suis-je assez courageuse pour (tenter d') accoucher loin de la fameuse péridurale ? Est-ce que mon corps est capable d'accoucher ? N'ayant moi-même pas été accouchée, comment pouvais-je savoir si je pourrais le faire ? Et je l'aimais, moi, mon obstétricien ! Par miracle, c'est exactement à cette période que j'eus l'honneur d'assister à l'accouchement d'une vache du fermier voisin de mes parents. Le veau arriva dans le calme et la paix. Ce fut si simple ! Plof ! Il tomba dans la paille, tout gluant. Sa maman le lécha, il se leva, se mit à téter. J'eu une révélation : c'était exactement comme cela que je souhaitais accoucher…

Je rencontrai ma sage-femme un mois plus tard, à vingt-cinq semaines de grossesse. Je l'adorais, j'étais heureuse de me retrouver enfin au centre névralgique de ce qui m'arrivait. Je pouvais lui parler de mes espoirs, de mes craintes. J'étais enfin exactement là où je voulais être, et ne pouvais pas croire ma chance ! Mais à trente-quatre semaines de grossesse, ma sage-femme m'annonça que mon bébé était en siège, comme ma mère et mon frère. Cela me semblait tout à coup parfaitement logique que mon bébé se présente « mal ». Un nuage noir vint s'installer soudainement au-dessus de ma tête. Ma sage-femme eut beau me dire qu'il restait du temps, qu'il y avait des choses à faire, bref, qu'il y avait encore beaucoup d'espoir, moi, je n'entendais que le tonnerre. J'étais dévastée. En un instant, toute la confiance que je m'étais si difficilement construite s'effrita. Je tentai tout pour me donner de l'espoir : acupuncture, la visualisation, la planche à repasser appuyée sur le divan (celles qui sont passées par là savent de quoi je cause), mais les jeux étaient faits. Dans ma tête, il était impossible que cet enfant se retourne. Et, comme de raison, le bébé resta la tête haute, l'oreille collée au cœur battant – à folle allure ! – de sa maman. Je fus transférée à un obstétricien de l'hôpital St. Mary's à 37 semaines de grossesse, après que ce grand « tourneur de bébés » ait refusé de tenter de retourner le mien – paraît qu'il manquait d'eau, ou d'espace, ou de temps, ou de volonté, que sais-je… Le 3 juin, le docteur et moi-même (eh oui) choisissions le 9 juin 2004 à 9 h du matin comme date de naissance pour mon bébé. À ce stade, je flottais dans une sorte de résignation : j'allais me faire ouvrir le ventre afin de devenir maman, et il n'y avait rien à faire. J'étais terrorisée, mais prise au piège.

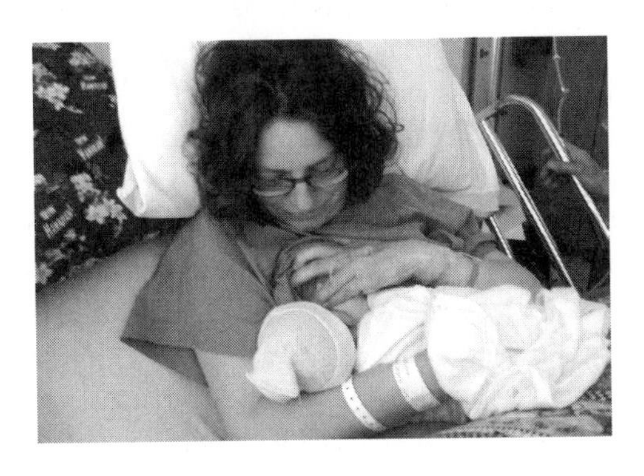

* * *

Je me levai très tôt le matin du 9 juin, pris ma douche avec la petite éponge désinfectante que l'on m'avait donnée la veille pour l'occasion, et regardai une dernière fois mon corps intact dans le miroir. Je n'ai ni l'espace ni le courage de raconter l'horrible matinée que je passai ce jour-là, les instants d'angoisse et de panique, les sueurs froides et les tremblements que je vécus avant qu'on ne me plante l'énorme aiguille dans la moelle épinière et qu'on se mette à couper dans ma chair. En vérité, ce sont des moments que je préfère oublier – et ce n'est plus de tristesse que je parle ici, mais bien de la terreur la plus animale. Par contre, dès la seconde où l'on posa ma fille sur moi, toute la peur, la tristesse et l'amertume s'envolèrent. J'avais beau être sur la table d'opération, les bras attachés (cloués ?) en croix, une grande fente sanglante et béante sur l'abdomen, mon bébé était sur moi, elle sentait le beurre et le métal, et je riais de bonheur. Lorsque le tourneur-de-bébés-devenu-ouvreur-de-ventres me serra la main, je le remerciai (!), sincèrement heureuse.

À partir de ce moment, mon unique but dans la vie fut de m'occuper de ma fille Greta du mieux que je le pouvais, et pour ce faire, il fallait que je guérisse physiquement. La blessure psychologique, je n'avais tout simplement plus le temps ni l'énergie de m'en occuper. L'allaitement fut facile (j'ai moi-même été allaitée), et je retrouvai assez rapidement la forme, considérant l'importante mutilation que j'avais subie. Le « choc de la maternité » – cette soudaine et violente prise de conscience qui survient après la naissance d'un premier enfant, lorsqu'on se rend compte de l'ampleur de la tâche devant nous – s'occupa d'effacer temporairement la douleur émotionnelle de ce qui m'était arrivé. La vie était belle, j'avais un nouvel amour. Mais lentement, au bout de quelques mois, une tristesse recommença à me hanter, sournoise. Je repris lentement mes lectures, encouragée par ma sage-femme, et appris que non seulement n'étais-je pas seule à avoir subi une césarienne, mais que je n'étais pas seule à en avoir autant souffert. Au bout d'un an, j'avais une bibliothèque bien garnie de livres sur la césarienne, l'AVAC et l'accouchement naturel. Ma fille marchait. Mes règles réapparurent. Je m'aperçus soudain que mon corps me semblait à nouveau m'appartenir, que je le reconnaissais, comme un vieil ami… J'avais envie d'avoir un autre enfant.

Je n'ai eu aucun mal à convaincre mon chum, et au bout de trois lunes, mes règles ne sont pas arrivées au moment prévu. Je me suis assuré une place dans chacune des maisons de naissance et ai poursuivi mon chemin en attendant. Finalement, je me suis rendue à mes rendez-vous sans avoir passé aucun test de grossesse ; je SAVAIS que j'étais enceinte.

Mon premier rendez-vous était à Côte-des-Neiges, avec ma sage-femme. Mais dès que je suis entrée dans son bureau, je me suis sentie mal à l'aise – comme propulsée dans un endroit que je connaissais trop bien, où j'avais trop de souvenirs tristes et récents de confusion et de perte de contrôle… Lorsque j'ai rencontré ma deuxième sage-femme, je lui ai raconté mon histoire, elle m'a raconté brièvement la sienne, et on a pas mal rigolé, il me semble. On n'a pas entendu le cœur du bébé au doppler, mais on savait tout de même que j'étais enceinte. Ce début de grossesse a été beaucoup plus instinctif que pour la première. J'avais une envie féroce de trouver moi-même les réponses à mes questions, de me faire confiance, et pour ce faire, il fallait avant tout que je m'écoute. J'ai commencé à feuilleter les études sur l'AVAC – les taux de rupture utérine, ses symptômes et facteurs de risque, les effets des diverses interventions sur les risques de rupture utérine, les taux de morbidité et de mortalité maternelle et néonatale suite à une rupture utérine, etc. J'arrivais toujours au même chiffre de 0,5 % – soit 1 sur 200. Et là, je retournais les chiffres, en me disant que j'avais 199 chances sur 200 de NE PAS connaître de rupture utérine. Finalement, je mettais ces chiffres en perspective : ma fille avait 4 % de risque de se trouver en siège à la fin de ma grossesse, soit une chance sur 25. J'avais donc « seulement » huit fois plus de chances de faire exploser ma matrice lors d'une tentative de travail ! Bref, je me remplissais la tête de chiffres inutiles et de logiques mathématiques, et tout ceci dans le but de me défendre auprès de potentiels critiques…

J'ai passé une grossesse moins « magique » que la première. J'avais pas mal de pain sur la planche, avec une petite de dix-huit mois curieuse et têtue. Et, contrairement à la première fois, j'avais déjà goûté à la maternité – en fait, j'en mangeais matin, midi et soir. Autant j'avais hâte de tenir mon pitchou dans mes bras, autant l'idée d'avoir un deuxième enfant à qui me donner entièrement m'angoissait. Vers six mois de grossesse, j'ai commencé à me palper obsessivement : je voulais être certaine de détecter un éventuel siège le plus tôt possible. Et vers ma trentième semaine, mes tâtonnements sont devenus maniaques. J'étais absolument persuadée que le bébé se trouvait de nouveau la tête vers le haut ! Ma névrose m'a amenée jusque chez l'acupuncteure, qui me fit des traitements au moxa. Et un jour, couchée par terre avec deux bottins téléphoniques sous les hanches, mon bébé m'a envoyé un franc coup de pied dans les côtes – chose que je n'avais jamais ressentie auparavant. J'ai retiré les livres qui servaient à surélever mon bassin et suis restée allongée, les bras en croix. Je me forçai à rester attentive et calme quelques minutes, afin de déterminer une fois pour toutes la position de mon bébé, sans toucher à mon abdomen. Après analyse, j'en ai conclu que ce petit coquin se trouvait bel et bien tête en bas – et je le croyais réellement. J'ai attendu de voir ma sage-femme. Elle m'a palpée longuement – une éternité, même ! – avant de me déclarer ce que je savais déjà : « Ton bébé est parfaitement placé ! » J'étais aux anges ! Et j'ai poursuivi mon petit bonhomme de chemin…

Mais une nouvelle angoisse n'a pas tardé à s'installer dans mon esprit : mon Dieu, j'allais devoir accoucher de cet enfant pour de vrai ! Je reprenais exactement là où j'avais délaissé ma première grossesse… J'ai arrêté net de lire mes études et statistiques, puisque cela n'avançait à rien. Je n'avais pas d'autre choix que de poursuivre mon idée jusqu'au bout, advienne que pourra. Je m'étais peinte dans un coin. Ce n'est pas que je préférais accoucher à l'hôpital ou avoir une autre césarienne – jamais de la vie ! J'avais tout simplement le trac ; je savais que ce qui s'en venait allait être le show de ma vie. Je me souviens que, lors d'un gros contrat durant l'hiver, je rentrais à la maison en métro tous les soirs. La marche de la station jusqu'à ma maison durait environ huit minutes, et tous les soirs en sortant de la bouche de métro, je vivais mon accouchement dans ma tête. C'était très difficile, je souffrais et suais, mais dans le calme et la confiance. Et là, avec une dernière poussée, mon bébé naissait, tout chaud et gluant (plof ! dans la paille !) – j'avais réussi ! C'était inévitablement sous les rails du chemin de fer, juste après le IGA, que cela arrivait, et c'est là que j'éclatais en sanglots tous les soirs, jour après jour, naissance après naissance. C'était comme un péché secret, et j'étais convaincue qu'il ne me serait jamais permis de connaître autant de bonheur. Et durant les trois minutes qu'il me restait avant la maison, je formulais une demande à Dieu pour qu'Elle m'accorde un seul vœu – connaître une contraction, une seule, c'est tout ce que je demandais.

Je ne me rappelle pas bien de la fin de ma grossesse, mais je me souviens qu'à mon rendez vous du 17 mai 2006, date prévue de mon accouchement, ma sage-femme, mon chum et moi avons énormément ri. L'atmosphère était détendue et pétillante… Et le soir du 22 mai, jour de Dollard ou fête de la reine (dépendamment de votre religion), alors que mon chum couchait bébéfille, c'est arrivé. Moi, Céline Bianchi, utérus cicatrisé et fille d'utérus deux fois cicatrisé, connus la première contraction ressentie en deux générations ! J'ai eu un doute, mais au bout de cinq minutes, une deuxième douleur d'environ 45 secondes m'a prise au bas du ventre. Mon vœu avait été exaucé, merci mon Dieu !

J'ai très bien dormi cette nuit-là, et me suis réveillée vers 6 h au matin du 23 mai avec une délicieuse contraction d'une minute. Et rebelote cinq minutes plus tard. J'étais dans une autre dimension, à la fois follement excitée et complètement lucide. Ma mère est arrivée vers 11 h pour s'occuper de notre fille, et mon chum et moi sommes allés prendre un café (OK, une tisane à la menthe !). Et lorsqu'on est revenus à la maison, j'ai décidé de m'allonger un peu pour me reposer. Une grosse contraction est survenue. Et une autre. Et une autre. Jusqu'à présent, mes contractionnettes captaient mon attention, m'empêchant (à peine) de parler, mais avaient été parfaitement supportables. Cette fois-ci, c'était autre chose. Ma mère est partie avec la petite et j'ai passé énormément de temps sur le bol de toilettes, où j'avais trouvé un confort relatif. J'ai perdu mon bouchon muqueux, et puis mes eaux, j'ai vomi, puis ai appelé ma sage-femme. Il était 17 heures, et je commençais à avoir envie d'être à la maison de naissance, ne sachant trop combien de temps je serais encore capable de me taper le voyage jusqu'à Pointe-Claire. Mais on était en pleine heurede pointe, et Infos 690 nous mettait en garde aux cinq minutes contre l'idée de s'aventurer sur l'autoroute 20, encore moins en direction de l'ouest…

Vers 19 heures, nous avons enfin pris la route. Il faisait beau pour la première fois depuis belle lurette. J'étais sur la banquette arrière et prenais mes contractions en gémissant doucement, tandis que mon chum me scrutait dans le rétroviseur en comptant dans sa tête. Lorsque nous sommes arrivés à la maison de naissance, on a préparé la chambre et ma sage-femme m'a demandé si j'avais besoin de quelque chose. Je lui ai répondu que j'avais vraiment envie de lasagnes ; un quart d'heure plus tard, une assiette de lasagnes fumantes était sur ma table de chevet. Nous avons passé toute la soirée et une bonne partie de la nuit seuls, mon chum et moi, à prendre les contractions. Ma sage-femme venait nous voir aux 45 minutes environ pour écouter le cœur du bébé, s'asseoir avec nous pendant quelques contractions, puis elle repartait. C'était très calme.

Vers minuit, j'ai entendu la femme dans la chambre voisine accoucher ; cela m'a impressionnée, mais j'avais hâte que ce soit mon tour… Un peu plus tard, je suis enfin entrée dans le bain. Cela faisait du bien. Une heure et demie plus tard, je suis sortie du bain et ma sage-femme m'a fait un toucher, pour me déclarer que j'étais à 5 centimètres ! J'étais découragée, cela me semblait éternel… Vers 5 h du matin, mes contractions se sont espacées puis se sont estompées. Je me suis dit que c'était cuit, qu'on allait sûrement me transférer pour arrêt de travail, et j'en ai profité pour dormir un peu. En fait, je n'en avais (presque) plus rien à cirer, me maudissant de m'être permis de croire que je pourrais accoucher toute seule comme une grande. Ma sage-femme m'a assurée qu'avec le lever du soleil, les contractions reprendraient ; je ne la croyais pas. J'étais convaincue que les bébés naissaient toujours la nuit, et le jour commençait doucement à poindre.

Un peu plus tard, je me suis réveillée et mon chum m'a dit : « Allez, Céline, il faut que ça avance. Viens, on va à la cuisine ! » L'expédition a été difficile mais salvatrice. J'ai ouvert la porte de ma chambre et ai découvert ma sage-femme assoupie dans un lazy-boy à l'extérieur de ma chambre. Elle a ouvert un œil et m'a suivie jusqu'à la cuisine, où elle s'est fait un café. Une image restera gravée dans ma mémoire jusqu'à la fin de mes jours : Je suis appuyée contre le divan, dans la cuisine, et la sage-femme est assise à table, buvant un café fumant et mangeant un bol de céréales en regardant sa montre tandis que j'ai une contraction. Je me trouvais incroyablement chanceuse de pouvoir accoucher dans une atmosphère aussi paisible et « normale ».

J'ai fini par retourner dans ma chambre, où j'ai continué mon travail, les contractions devenant de plus en plus puissantes avec chaque rayon de soleil qui pénétrait dans la pièce. Et, après avoir tangué longuement comme un bouchon sur la mer en furie, j'étais « complète ». J'étais dans le bain pour la deuxième fois lorsque la poussée a commencé, lentement. On avait longtemps attendu que la poussée spontanée arrive, mais au bout d'un certain moment, ma sage-femme m'a encouragée à sortir du bain et à pousser par moi-même. Cela m'a pris quelques contractions avant de comprendre le truc, mais en peu de temps, mon corps savait quoi faire. B…, que j'ai eu mal ! J'en pleurais comme au jour de ma naissance, entre chaque contraction…

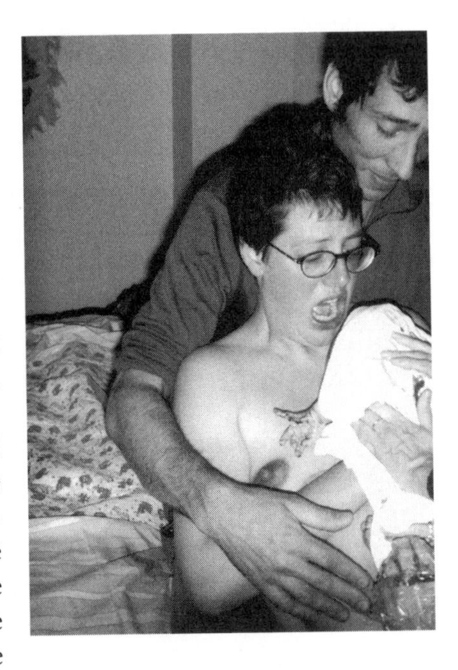

Au bout de plusieurs contractions, ma sage-femme m'a encouragée à toucher la tête du bébé ; elle était à un centimètre de la sortie, ratatinée comme une morille. Je me souviens m'être dit à ce moment précis : « C'est pas possible, je n'y arriverai pas, je veux rentrer à la maison, on oublie tout, OK ? »

Un peu plus tard – il paraît qu'il était midi onze – la sage-femme m'a soudainement posé un bébé dans les bras, comme une patate chaude qu'elle ne voulait pas tenir ! Je ne savais même pas que la tête était sortie ! Et c'est alors que j'ai poussé un cri que je n'oublierai jamais, un peu comme une poule lorsqu'elle vient de pondre son œuf. Ce cri a duré une éternité, et émanait du plus profond de mon être. Je ne peux pas décrire l'émotion à partir de laquelle est né ce cri : ce n'était pas simplement de la joie ou du soulagement, mais ce que j'appelle aujourd'hui une « superémotion » – quelque chose de plus puissant que la victoire, de plus profond que le bonheur... Quelque chose d'inexplicable. En un rien de temps, j'étais de retour de mon voyage, tout à fait lucide et présente. J'ai pris une douche pendant que tous les anges-gardiens de la maison de naissance s'affairaient à faire le ménage de ma chambre. J'ai téléphoné à ma mère et on a bercé et embrassé notre petit garçon avant d'aller manger notre dîner dans la cuisine – des lasagnes réchauffées. Nous avons ensuite fait une sieste. Nous sommes rentrés à la maison vers 19 h, où l'on a présenté bébé-gars à grande sœur, Pépé, Mémé, Tonton et Matante Maryse. On a soupé en famille et on s'est finalement couchés, épuisés. J'ai dormi sans interruption jusqu'au petit matin, d'un sommeil blanc, sans aucun rêve, ni douleur, ni même envie de faire pipi. Puis nous nous sommes levés, et la vie a repris son cours.

Note : Ce témoignage a été publié dans *MAMANzine*, vol. 11 n°.1, septembre 2007. Bulletin d'information du Groupe MAMAN, Mouvement pour l'autonomie dans la maternité et pour l'accouchement naturel. Reproduit avec la permission de Lysane Grégoire, du Groupe Maman, et avec la permission de l'auteure du témoignage.

DEUXIÈME PARTIE

COMMENT SE PRÉPARER À UN AVAC

4
LA CÉSARIENNE, UNE CICATRICE ÉMOTIONNELLE ?

DANS CE CHAPITRE :

La césarienne, une cicatrice émotionnelle ?

- L'impact d'une césarienne ou d'un accouchement mal vécu est sous-estimé
- On parle peu à son médecin de son accouchement
- Cela peut prendre du temps pour intégrer une expérience d'accouchement difficile, et être capable d'en parler
- L'entourage est souvent peu empathique
- Les professionnels de la santé ne comprennent pas nécessairement la détresse qui peut envahir une femme à la suite d'un accouchement mal vécu
- On peut avoir eu un syndrome de stress post-traumatique qui, mal soigné, peut entraîner une dépression
- Cela peut affecter la relation de couple, et la relation avec le bébé

Est-il possible de « guérir » d'une césarienne mal vécue ?

- Faire le deuil de ce que l'on aurait aimé avoir comme accouchement
- Essayer de comprendre ce qui s'est passé
- En parler
- Reconnaître les signes de sentiments non résolus
- Comprendre comment se fait la guérison
- Essayer de se pardonner : « J'ai fait ce que j'ai pu »

L'IMPACT SOUS-ESTIMÉ D'UNE CÉSARIENNE

On sous-estime souvent ce que représente l'accouchement pour une femme. Même si on accouche de moins en moins fréquemment dans notre société, cet événement est d'une telle intensité qu'il est rare qu'on ne s'en souvienne pas dans les détails jusqu'à la fin de sa vie. Et si depuis quelques années quelques femmes primipares manifestent le désir d'avoir une césarienne, par peur d'accoucher, pour d'autres il en va tout autrement. Avoir un accouchement difficile, et particulièrement le voir se terminer par une césarienne imprévue, signifie pour certaines la destruction de leur rêve d'accouchement naturel. Le travail d'équipe avec leur partenaire est interrompu, la maîtrise de l'événement leur échappe et, parfois aussi, elles sont privées des précieux moments de contact avec le bébé durant les heures suivant la naissance, sans compter des relevailles plus difficiles et plus longues.

Donner naissance est un événement majeur dans la vie d'une femme.
Une expérience positive rehausse son estime personnelle,
tandis qu'une expérience négative peut laisser un goût amer;
des sentiments non résolus peuvent l'habiter toute sa vie
et colorer les relations quelle aura avec son partenaire et ses enfants.

Rahima Baldwin et Terra Palmarini,
respectivement consultante en périnatalité et sage-femme
Pregnant Feelings, Celestial Arts, Berkeley, 1986

On m'objectera que ce ne sont pas tous les parents qui réagissent ainsi. C'est vrai, et d'autant plus vrai lorsque la césarienne avait été planifiée et bien expliquée, qu'elle a été effectuée sous anesthésie régionale avec le partenaire présent et qu'un contact avec le bébé a été établi dès la naissance. Toutefois, même une césarienne nécessaire, faite dans de bonnes conditions, peut être vécue difficilement, comme me le soulignait Lisette qui a eu trois césariennes à cause d'un bassin endommagé lors d'un accident de voiture : « J'ai été endormie pour ma première césarienne, l'épidurale n'ayant pas fonctionné, et consciente pour les deux autres. Ce ne fut pas facile, car l'épidurale n'a jamais pris complètement. Mais j'ai préféré cela à une anesthésie générale. Au moins, mon conjoint et moi avons pu consciemment accueillir nos deux derniers enfants à leur naissance.

Les médecins, eux – est-ce parce que mes césariennes ont eu lieu à l'heure des repas ? – avaient trouvé plus opportun de discuter pendant chaque opération de bouffe et de leurs restaurants favoris. Quelle atmosphère pour la naissance de nos enfants[256] ! »

On parle peu à son médecin de son accouchement

En lisant Une naissance heureuse, *j'ai pleuré toutes les larmes de mon corps. J'ai pleuré de découvrir que la terrible souffrance intime que je portais en moi depuis mon premier accouchement deux ans auparavant portait un nom : le vol. On m'avait volé, dérobé à mon insu, à cause de mon inexpérience, ma confiance, ma naïveté, ma faculté d'accoucher normalement ainsi que le droit à une naissance heureuse.*

Josée, *Au cœur de la naissance*, Éditions du Remue-ménage, 2004, p. 193

Beaucoup de médecins ignorent si leurs clientes sont satisfaites de leur accouchement, les conditions relatives aux rares sondages sur le sujet ne permettant pas nécessairement aux femmes d'exprimer leurs réels sentiments relativement à leur accouchement, césarienne ou pas. En effet, quand la nouvelle mère est encore à l'hôpital, elle est encore sous le choc de ce qui vient d'arriver, elle est soulagée d'être « passée au travers » et heureuse que son bébé soit en santé, et elle peut ne pas se sentir entièrement libre de dire ce qu'elle pense alors qu'elle est encore sous les soins du personnel. Et il est rare, si tôt après l'accouchement, qu'une femme se rende compte de ce qui vient de se dérouler et de la façon dont elle l'a vécu. Alors les ennuis causés par l'épisiotomie*, les forceps** ou même la césarienne ne pèsent pas lourd. De plus, lorsqu'on a une césarienne non prévue, on est en état de choc, et il est difficile d'avoir du recul et d'être critique par rapport à ce qui est arrivé. C'est souvent plusieurs mois et même des années plus tard, particulièrement au cours d'une grossesse subséquente, que questions, émotions et sentiments suscités par un accouchement difficile refont surface, et parfois de façon

---

* Incision du périnée entre le vagin et l'anus ; était autrefois effectuée de façon systématique, mais le taux d'épisiotomie a considérablement diminué depuis une vingtaine d'années.

** La fréquence d'utilisation des forceps a beaucoup diminué, leur utilisation étant remplacée par celle de la ventouse.

inattendue[257]. Il m'a fallu être enceinte de nouveau pour que je m'aperçoive, en voyant un film* sur l'accouchement qui me bouleversa tant que je faillis me lever et sortir de la salle, à quel point mon premier accouchement m'avait affectée. Jusque-là, je croyais avoir accepté ma césarienne sans aucun problème.

Une enquête récente de l'Agence de la santé publique du Canada[258] – il s'agit de l'Enquête sur l'expérience de la maternité, projet du Système canadien de surveillance périnatale – révèle que 80 % des femmes ayant accouché dans les 10 derniers mois considèrent leur expérience d'accouchement comme une expérience positive. Elle révèle aussi que leur expérience était plus positive lorsqu'elles étaient suivies par une sage-femme (71 %) que par un obstétricien-gynécologue, un médecin de famille ou une infirmière (53 %). Toutefois, l'enquête ne précise pas pourquoi les femmes ont trouvé leur expéience positive, et le sondage porte sur l'ensemble de la période entourant la venue d'un enfant, ce qui ne permet pas de tirer des conclusions sur le seul accouchement. On a interrogé lors de l'enquête 6500 femmes dont le dernier enfant avait en moyenne 7 mois.

> *Je suis une maman qui a eu une césarienne pour un bébé qui se présentait en siège. Mon bébé a maintenant 6 mois. Je veux d'autres enfants et je souhaite que ceux-ci naissent en maison de naissance ou à la maison. Je ne me sens pas bien en milieu hospitalier. Je commence donc à me préparer mentalement pour ces naissances futures en faisant le ménage avec la peur, la tristesse et le sentiment qui persiste d'avoir manqué mon coup en acceptant une césarienne. Physiquement, je commence à bien guérir. Émotionnellement, je commence à me pardonner... ça s'en vient.*
>
> Irène, courriel envoyé à l'auteure en 2002.

Isabelle Brabant, sage-femme depuis plus de 25 ans, me soulignait avoir constaté combien les femmes ayant eu un accouchement laborieux arrivent difficilement à en parler durant l'année qui suit. En général, si une femme parle de son accouchement, c'est à ses amies, à sa mère, à son éducatrice prénatale, mais rarement à son médecin. Après une césarienne, il arrive souvent qu'elle se demande durant

* Il s'agit du film *Depuis que le monde est monde*, de Sylvie Van Brabant, Serge Giguère et Louise Dugal, Productions du Rapide blanc, 1981.

des années si celle-ci était nécessaire ou si on aurait pu l'éviter. Des centaines de femmes m'ont écrit ou téléphoné pour me faire part de leur difficulté à accepter la césarienne, des questions qui les hantaient à ce sujet. Certaines femmes, même si elles avaient accouché d'un autre enfant vaginalement avant la césarienne, peuvent trouver l'expérience pénible et ne souhaiter qu'une chose : remettre un enfant au monde naturellement.

En 1986, Faye Ryder, représentante des femmes à la Conférence-consensus nationale sur la césarienne*, m'a raconté l'incident suivant. Lors de la conférence, une des plus grandes surprises des médecins du groupe de travail fut de constater à quel point les femmes venues témoigner devant eux avaient été bouleversées par leur(s) césarienne(s). Ces médecins demandèrent à Mme Ryder si ces réactions étaient le fait de toutes les femmes ayant vécu une césarienne ou d'une minorité capable d'exprimer ses sentiments. Elle leur répondit qu'elle ne savait pas – il n'existait alors pas de recherche là-dessus – mais que, si de 50 000 à 60 000 Américaines bouleversées avaient écrit à Nancy Cohen, éducatrice prénatale et auteure de *Silent Knife*, si des centaines de femmes avaient témoigné de leurs difficultés à la Maternal Health Society où elle-même travaillait à Vancouver, si des centaines de milliers d'autres avaient écrit à des organismes américains comme Cesarean Support, Education and Concern ou Cesarean Prevention Movement, est-ce que cela n'était pas suffisant pour en tenir compte ? Les plaignantes devaient-elles absolument constituer la majorité et produire des preuves scientifiques de leur nombre ? Ces médecins conclurent que même si ces femmes profondément bouleversées par leur césarienne constituaient une minorité, il n'en demeure pas moins qu'on était en face d'un problème.

Les médecins accompagnant des femmes lors d'un accouchement vaginal après une césarienne sont plus sensibilisés à l'impact d'un accouchement chirurgical. Ainsi le docteur Philippe Shea, généraliste ontarien, qui me déclare que plus de la moitié des femmes qui viennent le voir pour un AVAC pleurent dans son bureau lors de la

---

* National Consensus Conference on Aspects of Cesarean Birth, McMaster University, 1985. Cette conférence donna lieu aux premières déclarations officielles des associations canadiennes d'obstétriciens-gynécologues en faveur de l'AVAC.

première visite prénatale. Ou encore le docteur James King, ex-directeur du Service d'obstétrique et de gynécologie de l'hôpital Grace à Vancouver, qui me dit avoir entendu un nombre incalculable de femmes lui raconter les pénibles expériences qu'elles avaient vécues à l'occasion de leur césarienne.

PETITE ÉTUDE QUÉBÉCOISE AUPRÈS DE FEMMES AYANT EU UNE CÉSARIENNE - 2005

52 % des femmes disent n'avoir pas participé au processus de décision
45 % ont eu des douleurs post-opératoires
39 % n'ont pas eu assez d'information en post-partum
35 % ont eu une récupération plus longue
(fatigue, difficulté à fonctionner)
35 % n'ont pas eu d'informations sur les risques
26 % étaient insatisfaites de l'expérience de la césarienne
19 % regrettent d'en avoir eu une
16 % se sont dites non préparées à la césarienne
13 % ont eu des séquelles physiques ou psychologiques
13 % se sont déclarées incapables de s'occuper de leurs autres enfants

Chaillet, N., *et al.* 2005. Données provenant d'une enquête de satisfaction auprès d'un petit nombre de femmes ayant eu une césarienne dans 3 hôpitaux québécois. Entrevue faite 6 semaines après l'accouchement. Données non publiées. Comme il s'agit d'une étude qualitative, ces pourcentages ne sont donnés qu'à titre indicatif.

Il arrive aussi qu'incapable de faire face aux émotions ressenties, ou parce que l'accouchement fut trop pénible, une femme rationalise toute l'expérience. Caroline Sufrin, qui fut responsable de la VBAC Association of Ontario, raconte combien elle faisait tout pour convaincre son accompagnante qu'elle avait eu « des césariennes fantastiques » et que ce n'était pas pour avoir un accouchement satisfaisant qu'elle désirait un AVAC. Toutefois, après celui-ci, une colère énorme s'empara d'elle et se manifesta par des cris de rage. Elle se rendit compte à quel point elle avait étouffé cette colère. Elle n'en avait pas eu conscience jusqu'à ce qu'elle se retrouve en travail : « Dire que j'ai qualifié mes césariennes de fantastiques. Quelle aveugle j'étais ! Elles m'ont brisée en morceaux. Je ne me suis même pas aperçue que mon cœur criait en silence depuis cinq ans.

Maintenant, je me sens de nouveau entière, comblée. »

L'adaptation à la maternité ne laisse pas beaucoup de temps, particulièrement lorsqu'il s'agit d'un premier bébé, pour réfléchir à ce qui vient de se passer. De plus, une femme peut manquer du soutien nécessaire pour faire face à des sentiments pénibles. Il ne faut pas oublier non plus qu'une femme – ou un couple – peuvent être remplis de joie vis-à-vis de l'arrivée du bébé sans nécessairement ressentir la même chose en ce qui concerne l'accouchement.

Un accouchement confirme ou infirme chez une femme sa capacité de mettre au monde un enfant. C'est un acte qui marque profondément son inconscient.* Le premier accouchement est un rite de passage vers une nouvelle étape de sa vie de femme. La femme qui estime avoir « échoué » en ayant une césarienne peut ressentir fortement cet « échec » face à des femmes qui ont « réussi » leur accouchement vaginal. Ce sentiment n'est pas nécessairement conscient et peut se manifester de bien des façons. De plus, beaucoup de femmes qui ont une césarienne font l'expérience d'une première hospitalisation doublée d'une opération, sources de beaucoup de stress et de tension.

> *Je ne sais pas ce que c'est, mettre des enfants au monde. Je ne le saurai jamais et j'ai deux enfants de onze ans et demi (nés par césarienne). Quand bien même un médecin viendrait me dire « Madame, arrêtez d'être infantile et soyez donc rationnelle », il ne peut pas comprendre cet aspect de la question, comprendre qu'on m'a enlevé la chance de vivre quelque chose qui m'appartenait et que je ne peux plus rattraper.*
>
> Monique De Gramont, entrevue avec l'auteure.

Comme le dit le docteur Brooks Ranney, qui fut président en 1982 de l'American College of Obstetricians and Gynecologists après 30 ans de pratique en obstétrique et un taux personnel de césariennes de 5,6 % : « Tout médecin qui effectue une césarienne doit se rendre compte qu'il change quelque chose chez cette femme à jamais, soit sa capacité de mettre au monde un enfant. On ne doit donc pas faire de césarienne simplement à cause du dérèglement momentané d'une machine [le moniteur][259]. »

---

* Voir aussi le chapitre 7 : Accoucher, un défi exclusivement féminin.

UNE CÉSARIENNE IMPOSÉE: UN EXEMPLE DE DISCRIMINATION ?

Une femme autochtone québécoise manifestait le désir d'avoir un AVAC. Elle faisait un diabète de grossesse, mais on estimait que le bébé serait plus petit que le premier. Le médecin tenta de déclencher artificiellement son accouchement, lorsqu'elle eut atteint 39 semaines de grossesse, sans succès. Il réessaya à 40 semaines. Après 15 minutes de stimulation à l'ocytocine, le médecin décréta « c'est une césarienne ». Les infirmières étaient bouleversées. Cette femme eut une césarienne et leur dit ensuite « je ne comprends pas pourquoi j'ai eu une césarienne ».

Communication personnelle à l'auteure par une infirmière du département d'obstétrique de cet hôpital.

Le Brésil, pays ayant un taux de césariennes approchant les 40 %, pourrait donner l'impression que les femmes demandent d'avoir une césarienne, ou qu'elles préfèrent l'opération à l'accouchement vaginal. Toutefois, une enquête récente révèle que les Brésiliennes préfèrent accoucher vaginalement, mais que les médecins brésiliens affirment le contraire, suggérant qu'elles demandent la césarienne[260]. Et en 2008, paraissait une étude menée à Londres qui révélait que si la plupart des femmes ayant déjà eu une césarienne planifient un AVAC pour leur prochain accouchement, elles sont nombreuses à ne pas l'obtenir[261].

L'entourage : souvent peu empathique

Malheureusement notre société fait souvent preuve de bien peu de compréhension envers une femme déçue par son accouchement ou par sa césarienne, comme le montre le témoignage de cette femme : « *"Pourquoi es-tu si bouleversée, m'a-t-on demandé durant des mois. Tu as un bébé en santé, tu es en forme, tu devrais être contente Tu n'as (parfois) pas eu à vivre de travail !" Mais c'est ça que je voulais vivre, un travail et un accouchement vaginal, et je ne l'ai pas vécu*[262]. »

Pour Sheila Kitzinger, anthropologue et auteure de plusieurs livres sur la naissance, on traite différemment la masculinité et la féminité. Elle me disait en entrevue : « Il existe une grande empathie pour un homme incapable d'avoir une érection ou d'éjaculer, à tout le moins on comprend que c'est important pour lui et que cela fait partie de son identité de mâle. Mais on comprend mal les femmes déçues, tristes et frustrées de n'avoir pu accomplir la fonction physiologique féminine normale par excellence : donner naissance. »

Accoucher vaginalement peut être une façon de s'unir à toutes les autres femmes ayant mis au monde leur enfant ainsi depuis des millions d'années. Certains médecins en comprennent l'importance, tels les auteurs d'un des premiers documents à avoir remis en question certains dogmes en obstétrique : *Controverses obstétricales et les soins maternels.* Selon eux, lorsque l'accouchement devient une opération chirurgicale, on peut légitimement s'attendre à ce que cet événement déclenche des réactions émotives violentes[263].

> J'essayais de me convaincre que je devrais être reconnaissante d'avoir un bébé vivant et en santé. Je ne comprenais pas pourquoi j'étais si furieuse, déçue et bouleversée de la césarienne. Cela m'inquiétait de me sentir si déprimée. Nous avions pourtant tout fait pour accoucher naturellement. Nous nous étions informés, je m'étais bien alimentée, j'avais travaillé mes respirations et marché presque tous les jours. Cela n'a pas de sens que mon corps n'ait pu réussir à s'ouvrir pour donner naissance. Je le désirais tant — du moins je crois que je le voulais. J'ai tellement honte d'avoir eu une césarienne. Tout le monde a beau me répéter que c'est normal de nos jours d'avoir une césarienne... Si c'est normal, pourquoi suis-je si bouleversée ?
>
> Ruth, citée par Panuthos, C., « The psychological effects of cesarean deliveries », *Mothering*, hiver 1983, n° 26, p. 61.

L'impact sur la famille

Les réactions de la mère à la césarienne

Elizabeth Shearer, codirectrice de C/SEC, éducatrice prénatale et qui fut rédactrice en chef de *C/Sec Newsletter*, croit que les plus grandes difficultés d'une femme après une césarienne ne tiennent pas tant à l'opération elle-même qu'au sentiment d'avoir été bousculée, de n'avoir pas été informée de ce qui se passait et de ne pas l'avoir compris[264]. Déjà, au début des années 1980, des études démontraient que les femmes les moins susceptibles de vivre une dépression post-partum étaient celles qui avaient le sentiment d'avoir vécu une expérience d'accouchement positive[265]. Pour la femme en travail, l'assurance de contrôler l'événement, la possibilité d'influer sur certaines décisions et celle de faire partie de l'équipe augmentent son estime personnelle et l'amènent à vivre une expérience positive. L'obstétricien canadien Michael Klein précise à partir de ces mêmes sources que le *baby blues* et certaines formes de dépression sont en relation directe avec le recours à l'analgésie épidurale, la déception ressentie par rapport au déroulement du deuxième stade du travail et l'accouchement à l'aide d'instruments[266]. Et une étude récente confirme que les femmes qui ont des complications graves lors de leur accouchement sont plus à risques de souffrir de problèmes psychologiques par la suite[267].

Les recherches sur l'impact psychologique d'une césarienne sont fragmentaires et peu nombreuses. La première conférence-consensus gouvernementale américaine sur la césarienne[268] a par exemple permis de constater que les mères ayant vécu une césarienne avaient éprouvé les réactions suivantes: des peurs pour la santé du bébé, un soulagement que le travail prenne fin et que le bébé naisse; des sentiments d'impuissance, de perte d'autonomie; une estime de soi diminuée; une remise en question de leur féminité; des changements dans l'image corporelle; le sentiment que leur intégrité physique avait été atteinte; un sentiment de jalousie envers les autres femmes; une difficulté à intégrer l'expérience de l'accouchement, à établir un contact avec le bébé et même à le reconnaître comme sien; un blâme envers l'enfant (la plupart du temps inconscient); la peur d'accoucher encore; des comportements de « deuil » incluant la négation, la colère, la culpabilisation et la dépression; un sentiment de culpabilité à l'égard des sentiments négatifs ressentis alors qu'on serait censé uniquement se réjouir d'avoir un enfant en bonne santé.

Une étude récente[269] montre que des femmes souffrent d'un traumatisme à la suite d'une césarienne imprévue et que les professionnels de la santé ne comprennent pas nécessairement toute la détresse qui peut envahir une femme à la suite de ce genre d'événement. Plusieurs femmes s'inquiètent pendant leur césarienne de ce qu'elles voient et des bruits que font les instruments chirurgicaux, de l'étroitesse de la table d'opération, elles sont incommodées par les lumières fortes et la température froide qui règne dans la salle d'opération[270]. Et si une femme a été endormie pour accoucher (que ce soit pour une césarienne ou non), il arrive qu'elle ne soit pas certaine d'avoir vraiment eu cet enfant. Comme en témoigne Janelle Marquis, infirmière et éducatrice prénatale au CLSC Le Marigot : « Les femmes qui ne s'y attendaient pas ont l'impression d'avoir raté leur accouchement, d'être venues aux rencontres prénatales pour rien. Elles sont déçues de ne pas avoir vu leur bébé naître. Elles éprouvent souvent des difficultés à allaiter car elles ont été séparées de leur bébé. Les femmes me disent souvent : "Il y a un bout qui me manque dans mon accouchement, j'ai parfois l'impression que ce bébé n'est pas à moi. On m'a volé mon accouchement." Elles me demandent pourquoi on n'a pas filmé la sortie du bébé sur vidéo (comme cela se fait dans certaines maternités en France) pour qu'au moins elles puissent par la suite le voir naître. »

Selon Nancy Cohen, coauteure du premier livre publié sur l'AVAC, *Silent Knife*, personne ne semble se rendre compte qu'avoir une césarienne ressemble plus, comme expérience, à devenir soi-même un bébé qu'à devenir une mère. La femme, après une césarienne, peut se sentir aussi faible, impuissante et apeurée qu'un nouveau-né[271]. Selon Nancy Cohen, la perte de confiance en soi peut nuire à sa capacité de bien s'occuper de son bébé, car certaines femmes sont si préoccupées d'essayer de comprendre ce qui leur est arrivé qu'elles éprouvent beaucoup de difficultés à se centrer sur les besoins de leur enfant. Trois recherches mentionnées dans *Cesarean Childbirth*[272] ont démontré que les parents ayant vécu une césarienne avaient plus de difficultés à s'ajuster durant la période post-partum. Il ne faut pas oublier que se relever d'une césarienne équivaut à se relever d'une opération chirurgicale abdominale. Non seulement faut-il se réajuster physiologiquement à la fin de la grossesse, aux changements hormonaux qui surviennent alors ou qui sont reliés à l'allaitement, mais encore est-il nécessaire de se lever la nuit durant les premiers mois et de s'ajuster à la vie de parent.

L'impact sur le couple

Selon la revue *Icea News*[273], une césarienne peut interférer dans le jeu de relations familiales durant des mois, voire des années. Selon l'auteure de *The VBAC Experience*, Lynn Baptisti Richards, cela peut affecter la vie de couple[274], dont sa vie sexuelle : « Libido disparue, douleur pendant les relations sexuelles. Si une femme a beaucoup souffert de la césarienne sur le plan émotif et si elle ressent comme une perte importante le fait de n'avoir pu pousser elle-même son bébé vaginalement, son vagin peut devenir l'endroit où elle retient cette douleur émotionnelle qui se transforme en douleur physique.»

Des femmes ayant eu un accouchement vaginal après césarienne m'ont dit à quel point leur vie sexuelle avait changé – pour le mieux – après leur AVAC. Mais Claudia Panuthos souligne dans *Transformation through Birth* qu'après une césarienne, certaines femmes deviennent très sensibles à la moindre violation de leur intégrité physique et peuvent même réagir fortement à une simple ecchymose. D'autres ont l'impression que leur corps s'est «fermé» pour prévenir toute violation ultérieure.

Les réactions du père

Si toutes les mères ayant accouché par césarienne ne ressentent pas ces difficultés, il n'en demeure pas moins que c'est le cas d'un grand nombre. Selon certaines recherches et les témoignages de couples qui ont vécu une césarienne, la seule conséquence positive de cette intervention (en plus, bien sûr, des cas où elle sauve la mère ou l'enfant d'un danger réel) est l'engagement souvent plus grand du père durant la période post-partum. Plusieurs pères développent une relation privilégiée avec leur enfant, car ils ont souvent dû, à cause de l'état de la mère, s'en occuper davantage. Les pères, eux aussi, vivent de fortes émotions durant un accouchement difficile, ne l'oublions pas. Ils ne sont pas indifférents à un accouchement pénible se terminant par une césarienne. Il semble que leurs réactions soient aussi variées que celles de leur partenaire: soulagement de voir leur partenaire et leur bébé sains et saufs après un accouchement difficile; joie d'avoir pu être présents chez ceux qui ont assisté à la césarienne, colère chez les autres d'avoir été tenus à l'écart et peu informés, impression de n'avoir pas été assez préparés à la césarienne durant les cours prénatals, de ne pas avoir su ce qui les attendait de retour à la maison, culpabilité à la pensée de ce que leur partenaire a traversé, sentiments d'impuissance, de déception, de tristesse et de frustration[277]. Les hommes étant moins habitués à exprimer ce qu'ils ressentent, c'est souvent plus difficile pour eux de «guérir» de la césarienne qu'ils ont vécue à leur façon. Quelques hommes avec lesquels j'ai parlé m'ont avoué avoir hésité longtemps avant de vouloir un autre enfant. D'autres comprennent difficilement pourquoi leur partenaire réagit si fort à la césarienne.

L'impact sur le bébé

Selon Betsy MacKinnon, des pédiatres ont déclaré, lors de la conférence-consensus canadienne sur la césarienne, que cette intervention affectait le processus d'attachement entre la mère et l'enfant, car l'opération fatigue la femme au point de la rendre moins présente à son bébé et de refuser d'allaiter (alors qu'avant l'accouchement elle pouvait avoir eu l'intention de le faire). Il arrive aussi qu'elle ait beaucoup de mal à donner le sein. Dans *Impact of Cesarean Childbirth,* l'auteure souligne l'importance pour les parents de faire la paix avec la césarienne afin d'éviter de projeter des sentiments négatifs sur leur enfant: « Si les sentiments conflictuels ne sont pas résolus dans les premiers temps de la vie de l'enfant, il y a plus de probabilité que tension et inconfort imprègnent la relation avec l'enfant[275]. » Une recherche illustre comment ce lien se tisse parfois plus difficilement après une césarienne: des femmes, surtout si elles avaient été endormies, étaient plus hésitantes à nommer leur enfant[276]. Je l'ai personnellement vérifié; mon conjoint et moi avons mis deux mois à décider d'un nom pour notre fils né lors d'une césarienne où j'avais été endormie, et quelques heures à nommer notre fille née vaginalement quelques années plus tard.

Quant aux bébés, il existe très peu de recherches à long terme sur leur développement lorsqu'ils sont nés par césarienne. Ces recherches portent souvent sur une période ne dépassant pas un an, ou encore sur un nombre peu élevé de bébés. Le document publié à la suite de la première conférence américaine sur la césarienne tenue en 1979-1980 conclut que « grosso modo, les effets d'une césarienne sur le développement de l'enfant paraissent minimes, et après 8 à 12 mois il n'y aurait pas de différence pour l'enfant, qu'il soit né vaginalement ou par césarienne[278] ». On précise toutefois que les conclusions de ces recherches sont préliminaires et que d'autres devraient suivre pour les confirmer. L'effet des médicaments administrés à la mère lors d'un accouchement devrait entre autres faire l'objet de recherches plus approfondies.

Selon le docteur Michelle Harrisson, auteure de *A Woman in Residence*, on oublie souvent que « lors d'une césarienne, le bébé n'a aucun avertissement qu'il va être expulsé de l'univers douillet de l'utérus en quelques minutes. Si la césarienne n'a pas été précédée de quelques heures de travail, c'est peut-être un choc pour lui[279]. » Les recherches faites dans le domaine de la psychologie prénatale et périnatale[280] montrent que le fœtus n'est pas insensible à ce qui lui arrive ; par exemple, des expériences de régression jusqu'à la naissance, lors de séances d'hypnose, indiquent que le futur bébé est marqué par les événements de sa naissance. Selon certaines théories, il existerait une mémoire corporelle qui remonte même à la vie intra-utérine.

Même si la césarienne ne présentait aucun risque physique ni pour la femme ni pour son bébé, le fait que cette expérience affecte négativement bien des femmes, des couples et même des familles entières n'est-il pas suffisamment probant pour qu'on s'efforce de n'en faire que lorsque c'est nécessaire ?

GUÉRIR D'UN ACCOUCHEMENT DIFFICILE : UN DEUIL À FAIRE

Une césarienne laisse souvent une cicatrice pas seulement physique. Quelques-unes d'entre vous auront été déçues, sans plus. Mais chez d'autres, la blessure est restée longtemps ouverte, et cela même si la césarienne vous a sauvé la vie ou a aidé votre bébé. Réagir fortement est parfois lié inconsciemment à d'autres pertes vécues lorsqu'on était jeune et dont on n'a pas fait le deuil. Accoucher difficilement ou par césarienne vous a peut-être laissé un sentiment de perte, et vos rêves d'accoucher naturellement et de voir naître votre bébé – si vous avez été endormie – se sont évanouis. Vous avez aussi pu regretter de n'avoir pas vécu avec votre partenaire cette étape importante de votre vie.

Si vous avez trouvé l'expérience pénible, il y a de fortes chances pour que vous ayez traversé ou traversiez encore diverses étapes qui peuvent se chevaucher, et même se répéter. On compare ces réactions à ce que l'on éprouve après un deuil. On peut éprouver ce qui suit :

- stupeur, état de choc, difficulté à croire que c'est réellement arrivé ;
- colère, frustration, irritation, envie, blâme ;

- nostalgie de ce qui n'a pas été vécu : envie face aux autres femmes, tentatives de comprendre ce qui est arrivé ;
- dépression, état de désorganisation, désespoir ;
- acceptation : la vie reprend son cours, on peut chercher à se servir de ce qu'on a vécu pour aider d'autres femmes, etc.

Ces étapes peuvent durer des mois et parfois même des années. Mais on peut aussi prendre autant de temps avant d'être capable de revenir sur ce qui s'est passé alors. Une grossesse ultérieure fait souvent émerger des sentiments jusque-là enfouis. On peut aussi développer un syndrome de stress post-traumatique, après un accouchement (ou une césarienne) éprouvante[281]. Les symptômes peuvent mettre du temps à émerger. Nicette Jukelevics, éditrice du site web vbac.com, résume bien comment le reconnaître : on peut rêver à son accouchement, on peut y penser souvent sans pouvoir contrôler ces pensées ; on peut éviter les endroits, personnes ou situations qui nous rappellent l'événement traumatique. Certaines femmes ont de la difficulté dans leurs relations avec leurs enfants, d'autres avec leur conjoint[282] et certaines éviteront même les contacts sexuels, de peur qu'ils n'entraînent une autre grossesse. Les femmes ayant un SSPT donnent des manifestations d'un état d'hypervigilance (difficultés à dormir, à se concentrer), sont irritables et sursautent facilement. Une étude très récente[283] montre que s'il est normal pour toutes les femmes qui accouchent de développer des stratégies mentales pour traverser cet événement, d'éprouver pendant le travail des moments où l'on souhaiterait le voir se terminer, de ne pas toujours comprendre ce qui se passe, et de se sentir découragée, effrayée, bouleversée, les femmes ayant développé un syndrome de stress post-traumatique avaient plus que les autres pendant l'accouchement des moments de panique, de colère, un sentiment d'échec, un état de dissociation pendant l'accouchement, et elles pensaient plus souvent à la mort ; et après la naissance, ces femmes étaient moins capables de demeurer centrées sur le moment présent, elles éprouvaient plus de souvenirs douloureux, de souvenirs envahissants, de moments de rumination sur l'accouchement. Il ne faut pas oublier qu'un syndrome de stress post-traumatique non traité peut mener à la dépression[284].

L'accouchement n'est en effet pas un événement anodin qu'on doit s'empresser d'oublier, dans certains cas, pour uniquement penser au fait qu'on a « un beau bébé en santé ». Avoir eu un traumatisme peut rendre la vie particulièrement difficile. Ces femmes peuvent, pendant la période post-natale et à plus long terme, être aux prises avec des reviviscences de traumatismes antérieurs, faire des cauchemars, devenir hypervigilantes, anxieuses, et cela, alors qu'elles doivent s'occuper d'un bébé puis d'un enfant. On rapporte aussi une baisse du désir de procréer, à tout le moins on reporte durant plus longtemps la conception d'un autre enfant. Des femmes interviewées disent que l'on n'a pas répondu à leurs besoins psychologiques durant l'accouchement, et que l'attitude ou les comportements des intervenants les ont affectées négativement.

Que faire pour guérir d'un accouchement difficile ?

Une des choses que l'on peut faire pour s'aider à « digérer » un accouchement difficile est d'essayer d'abord de comprendre ce qui s'est passé. Plusieurs auteurs d'ouvrages sur la césarienne et l'AVAC ainsi que des sages-femmes et des éducatrices prénatales travaillant avec des femmes ayant eu une césarienne croient qu'il est important, lors d'une grossesse ultérieure ou même avant, de comprendre ce qui s'est passé. On peut pour cela demander son dossier et au besoin le revoir avec son médecin, en parler avec des personnes qui ne nous jugeront pas, ou lire sur le sujet... Le but est d'en arriver à faire la paix avec cette expérience souvent pénible. Cela « libérerait » le chemin pour l'enfant à venir, particulièrement si cette expérience vous laisse encore habitée par des sentiments négatifs. Ce n'est pas facile, comme d'ailleurs toute démarche de croissance. Vous ressentirez et revivrez peut-être des sentiments douloureux, mais cela peut s'avérer bénéfique dans un cheminement vers un AVAC. L'auteure de *A Good Birth, A Safe Birth* croit que des émotions négatives durant un travail accroissent la douleur, ralentissent le travail et nuisent à la dilatation[285]. En Angleterre, plusieurs hôpitaux offrent aux femmes des séances de *debriefing*. Ces séances s'adressent à n'importe quelle femme désireuse de revenir sur son accouchement, peu importe le délai écoulé depuis (il peut s'agir de plusieurs années) ; les femmes rencontrent une sage-femme, avec qui elles revoient le dossier obstétrical, ce qui s'est passé à leur accouchement, et à qui elles confient comment elles se sentent depuis cet accouchement.

Comment savoir si vous éprouvez des sentiments non résolus vis-à-vis de votre césarienne? Un indice révélateur peut être vos réactions à la lecture de ce livre ou aux récits d'accouchements vaginaux d'autres femmes. Vous avez peut-être reconnu des signes de traumatisme à la lecture des paragraphes sur le sujet dans ces pages. Si vous avez tendance à éviter les récits d'accouchements ou bien si ces récits ou des accouchements vus à la télé vous bouleversent, cela pourrait indiquer que vous n'êtes pas totalement en paix. Un autre indice peut être ce que vous ressentez lorsque vous évoquez les intervenants présents durant votre accouchement: par exemple de la colère, de la tristesse, le sentiment d'avoir été trahie, etc.

Le processus de guérison

Vivre le deuil d'un accouchement vaginal «raté» ne veut pas dire que la blessure fera toujours aussi mal. Avec le temps, les blessures cicatrisent et les sentiments s'atténuent. Il existe des moyens d'accélérer le processus et de guérir vraiment d'une césarienne ou d'un accouchement difficile, même si vous ne voulez pas ou ne pouvez pas vivre un AVAC.

La guérison est un phénomène qui touche tout l'être: corps, esprit, cœur et âme. Voici ce qu'en disent Deming et Comello: «Le corps a besoin pour guérir de repos, de nourriture et d'exercice [...] L'esprit a besoin de comprendre ce qui s'est passé. Il a besoin de faits, d'information. Après une césarienne, une femme peut désirer voir son dossier, discuter avec le médecin, parler avec les personnes présentes de ce qui est arrivé[...] Le cœur a besoin de soutien et d'empathie de la part de l'entourage[...] L'âme a besoin de situer cet événement dans le sens de sa vie[286].

Comment faire pour guérir? Je me le suis longtemps demandé. J'ai vécu et revécu toutes les étapes, en ayant toujours l'impression que jamais je n'y arriverais. Alors que je travaillais à la première édition de ce livre, cela faisait toujours aussi mal. Mais j'ai fini par comprendre que c'est un processus graduel. J'ai alors utilisé certains moyens qui m'étaient conseillés et j'en ai découvert d'autres, de façon tout à fait accidentelle parfois. Il s'agit d'enlever, en la vivant, chaque couche d'émotions... et petit à petit on réagit moins, on a moins mal, c'est moins dramatique. Alors qu'un récit d'accouchement peut d'abord bouleverser totalement, peu à peu la tristesse s'allège, on finit par n'avoir que les larmes aux yeux, puis par respirer et passer à autre chose. Finalement, la douleur fait surface, puis diminue.

Cependant, il faut d'abord admettre que cela nous a fait quelque chose de vivre une césarienne ou un accouchement décevant. Pour en prendre conscience, il peut être utile d'écrire tout ce qu'on attendait de cet accouchement, avant qu'il ait lieu, et tout ce qui n'est pas arrivé : nos attentes, nos espoirs. Puis on passe à l'étape suivante, exprimer ce que l'on a ressenti et ressent encore. Dans le domaine des émotions, il n'y a pas de contrôle, de logique. On ressent ce qu'on ressent, point. On se sent envahi par une émotion. Il faut essayer de ne pas la juger ni de se juger à travers elle. Tous les sentiments sont adéquats. Ils ne peuvent blesser personne, sauf nous si nous les gardons à l'intérieur !

Il n'est pas toujours nécessaire d'aller voir un thérapeute. Parler de sa césarienne, de ses sentiments, s'écrire ou écrire des lettres aux personnes présentes à l'accouchement (même si on n'envoie pas les lettres, cela soulage), que ce soit à son conjoint, au médecin, à l'infirmière, pour leur exprimer comment on a vécu certaines choses, se vider le cœur de ce qui n'a pas marché. On peut parler à des personnes avec lesquelles on se sent en confiance, qui vont nous écouter sans nous juger ou sans minimiser nos sentiments. On peut aussi lire des récits d'accouchements, pleurer tant que cela nous fera pleurer, voir des vidéos d'accouchements (croyez-moi, c'est efficace !). Revivre des émotions comme de la tristesse ou de la colère n'est pas facile, mais cela libère. Si vous éprouvez trop de difficultés à le faire seule ou avec votre partenaire, consulter un thérapeute peut alors être utile.

Il ne suffit cependant pas d'exprimer des sentiments, des émotions. Certaines personnes ont des « réserves » inépuisables de colère ou de tristesse, et se sentir enragée envers un intervenant pendant des années ne donne pas grand-chose. C'est à soi que l'on fait mal avec toute cette colère, surtout si on n'en fait rien. Arrive un moment où il faut penser à décrocher, à laisser aller la colère, la tristesse. C'est encore plus difficile pour certains et certaines que de l'exprimer. Et cela ne se fait pas avec la tête. Ici, c'est le cœur qui agit, dans le geste difficile mais libérateur de pardonner. Pardonner aux autres les erreurs commises (ce qui ne veut pas dire les en excuser) et, surtout, se pardonner soi-même de n'avoir pas été « à la hauteur », d'avoir si mal enduré la douleur, de n'avoir pas su dire non à telle intervention, etc. Arriver à se pardonner veut dire accepter ce qui s'est passé, laisser tomber les « si seulement j'avais mieux fait mes respirations, si seulement je n'avais pas travaillé si fort en fin de grossesse, si seulement j'avais marché plus durant mon travail... » Et ce peut être le début de la paix intérieure.

L'auteure de *Living through Personal Crisis* suggère quelques questions pouvant vous aider à comprendre que vous vous sentez peut-être indûment coupable, puis à vous déculpabiliser.

- Saviez-vous au moment où vous avez accouché ce que vous savez maintenant ?
- Comment auriez-vous pu savoir ou anticiper ce qui arriverait, quand parfois même votre médecin n'a pu le prévoir ?
- Vous arrive-t-il de vous blâmer de ce qui est arrivé, comme si les autres personnes impliquées n'avaient pas leur part de responsabilité ?
- Vous sentez-vous responsable de choses qui étaient totalement hors de votre contrôle[287] ?

Le but final de la guérison, c'est d'en arriver à se dire et à reconnaître qu'on a fait tout ce qu'on a pu à ce moment-là : « J'ai fait ceci, j'ai survécu à cela ; j'ai appris de cette expérience. » Par exemple, je m'en suis voulu longtemps de n'avoir pas réussi à résister au médecin qui insistait pour sortir sans raison médicale ma fille à l'aide de forceps. Je n'ai donc pas vu durant tout ce temps – sauf les quelques heures qui ont suivi la naissance – que j'avais jusque-là eu un bel accouchement, sans médication ni intervention d'aucune sorte, tout à fait à l'opposé du premier. Étant donné les circonstances, j'avais fait ce que j'avais pu, et c'était déjà beaucoup.

> *Faire le deuil d'une expérience difficile ressemble à ce qui se passe durant un accouchement : on peut essayer d'ignorer ce qui se passe, y résister, le nier, le combattre. Ou on peut s'y abandonner, et trouver en soi une force et des ressources qu'on ne croyait jamais avoir, qui aident à traverser la douleur et à donner naissance à une autre vie.*
>
> M. Deming et N. Comello, 1988, Grieving and Healing. *The Cesarean Prevention Clarion* 5 (3,4).

TÉMOIGNAGE D'AUDREY

J'ai vécu à la fois les plus beaux et les pires moments de ma vie

L'an 2000. Première grossesse, première césarienne. Personne dans ma famille n'a eu de césarienne. Je ne pensais jamais que cela m'arriverait, je n'étais pas préparée. Mon premier bébé est né par césarienne puisqu'il se présentait par les pieds. J'ai eu une version manuelle externe qui a fonctionné quelques semaines avant l'accouchement mais quelques jours avant la date prévue, il a décidé de se retourner. La nuit précédant la césarienne, le travail a commencé. J'ai ressenti ces contractions qui me confirmaient que mon bébé était prêt à arriver. J'étais dans un hôpital qui ne facilitait pas les choses. J'ai quand même pu avoir avec moi, quelques minutes, dans la salle de réveil, bébé et papa. Ils sont partis et j'ai dû attendre une éternité qu'une infirmière ayant terminé sa pause s'organise pour me ramener à la chambre. Le médecin m'avait administré une dose massive de médicament, nous étions le bébé et moi dans un état extrêmement comateux. L'allaitement a été catastrophique. Pour les infirmières, j'étais une césarienne donc c'était impossible que j'allaite. Mon bébé a vraiment pris le sein pour la première fois à quatre mois. Je ne pouvais pas ne pas allaiter en plus. J'ai eu le support des infirmières du CLSC. Ç'a été difficile. La douleur physique de l'opération, les commentaires de la famille et des amis : « Eh bien ! vous êtes là tous les deux, c'est fini maintenant, au moins vous êtes vivants, le bébé a une belle tête ronde ! » Pour moi ce n'était pas fini. Je me sentais mal de pas être bien, j'avais l'impression que personne ne comprenait ma peine de ne pas avoir vécu un accouchement normal.

Le jour où je suis sortie de l'hôpital, j'ai trouvé un petit papier qui parlait d'AVAC et j'ai tout de suite su que c'était ce que je voulais pour mon prochain accouchement. Le désir d'une nouvelle grossesse était déjà présent. Mon bébé avait 11 mois lorsque je suis retombée enceinte. J'ai pris beaucoup d'informations, j'ai fait mes devoirs, j'ai cheminé dans ma tête, j'ai guéri mon corps. J'ai tout d'abord choisi l'hôpital. Il n'était pas question que je retourne au premier. J'ai posé beaucoup de questions, je suis allée en visiter plusieurs. En 2001, je ne pouvais pas aller en maison de naissance pour un AVAC. Mon choix s'est arrêté sur l'hôpital Lasalle. Durant la grossesse, mon deuxième bébé était lui aussi en position transverse. J'ai dû avoir recours à l'acupuncture et à l'ostéopathie pour « placer » mon bébé. C'est un médecin de l'hôpital Lasalle qui m'avait parlé de l'acupuncture pour la version du bébé. Il est finalement resté dans la bonne position. Le travail a commencé en fin de soirée. À 3 heures du matin, les eaux ont crevé. À l'hôpital tout se passait quand même bien, malgré le soluté et le monitoring continu. Le travail allait très vite. Le cœur du bébé s'est mis à ralentir et à reprendre. Il fallait que je respire tout le temps, que je pense à respirer. L'infirmier a pris panique et a décidé que j'aurais une césarienne. Je n'ai même pas pensé d'exiger de voir un médecin. J'ai eu droit à toute la préparation pour la césarienne: rasage, sonde urinaire et les infirmiers s'obstinaient et revérifiaient: « 8 cm, non 9 cm... » Quand le médecin est arrivé, l'envie de pousser avait déjà commencé. Pour lui, c'était très clair que ce serait un AVAC. À 6 h du matin, après cinq poussées, mon bébé était là, dans mes bras, mais j'avais encore la peur intense qu'ils décident de me trancher le ventre pour rien. Le moment où j'ai pris mon bébé fut le plus bel instant de ma vie, il était là, dans mes bras, j'avais réussi, nous avions réussi. Après 9 mois, j'avais enfin accouché ! J'ai été sur pied tout de suite, rien à voir avec la césarienne et ce, même si j'avais déchiré beaucoup. La première chose que j'ai fait en arrivant à la maison est de m'asseoir par terre pour jouer avec mon grand. Jamais je n'aurais pu faire cela avec une autre césarienne. L'arrivée du bébé a été beaucoup plus facile puisque j'ai pu m'occuper de tout le monde et l'allaitement a été un succès.

Sur le moment, j'étais très satisfaite de mon accouchement mais avec le recul bien des choses n'avaient pas été comme je l'aurais voulu. Enceinte de mon troisième, j'ai décidé de faire appel à une accompagnante et surtout de préparer un plan de naissance. Cette nouvelle grossesse et ce nouvel accouchement ont été une expérience fantastique. L'infirmière qui était avec moi, Viviane, a été merveilleuse. Elle a fait respecter mon plan de naissance à la lettre. Mon accompagnante était là, présente si un pépin s'était présenté. Le médecin a compris mon plan de naissance et ce que je souhaitais comme accouchement, il en a même rajouté; par exemple, il a laissé le cordon arrêter de battre avant de le clamper. Le bébé est arrivé sans stress, sans souci et sans soluté. J'étais fière, bien dans mon corps et avec mon corps. Ce bébé est un petit soleil et sourit tout le temps.

Notre petit quatrième a décidé de nous compliquer la vie. J'ai fait de l'acupuncture et de l'ostéopathie. La grossesse se passait très bien. À mon dernier rendez-vous chez le médecin, le bébé était bien en place. Le lendemain soir, le travail commence. On se rend à l'hôpital. Tout va bien. L'infirmière m'examine, trouve le bébé haut (pour moi c'était normal, les deux précédents l'étaient aussi), le col dilaté de 5 cm. Elle me transfère dans la chambre de naissance. La médecin m'examine. Je suis à 7 cm mais il ne sent pas de tête. Je pleure. Échographie : le bébé est en transverse, mains, pieds et cordon dans le col : césarienne non négociable. Je pleure. J'allais bien, le bébé allait bien, j'aurais voulu attendre, changer de position, essayer de le faire bouger, mais non. Nous voulions pour ce dernier accouchement une grande intimité. Donc je n'avais pas d'accompagnante, tout avait tellement bien été la fois d'avant, il me semblait qu'on avait de l'expérience. J'aurais tellement voulu que quelqu'un me dise : « Tu peux dire NON, attends un peu ! » Peut-être que la césarienne aurait été inévitable mais peut-être qu'elle aurait pu être évitée. De l'extérieur mon amoureux me dit qu'ils ont bien pris soin de moi comparativement à ma première césarienne. Moi, j'ai pleuré. Avant, pendant, après, après l'après, j'ai pleuré ! Après tout le chemin que j'avais parcouru en sept ans, retour à la case départ. J'ai vu mon bébé quelques secondes, je lui en ai voulu, et je m'en suis voulu de lui en vouloir. Après, je ne l'ai plus revu. Salle de réveil, transfert dans la chambre sans bébé. Il est aux soins intensifs. Nous apprenons après plusieurs heures que le bébé a fait, suite à une détresse respiratoire, un pneumothorax. J'ai mal à mon corps, à mon âme et à mon cœur. Pourquoi ? J'ai pu le toucher du bout des doigts presque douze heures plus tard. Il était branché de partout et sous une tente à oxygène. Ça fait mal longtemps une césarienne, ça rend les choses difficiles une césarienne. Les petits riens deviennent de gros défis. Se lever, prendre son bébé, allaiter, dormir sur le côté, tousser, rire...

Cela fait un an aujourd'hui, Bébé est en pleine forme. Nous avons réussi à créer un lien fort. Pas tout de suite, mais au fil des jours, de l'allaitement, des contacts. J'ai encore mal à ma cicatrice, les adhérences me tiraillent le corps, je n'ai pas retrouvé toute la sensibilité de la peau de mon ventre et, en même temps, j'ai le ventre encore très sensible. Certaines voient un sourire dans leur cicatrice, moi je vois un ventre défiguré, asymétrique. Je me hais le corps. Je m'en veux encore de ne pas avoir dit non à la césarienne avant d'avoir tenté de le faire bouger. Je n'étais pas capable d'annoncer la bonne nouvelle de la naissance, j'ai même essayé de cacher, en fait, de rien raconter de sa naissance. J'ai eu beaucoup de difficultés à me remettre à sourire. Je sais bien qu'il y a des femmes qui ne peuvent pas avoir d'enfants, d'autres qui ne connaîtront jamais l'AVAC, mais cela n'enlève rien à ma douleur, rien à mon vide, à ma peine, à mon deuil à moi de ces deux rendez-vous manqués qui ne reviendront jamais.

La vie continue, les enfants grandissent, les jours passent. J'attribue encore beaucoup de choses à mes césariennes. Je vois la différence dans l'attitude entre mes enfants. Pour le premier, un minuscule changement dans ses habitudes devient un défi énorme à surmonter. Pour mon dernier bébé, je ne peux pas quitter la pièce sans qu'il fasse une intense crise de larmes. Il n'accepte aucune séparation. Mes deux AVAC sont des enfants sûrs d'eux, qui peuvent très bien s'adapter sans moi à n'importe quelle situation. L'asthme aussi, dès 6 mois pour mes enfants nés par césarienne, les deux autres en n'ont jamais vraiment fait. Au niveau de la sexualité, il y a eu des changements après mon premier AVAC, j'ai pris possession de mon corps. Beaucoup ont peur après un accouchement vaginal de perdre quelque chose. Pour moi, ça été tout le contraire. J'ai gagné beaucoup, je suis devenue maître de mon corps. Maintenant, la blessure est encore grande. J'ai besoin de guérir et de retrouver ma confiance. La seule note positive que je peux accorder à la césarienne est l'implication du Papa. Je ne sais pas si c'est l'obligation qu'il a eu d'en faire plus ou bien le fait que je ne pouvais pas le faire donc, je lui ai laissé de la place. Peut-être que je n'aurais pas été capable de lui en laisser dans d'autres circonstances... Il est très présent pour les enfants depuis le début.

C'est un morceau de mon histoire, maintenant il me reste à l'accepter. J'ai vécu les plus beaux moments de ma vie en même temps que les pires. J'espère qu'un jour je serai capable de trouver les réponses à toutes mes questions. J'espère réussir à aimer toute mon histoire, à en apprécier tous les moments. J'ai une magnifique famille avec bien sûr les plus beaux enfants du monde !

5
AVOIR UN ENVIRONNEMENT FAVORABLE ET DU SOUTIEN

DANS CE CHAPITRE :

Avoir un environnement favorable et du soutien

- Se préparer à un AVAC :
  - Se préparer physiquement
  - Se préparer mentalement
  - Participer à des rencontres prénatales

Trouver des intervenants qui soutiennent notre projet et un lieu d'accouchement favorable

- Trouver un médecin ou une sage-femme encourageants et poser les bonnes questions
- Trouver un hôpital et savoir ce qui se passe dans les hôpitaux
- Trouver une accompagnante, car l'accompagnement à la naissance n'a que des effets bénéfiques et démontrés.
  - L'AVAC en maison de naissances accroît la probabilité que celui-ci soit complété, ce qui contribue à prévenir d'autres césariennes et leurs complications, en particulier pour les femmes désirant plus de 2 enfants. Toutefois, ce lieu de naissances ne serait pas à conseiller si deux césariennes ou plus ont eu lieu auparavant, ou si l'AVAC est post-terme ou lors de situations accroissant le risque de l'AVAC. Et elle doit s'accompagner d'ententes avec un centre hospitalier et d'une excellente communication entre les deux établissements.

Comment gérer les réactions de mon entourage ?

- Choisir de parler de mon projet d'AVAC ou non
- Si oui, renseigner mes proches sur l'AVAC

POURQUOI, QUAND ET COMMENT SE PRÉPARER

Toute femme qui pense à l'AVAC a nécessairement vécu une ou des césariennes antérieures, quelle qu'en ait été la raison (mauvaise présentation du bébé, accouchement très difficile, etc.). Si certaines ont accouché vaginalement avant la césarienne, d'autres parmi vous ne connaissent pas autre chose. Que vous ayez trouvé l'expérience pénible ou non, que vous l'ayez bien acceptée ou pas, vous risquez de manquer de confiance dans vos capacités d'accoucher « comme les autres femmes », c'est-à-dire vaginalement. C'est l'évidence. Les femmes ayant eu un AVAC vous le diront: tant qu'on n'est pas passée par là, on ne sait pas si on peut accoucher. Même si on croit que le bébé était en cause et pas nous (mauvaise présentation, par exemple), un doute peut subsister jusqu'à la dernière minute. Presque toutes les femmes que j'ai interviewées me l'ont confirmé. Personnellement, j'étais en train de pousser quand j'ai demandé si j'allais avoir une autre césarienne: tout le monde a ri et m'a dit: « Voyons donc, plus maintenant ! »

Bien sûr, certaines femmes ont réussi un AVAC sans s'y être préparées, notamment celles qui ont eu un AVAC non planifié avant la date prévue pour la césarienne, ou encore celles qui ont bénéficié d'une atmosphère et de conditions de travail extrêmement favorables. Mais si vous désirez mettre toutes les chances de votre côté – particulièrement si la césarienne était due à un travail dystocique ou à une disproportion céphalopelvienne – il est préférable, de l'avis de tous ceux que la question intéresse, de bien vous y préparer, et d'avoir du soutien[289]. Accoucher vaginalement après une césarienne, c'est comme grimper une montagne: qui le ferait sans un minimum de préparation ?

Une recherche a démontré que les femmes qui durant leur grossesse et leur travail tenaient à être informées, posaient des questions, s'affirmaient et désiraient prendre part aux décisions les concernant avaient effectivement beaucoup moins de chances de voir leur accouchement se terminer en césarienne que celles qui se remettaient passivement entre les mains des intervenants[290]. Cette attitude de passivité – on tait ses besoins ou ses intuitions, on veut être « sauvée », on s'en remet entièrement aux autres – ne nous aiderait pas beaucoup à avoir un accouchement satisfaisant. Particulièrement dans le cas de l'AVAC, être responsable prend beaucoup d'importance. Cela veut dire:

- Prendre soin de soi, bien s'alimenter, se garder en forme, trouver des façons de se détendre qui nous aideront à l'accouchement, s'occuper (comme certains le suggèrent, eh oui!) de maintenir l'élasticité de son périnée au moyen d'un massage quotidien pendant quelques semaines précédant l'accouchement.
- Planifier ce qu'on veut comme accouchement, sans oublier la possibilité d'une césarienne, en communiquant clairement, fermement et autant de fois qu'il sera nécessaire nos préférences aux intervenants; il peut s'avérer utile de faire un plan de naissance*. L'accouchement que vous allez vivre est le vôtre. Vous pouvez demander que cela se déroule à *votre* goût, sauf, bien sûr, s'il se produit une réelle urgence. Faire un plan de naissance vous aide à clarifier ce que vous voulez et à établir une entente avec votre médecin. Vous déciderez ainsi de l'atmosphère et du déroulement de l'accouchement que vous aimeriez vivre, et les personnes qui vous aideront durant le travail et la naissance (infirmières, autre médecin si votre médecin était absent) pourront prendre connaissance de vos préférences. Vous pourrez aussi y inclure ce que vous aimeriez si jamais vous deviez avoir une césarienne. Mais même si les premiers plans de naissance ont vu le jour dans les années 1970, les plans de naissance ne sont pas toujours bien reçus par certains intervenants ou dans certains centres hospitaliers**.
- Poser autant de questions*** qu'il le faut pour être satisfaite, demander à être traitée comme un individu et non comme un numéro; être prête au besoin à changer de médecin ou d'hôpital.
- Prévoir du soutien avant et pendant l'accouchement.

---

* Vous trouverez des exemples de plan de naissance sur les sites web suivants: le mien, celui de Mère et monde, ainsi que dans le livre de Marie-Josée Carrière: *Le grand livre de l'accompagnement à la naissance*, 2007, Éditions Saint-Martin. Voir la liste des ressources en annexe.

** Simkin, P., 2007, «Birth Plans: After 25 Years, Women Still Want to Be Heard.», *Birth* 34(1): 49-50.

*** Vous trouverez *Dix questions à poser* sur le site web du Regroupement Naissance-Renaissance. Voir la liste des ressources en annexe.

La préparation physique

La grossesse est une occasion privilégiée pour prendre soin de soi... au nom du bien-être du bébé à venir. On s'alimente mieux, on cesse éventuellement de fumer, on ne boit plus d'alcool, on s'assure de faire régulièrement de l'exercice et on essaie de se reposer plus souvent. Les ouvrages ne manquent pas sur l'art et la manière d'avoir une belle grossesse et de donner naissance à un bébé en santé. Vous en trouverez dans toutes les librairies. Je ne m'étendrai donc pas sur le sujet.

Vous garder en forme devient particulièrement important si vous vous dirigez vers un AVAC. Être en bonne santé et en forme maximise les chances d'accoucher normalement. Si la césarienne avait été la conséquence d'un travail difficile (travail dit dystocique : contractions irrégulières ou peu efficaces, ralentissement, absence de déclenchement spontané du travail), s'assurer une alimentation optimale accompagnée d'exercices réguliers ne peut pas nuire, bien au contraire. Vous pourriez aussi aider la nature en vous familiarisant avec des techniques visant à faciliter le déroulement de l'accouchement, par exemple en suivant des cours de yoga prénatal, de relaxation, d'anti-gymnastique, de méditation, de chant, de baladi, peu importe ! Il s'agit surtout d'apprendre à vous détendre et à mieux respirer. Il se donne un peu partout des cours de ce genre et parfois même ils sont spécialement adaptés aux besoins des femmes enceintes.

Après une césarienne, on manque souvent de confiance dans ses capacités d'accoucher naturellement par la suite, sans compter que notre société et le modèle biomédical de l'accouchement ne font rien pour redonner confiance aux femmes[291]. Cela peut donc vous aider durant la grossesse de faire quelque chose pour reprendre confiance dans votre corps, ne serait-ce que de vous engager dans une activité physique valorisante, pour que vous ayez une expérience de « succès » physique avant l'accouchement. Idéalement, il faudrait vous y adonner avant la grossesse, pour être vraiment en mesure de choisir n'importe quelle activité, alors qu'enceinte, à moins d'être une athlète, et encore, ce n'est pas le temps de s'entraîner rigoureusement.

Il se peut aussi que certaines approches thérapeutiques pour le système musculo-squelettique, comme l'ostéopathie, puissent favoriser le bon déroulement d'un AVAC, particulièrement si vous avez eu une césarienne pour dystocie (arrêt ou ralentissement du travail, mauvaise présentation du bébé). Il existe aussi d'autres méthodes corporelles, comme la méthode Bonapace[292], pour aider à gérer la douleur des contractions ou la méthode enseignée par Bernadette de Gasquet, pour favoriser la physiologie de l'accouchement[293].

La préparation mentale

Récemment, l'auto-hypnose est de plus en plus utilisée pour la douleur des contractions. Au Québec, la technique Hypno-Vie*, lancée en octobre 2005 par un médecin de famille, a aidé de nombreuses femmes en travail. Elle est aussi utilisée dans d'autres pays. L'hypnose pendant le travail aurait les bénéfices suivants : réduction du besoin d'analgésie, douleur éprouvée moins grande, satisfaction plus grande des femmes quant au soulagement de la douleur, travail plus court, moins de stimulation du travail à l'ocytocine et augmentation du nombre d'accouchements spontanés (sans forceps ou ventouse)[294].

Par ailleurs, d'autres techniques de préparation mentale** peuvent être utiles pour un AVAC. On sait que de plus en plus d'athlètes ont recours au « conditionnement mental » avec l'aide de psychologues pour se préparer aux épreuves auxquelles ils participent. Ces professionnels se familiarisent avec le biofeedback, l'autosuggestion, la visualisation ou encore la technique des affirmations. La technique de biofeedback a comme postulat la notion que nous sommes capables d'auto-influencer mentalement certaines fonctions corporelles ou événements physiologiques, par exemple augmenter notre température ou encore bloquer des sensations de douleur. La visualisation tient à la fois de l'autosuggestion, du pouvoir de la pensée positive et de la méditation guidée. Et la technique des affirmations

* Voir le site web www.hypno-vie.com pour plus de renseignements.

** Tout un chapitre de la première édition de ce livre portait sur la préparation mentale. Vous trouverez facilement sur Internet des informations sur ces différentes techniques, par exemple sur le site québécois www.passeportsante.net, thème Visualisation et imagerie créatrice. On peut apprendre soi-même, par exemple, à faire de la visualisation. Ce site contient des exercices de méditation guidée que l'on peut télécharger. Vous trouverez aussi le texte d'une visualisation sur mon site web : www.helenevadeboncoeur.com.

peut aider à accroître sa confiance dans ses capacités à accoucher et identifier les croyances négatives qui pourraient l'entraver. L'auteure de *Transformation Through Birth*, Claudia Panuthos, mentionne en effet que certaines de nos pensées sont soutenues par un bagage d'expériences émotives qui peuvent nous influencer et aller jusqu'à régir des aspects de nos vies.

La participation à des rencontres prénatales

Participer à des rencontres prénatales est important, en particulier lorsque vous n'avez pas connu le travail avant votre césarienne. Cependant, pour un AVAC je choisirais si possible un autre type de rencontres que celles auxquelles on assiste souvent pour un premier accouchement et qui ont lieu dans les hôpitaux ou certains CLSC. En effet, celles-ci sont souvent centrées sur l'apprentissage du « contrôle » de l'accouchement par le biais de la respiration et d'un « coaching » intensif.

> Dans notre société, les femmes qui accouchent sont isolées et coupées de leur corps et des autres femmes qui ont accouché. Depuis que le monde est monde la façon dont on y conçoit l'accouchement tient du modèle masculin de domination et de contrôle. Elle est acceptée par les femmes à la fois par crainte et désir de se faire prendre en charge. Aujourd'hui elles sont soumises aux machines, aux horaires et à la technologie. Conscientes, elles sont devenues spectatrices des naissances de leurs propres enfants.
>
> R. Baldwin et T. Palmarini, 1986, *Pregnant Feelings*, Celestial Arts, Berkeley, p. 4.

Les rencontres prénatales non axées sur un coaching contrôlant sont surtout le fait de sages-femmes, dans les maisons de naissances, d'accompagnantes et d'éducatrices prénatales, dans le cadre d'organismes œuvrant pour l'humanisation de la naissance, comme Alternative-Naissance à Montréal (voir aussi la liste de ressources en annexe). Non seulement on y conçoit l'accouchement différemment, mais on y crée un climat permettant aux femmes et aux couples d'exprimer ce qu'ils ont ressenti à la suite de la césarienne et les peurs qui peuvent les habiter durant la grossesse actuelle. On y met aussi l'accent sur l'importance de l'événement qu'est la naissance pour toute la famille (le bébé y compris !). On y apprend de surcroît des techniques pouvant faciliter la poussée, par exemple comment masser et renforcer le périnée, comment pousser sans forcer, sans couper sa respiration et en s'abandonnant.

Malheureusement, au Québec, il y a eu très peu de rencontres prénatales destinées aux couples se préparant à un AVAC. Dans les autres provinces canadiennes qui comptent des groupes de soutien de l'AVAC, ces rencontres sont plus répandues. Des thérapeutes travaillant avec des femmes ayant eu une césarienne ont souvent constaté (et je me suis reconnue un peu dans le portrait !) les similitudes suivantes chez les femmes ayant eu une césarienne : fréquemment elles étaient peu athlétiques et avaient une image dévalorisée d'elles-mêmes sur le plan physique. Peu en contact avec leur corps, critiques vis-à-vis de lui, elles manifestaient souvent dans leur vie un besoin de contrôler et une certaine résistance au changement. Ayant souvent eu une éducation poussée, elles s'étaient intellectuellement bien préparées, par exemple en lisant beaucoup, mais avaient trouvé difficile de se laisser aller à l'intensité du travail[295].

Les êtres humains étant ce qu'ils sont, on se prépare souvent à la dernière minute. S'il n'est jamais trop tard pour vous décider à accoucher vaginalement, même à votre arrivée à l'hôpital, il n'est pas sûr que, dans ces conditions, vous trouviez un médecin qui accepte vos demandes ou que vous arriviez dans un milieu favorable.

Chercher un médecin et un hôpital en faveur de l'AVAC, ce n'est pas toujours de tout repos. Si on a pu croire pendant les années 1990 que l'AVAC était devenu un fait acquis, dans la plupart des hôpitaux et pour la plupart des médecins, la baisse du taux d'AVAC depuis 1997 indique le contraire. Faire des recherches alors qu'on est enceinte, si on ne trouve pas tout de suite, accroît la fatigue et le stress. D'autant plus qu'au moment d'écrire ces lignes, le Québec manquait de médecins en obstétrique, de sages-femmes et, en général, d'infirmières. L'idéal, pour vivre une grossesse harmonieuse et calme, serait de se préparer avant d'être enceinte de nouveau ! Mais c'est toujours une démarche qui demande de la détermination et il faut parfois en avoir une bonne dose pour essuyer les refus de certains médecins, pour ne pas se laisser décourager par les histoires d'horreurs qu'on entend parfois sur les dangers d'une rupture utérine et pour parvenir à trouver quelqu'un qui veuille bien nous laisser essayer si, si, si et si...

Heureusement, dans les grandes villes en particulier, la situation a changé et l'AVAC est devenu plus courant. Toutefois, certains centres hospitaliers s'y refusent encore et plusieurs femmes éprouvent toujours de la difficulté à dénicher un médecin acceptant de les suivre. Mais si vous habitez à l'extérieur des grands centres, – ce n'est pas toujours un désavantage, car il arrive qu'un petit hôpital en région autorise les AVAC sans le crier sur les toits puisque dans certaines régions du Québec on n'autorise pas encore ce type d'accouchement. Cependant si vous n'entrez pas dans les « normes » officielles d'un AVAC, il vous faudra avoir la même détermination que les pionnières des grands centres urbains il y a quelques années. Comme elles, vous devrez vous renseigner sur l'AVAC, peut-être montrer à votre médecin la copie d'une prise de position officielle d'une association médicale pour le rassurer (voir au chapitre 4 le tableau sur les situations reliées à l'AVAC), trouver des femmes qui ont eu un AVAC ou le nom de médecins auxquels le vôtre pourrait téléphoner. Bref, cette démarche ne sera pas toujours facile.

Il existe autant de façons de se préparer à l'aventure que de femmes ou de couples qui la tentent. Il faut particulièrement s'attacher aux aspects suivants, vous seule sachant ce qui est important pour vous :

- avoir un milieu favorable ;
- se préparer physiquement et psychologiquement ;
- se faire aider au besoin ;
- se familiariser avec le phénomène de l'accouchement ;
- connaître les moyens qui favorisent un bon travail.

La recherche d'intervenants encourageants et d'environnement propices

Trouver un médecin ou une sage-femme

Le premier pas vers un AVAC est bien sûr la remise en question d'une autre césarienne. Le second pas est de trouver un médecin ou une sage-femme qui accepte d'abord d'en discuter avec vous, et qui vous encourage ensuite en ce sens. Si vous n'en connaissez pas, vous pouvez vous adresser à un organisme d'humanisation de la naissance (voir liste des ressources en annexe), ou encore simplement téléphoner au service d'obstétrique de l'hôpital où vous aimeriez accoucher pour vous informer s'il s'y fait des AVAC ou, mieux, s'il s'en fait fréquemment. Sachez que certains médecins de famille accompagnent des femmes voulant un AVAC.

Si votre médecin ou sage-femme n'accepte pas votre démarche, demandez-lui de vous donner au moins les coordonnées d'un professionnel en faveur de l'AVAC. Selon le docteur Walter Hannah, qui fut président de la Société des obstétriciens et gynécologues du Canada, tout médecin devrait au moins agir ainsi. Ou encore renseignez-vous auprès de l'Ordre des sages-femmes du Québec, ou auprès d'une maison de naissances (voir liste des ressources en annexe).

S'il n'y a pas de sages-femmes dans votre région ou si pas un seul médecin à 300 kilomètres à la ronde accepte de vous laisser vivre un AVAC, il est évident que vous ne pourrez vraiment choisir, à moins d'aller accoucher encore plus loin de chez vous. Si vous avez le choix, il serait préférable de trouver un médecin familier avec l'AVAC, qui y croit, répond clairement à toutes vos questions et pense que vous avez de bonnes chances d'y arriver. Enfin, l'idéal c'est de trouver un médecin qui voit l'accouchement comme un processus normal, qui n'intervient qu'en cas de nécessité et avec lequel vous entretenez une bonne relation, ou une sage-femme qui ne craint pas l'AVAC. Connaître leur taux de césariennes ne peut pas nuire... mais ce n'est pas toujours un indice valable, surtout si le médecin est un obstétricien-gynécologue qui a principalement une clientèle dite « à risques ». Un élément qui peut s'avérer important est la présence de ce médecin ou de cette sage-femme pendant votre accouchement, en particulier si accoucher vous fait peur[296].

Si vous vous apercevez, même tard dans la grossesse, que la relation se détériore, que le médecin ou la sage-femme manifeste de plus en plus de nervosité devant l'AVAC, n'hésitez pas, si c'est possible, à aller consulter ailleurs. Cela peut, si la grossesse est avancée, vous sembler difficile. Mais vous éviterez peut-être ainsi de vous mordre les doigts après coup pour n'avoir pas suivi votre intuition. Cela peut parfois faire la différence entre avoir une césarienne ou non.

N'oubliez pas non plus qu'une majorité de femmes accouchent

maintenant avec un autre médecin que le leur, étant donné que le travail en équipe est de plus en plus la règle, et que le nombre de médecins de famille faisant de l'obstétrique a diminué, alors qu'il y a près de 20 ans, les deux tiers des femmes accouchaient avec leur propre médecin. Assurez-vous qu'il est bien inscrit à votre dossier que vous désirez un AVAC et que votre médecin soutient votre choix. Assurez-vous auprès de lui que tout médecin qui le remplace soutiendra aussi votre choix. Il est désolant de voir une femme ou un couple désirant ardemment un AVAC se le voir refuser en plein travail simplement parce que le médecin présent est contre.

Les groupes d'humanisation de la naissance ont fait un travail considérable pour aider les femmes à obtenir l'accouchement qu'elles désirent et qui correspond à leurs besoins. Cependant, la situation est loin d'être idéale partout. Je ne m'étendrai pas là-dessus, sauf pour dire ceci : quel que soit l'accouchement, la femme ou le couple est en droit de demander qu'il se déroule à son goût (sauf, bien sûr, en cas d'urgence où on doit agir très rapidement). Accoucher est avant tout un événement familial qui est heureusement de plus en plus reconnu comme tel. Et même si on a un AVAC, on a le droit de négocier l'accouchement qu'on veut. Mais il est de loin préférable de le faire AVANT d'être rendue en travail.

Avoir un suivi de grossesse et un accouchement avec une sage-femme ou un médecin qui considère l'accouchement comme un événement normal, familial et non médical est important pour une femme tentant un AVAC. Ses chances de réussite en sont augmentées. En effet, ce type d'intervenants ont confiance dans la capacité des femmes à accoucher, ils connaissent des façons d'aider la nature au besoin et n'interviennent pas intempestivement.

Évidemment, on peut toujours, même si ce n'est vraiment pas facile, changer d'hôpital en plein travail. C'est ce que fit cette Québécoise, arrivée à l'hôpital dilatée de 10 cm, devant le refus des autorités médicales de la laisser terminer vaginalement son accouchement. Elle quitta l'hôpital et fit une heure et demie de route pour se rendre dans une institution où on accepta sa requête. On peut aussi refuser d'avoir une césarienne, un droit reconnu par la Loi sur la santé et les services sociaux*, ce qui n'est pas simple cependant et peut entraîner des réactions négatives du milieu hospitalier.

Selon Nicette Jukelevics, des médecins experts sont d'avis qu'une proportion importante des césariennes pourrait être évitée. Une des façons de les prévenir est de poser des questions sur la césarienne ou l'AVAC. Voici des questions que vous pourriez poser aux professionnels de la santé[297] :

- Quels sont les risques à court et à long terme pour moi et mon bébé d'une césarienne répétée ?
- En quoi subir une autre césarienne affecterait mes grossesses et accouchements futurs ?
- Si l'hôpital où vous travaillez n'autorise pas l'AVAC, pouvez-vous m'envoyer voir un autre médecin dont l'hôpital l'autorise ?
- Qu'est-ce que votre hôpital fait pour encourager les femmes à éviter les césariennes non nécessaires ?

Trouver un hôpital

Le choix du médecin ou de la sage-femme** dans certains cas va souvent de pair avec le choix de l'hôpital. Certaines personnes préfèrent trouver d'abord un hôpital où il se fait des AVAC, où le personnel ne s'en inquiète pas et où l'accouchement est vu comme elles le voient, quitte à rencontrer ensuite un ou quelques médecins (ou une sage-femme) qui y travaillent. D'autres tiennent avant tout à trouver un médecin (ou une sage-femme) qui leur convienne, se disant que c'est cette personne, et non l'hôpital, qui a le dernier mot en ce qui les concerne. Si tous les intervenants de l'institution sont d'accord pour respecter vos désirs, même si vous n'êtes pas leur « patiente », tant mieux, mais ce n'est pas toujours le cas. Ma préférence irait à une institution familière avec les AVAC plutôt qu'à un médecin en leur faveur, mais isolé dans ses convictions et pas toujours de garde – quand on a le choix, bien entendu. Les obstétriciens

* Voir les articles de loi vers la fin du chapitre 7.

** Depuis peu, des CLSC (maintenant des CSSS) où travaillent des sages-femmes ont conclu des ententes avec des centres hospitaliers afin que les femmes qui le désirent puissent aller y accoucher, avec une sage-femme comme responsable.

américains Porreco et Meier, qui ont publié maints articles sur l'AVAC, sont d'avis que le succès de celui-ci est déterminé en partie par les attitudes du milieu durant le travail.

Il est bon de connaître les directives de l'hôpital concernant le déroulement de l'accouchement en général, de même que les protocoles* prévus pour un AVAC. On peut s'en informer auprès de son médecin, de son accompagnante ou de son éducatrice prénatale (si elle est au courant des pratiques du centre hospitalier) et de l'infirmière-chef du service d'obstétrique. Voici des questions que vous pourriez poser :

- Quels sont les règlements en vigueur pour une femme qui accouche ? Pour un AVAC ? (Voir l'avant-dernier chapitre pour avoir une idée de ce qu'on peut demander.)
- Tient-on compte des différences individuelles ou traite-t-on toutes les femmes de la même façon, peu importe les souhaits et la situation de chacune ?
- Qu'en est-il du taux de césariennes ?
- Quel est le taux annuel d'AVAC ?
- Quel est le pourcentage d'épisiotomies et de forceps ou ventouses par rapport au nombre total d'accouchements ?
- Quel est le taux de mortalité périnatale** (il est de 6,9 sur mille au Québec actuellement[298]) ?

Vous pouvez aussi consulter sur le site web du Regroupement Naissance-Renaissance la liste des questions à poser avant de choisir un professionnel de la santé pour votre accouchement (voir la liste des ressources en annexe).

Un centre spécialisé dans les grossesses à risques élevés présente bien sûr un taux de césariennes plus élevé qu'un hôpital ordinaire. Le taux global du Québec approche actuellement 24 % des accouchements, ce qui est élevé relativement aux recommandations de l'OMS pour ce type d'hôpital (15 %). Un taux inférieur accompagné de statistiques acceptables de mortalité périnatale est un bon signe. On est encore loin de ces chiffres. En fait, il se pourrait que les

---

* Règles à observer dictant les pratiques et exigées par l'institution.

** La mortalité périnatale réfère aux bébés décédés soit avant la naissance, mais après 20 semaines de gestation, soit dans les 7 jours suivants.

résultats les meilleurs pour la mère et le bébé se produisent lorsque le taux de césariennes d'un établissement varie entre 5 et 10 %[299]. Et des taux supérieurs à 15 % entraîneraient plus de problèmes[300]. Selon Childbirth Connection, des études comme celle de Johnson et Davis ou celle de Rooks *et al.* portant sur un nombre élevé d'Américaines en santé et dont la grossesse présentait peu de risques ont révélé des taux de césariennes peu élevés, et des accouchements généralement sans complications[301].

LE DROIT DE SAVOIR CE QUI SE PASSE EN OBSTÉTRIQUE

Dans certains États américains, à la suite des pressions de groupes pour l'humanisation de l'accouchement, on s'est préoccupé d'informer toutes les femmes enceintes de ce qui se passe à l'hôpital où elles prévoient accoucher. Ainsi, une loi appelée *Maternity Information Act* a été votée au Massachusetts. Cette loi stipule que tout hôpital doit fournir aux femmes qui en sont clientes durant leur grossesse un dépliant les informant des statistiques sur les taux d'interventions obstétricales, ainsi que sur les pourcentages d'accouchements dans les chambres de naissance, salles de travail, salles d'accouchement et sur le pourcentage de femmes qui allaitent, qui cohabitent avec leur bébé, etc.

Toujours aux États-Unis, un groupe a commencé en 2007 à colliger toutes les informations sur les pratiques des centres hospitaliers (en obstétrique). Il s'agit du projet *Transparency in Maternity Care*, qui a commencé en 2007 un sondage auprès des femmes ayant accouché pour qu'elles répondent à des questions sur leur accouchement. L'objectif est de recueillir des données sur les établissements où l'on pratique l'obstétrique. Une expérience pilote a été réalisée en 2007 à New York, et le sondage devrait s'étendre à tous les États américains par la suite[302]. Il existe aussi, de plus en plus, des sites web permettant aux patients de qualifier la pratique des médecins s'étant occupés d'eux, en répondant à un questionnaire (comme « Rate your doctor »).

Avoir un AVAC en maison de naissances ou à la maison?*

Des études ont démontré que les femmes peuvent accoucher de manière sécuritaire en maison de naissances ou à la maison, lorsque l'accouchement a lieu en présence d'une personne qualifiée. C'est pourquoi le gouvernement québécois a légiféré en ce sens, dans sa loi sur la pratique des sages-femmes en 1999. Toutefois, les femmes

* Voir aussi à ce sujet la dernière section du tableau sur les diverses situations, au chapitre 4.

dont l'accouchement présente un risque additionnel, comme celles dont le bébé se présente par le siège, celles qui attendent des jumeaux ou celles qui ont eu précédemment une césarienne, devraient être informées adéquatement des risques et avantages d'accoucher dans tous les lieux de naissances relativement à leur situation.

Je rappelle qu'une seule étude a porté sur les AVAC en maisons de naissances. Les taux de rupture n'y sont pas élevés, mais les auteurs ont préféré ne pas encourager les femmes à accoucher en maisons de naissances. Cette option ne serait pas à conseiller si deux césariennes ou plus ont eu lieu auparavant, ou si l'AVAC est post-terme. Et elle doit s'accompagner d'ententes avec un centre hospitalier et d'une excellente communication entre les deux établissements.

Des auteurs ont toutefois critiqué l'absence de prise en compte des risques cumulatifs d'avoir plus d'une césarienne dans les conclusions de cette étude. En effet, certains sont d'avis que l'on ne devrait pas décourager les femmes d'avoir un AVAC en maison de naissances lorsqu'elles veulent avoir plus d'un autre enfant, parce que les taux de succès en maisons de naissances sont supérieurs à ceux des centres hospitaliers et que les risques cumulatifs d'avoir plus d'une césarienne (hystérectomie, difficultés respiratoires pour le bébé, mort *in utero*) militeraient en faveur de diminuer le nombre de césariennes répétées. Les maisons de naissances ont aussi des taux moins élevés d'interventions de toutes sortes[303].

Quant à l'AVAC à la maison, une seule petite étude a été effectuée[304], portant sur 57 femmes ayant eu un AVAC chez elles. Aucune rupture utérine n'est survenue, mais étant donné le faible nombre de femmes et l'absence d'autres études, les auteurs préfèrent ne pas encourager cette option.

Personnellement, j'hésiterais à m'engager dans cette voie. En effet, si l'AVAC à domicile présente moins de risque de rupture utérine iatrogène (c'est-à-dire résultant d'interventions comme le déclenchement artificiel du travail), il demeure que les risques d'issues défavorables augmentent en cas de rupture utérine, puisque ce n'est qu'en centre hospitalier qu'on peut faire une césarienne.

Quoiqu'il en soit, si on envisage l'une ou l'autre de ces lieux de naissances, la situation la plus favorable serait d'abord la présence de circonstances diminuant probablement le risque de rupture (une seule césarienne antérieure, intervalle égal ou supérieur à 24 mois entre la césarienne et l'AVAC projeté, technique de sutures 2 couches utilisée pour la césarienne, mesure du segment utérin (site de l'incision) égale ou supérieure à 2.5 mm, et accouchement qui n'est pas post-terme) ainsi qu'un travail qui progresse normalement – pour ne pas soumettre indûment l'utérus à des contractions inefficaces. Et s'assurer que des ententes aient été établies par la sage-femme avec un centre hospitalier, en cas de transfert. En d'autres mots qu'un médecin en lien avec la maison de naissances ou, à défaut, le département d'obstétrique le plus proche sache quand vous êtes en travail, quitte à vous attendre à ce que l'accueil en centre hospitalier ne soit pas optimal si un transfert s'avère nécessaire.

*Trouver une accompagnante**

C'est le docteur John Kennell, coauteur d'une des premières études sur le soutien durant le travail, qui déclarait :

> Si je vous disais aujourd'hui qu'un nouveau médicament ou un nouvel appareil électronique avait le pouvoir de réduire les problèmes d'asphyxie fœtale et de progrès du travail des deux tiers, ou encore qu'il raccourcissait la longueur du travail de moitié et favorisait l'interaction mère-enfant après l'accouchement, il y aurait une ruée pour que chaque unité obstétricale ait cette nouveauté à sa disposition, quel qu'en soit le coût. Or c'est précisément ce que peut apporter la présence d'une accompagnante[305].
>
> *Nous croyons que lorsqu'une femme supplie qu'on lui donne un analgésique ou qu'on l'anesthésie durant le travail, ce qu'elle demande en fait, c'est du soutien.*
>
> Cohen, N., et Estner, L., 1983, Silent Knife.

Le soutien pendant l'accouchement est un facteur très important dans le succès d'un AVAC. Plus encore que pour un accouchement ordinaire, la femme qui a choisi d'accoucher vaginalement après

* À la fin de la rédaction de ce livre, paraissait au Québec un beau livre écrit par une accompagnante, Marie-Josée Carrière : *Le grand livre de l'accompagnement à la naissance*, publié aux Éditions Saint-Martin. Il s'agit à ma connaissance du premier et du seul ouvrage en français sur le sujet.

une césarienne a généralement besoin d'avoir à ses côtés une personne en qui elle a confiance, qui lui fait confiance et la soutient durant son travail. Un conjoint suffit à certaines, mais de plus en plus on se rend compte dans les milieux s'occupant de la naissance qu'on a peut-être fait fausse route en voulant que le conjoint soit le soutien principal durant l'accouchement (de quelque type soit-il). On lui en a mis beaucoup sur les épaules. Lui aussi a souvent vécu un échec si le premier accouchement s'est terminé en césarienne. Il n'est pas expert en accouchements. Il a besoin de temps en temps de se reposer, d'aller prendre une bouchée.

> On a accordé au père le rôle de garde du corps, de soutien, d'amoureux, de protecteur, de masseur, de nourrice, sans lui demander son avis… À cet homme qu'on veut «nouveau père » on a confié somme toute le rôle des plus traditionnels d'homme fort insensible à la douleur de sa femme et qui l'aide à « bien faire ça ». Devant une femme étonnée de l'intensité des contractions, envahie par la douleur, c'est l'attitude de disponibilité du partenaire qui appuie la femme quoi qu'il arrive, qui n'attend rien d'elle et ne la pousse pas à performer mais qui l'accompagne dans son travail, qui fait toute la différence.
>
> FIIQ, 1987, Femmes et maternité, p. 9.

Certaines personnes remettent même en question la pertinence du « coaching » durant l'accouchement. En effet, même si l'accouchement ressemble à une épreuve sportive, les meilleurs résultats ne s'obtiennent pas nécessairement en utilisant toutes les méthodes propres au monde du sport. Mon premier accouchement, qui s'est terminé après 30 heures de travail par une césarienne, a été merveilleusement « coaché » par mon conjoint. Nous avions une complicité hors pair, que je n'ai jamais oubliée et qui reste le seul beau souvenir de cette pénible expérience. Étrangement, la deuxième fois, mon besoin le plus pressant fut, pendant le travail, d'avoir à mes côtés une femme, une amie, sage-femme de surcroît. Elle savait que j'étais capable d'accoucher, elle savait ce qu'était l'accouchement et elle m'a tenu la main pendant les heures passées à l'hôpital. Contraction après contraction, elle m'a soutenue et encouragée (je manquais de courage et me plaignais souvent…), de sorte que je réussis à me passer de médication et à aller jusqu'au bout. Mon conjoint était là, bien sûr, et si j'accouchais à nouveau je suis sûre que nous vivrions cet accouchement différemment, encore plus ensemble, car je sais maintenant – et lui aussi – que je peux accoucher et que cela ne me fera pas mourir !

« Un soutien continu durant le travail et l'accouchement devrait être la norme et non l'exception. On devrait encourager toutes les femmes à avoir des personnes à leurs côtés pour les soutenir pendant le travail et l'accouchement. »

Ellen Hodnett, chercheure en périnatalité, *et al. Revue de littérature de la Cochrane Library sur le soutien durant l'accouchement*, 2003.

De nombreux effets bénéfiques

La question du soutien durant l'accouchement a été abondamment étudiée scientifiquement. On n'y trouve que des effets bénéfiques, à court et à plus long terme.

C'est pendant qu'ils menaient des études sur le *bonding** au Guatemala que le pédiatre John Kennell et le néonatalogiste Marshall Klaus s'aperçurent que la présence et le soutien continu par une femme lors de l'accouchement avait un impact important sur la mère, sur l'accouchement et sur l'interaction entre celle-ci et son bébé. Les études effectuées depuis ne montrent que des bénéfices pour les femmes, les bébés et les couples à avoir une accompagnante auprès d'eux pendant l'accouchement. Les effets les plus souvent étudiés portent sur l'accouchement et le bébé. D'autres effets positifs ont été notés, même s'ils ont été moins fréquemment étudiés : baisse du taux d'amniotomie, moins de surveillance fœtale électronique, moindre recours à la ventouse, taux plus élevé d'accouchements spontanés, baisse des traumatismes périnataux, plus de comportements positifs et de satisfaction maternelle, plus d'allaitement et moins de dépression post-natale.

En 2005, une quinzaine d'essais cliniques randomisés** portant sur un total de près de 13 000 femmes avaient été effectués et retenus par la

* Le lien d'attachement qui se crée entre la mère et son bébé, entre les parents et leur enfant.

** Je rappelle qu'il s'agit d'études comportant deux groupes, l'un soumis à une expérience, l'autre pas, et où l'on compare l'effet de ce que l'on expérimente dans les deux groupes. Les sujets de l'étude sont assignés au hasard à l'un ou l'autre groupe. Il s'agit du type d'études le plus solide sur le plan scientifique.

Cochrane Library* dans sa revue du soutien pendant l'accouchement. De nombreux résultats font consensus. On a démontré hors de tout doute les avantages de l'accompagnement à la naissance, dans des pays différents, dits développés ou en voie de développement, auprès d'une clientèle diversifiée, notamment sur le plan socio-économique, tant chez les primipares que chez les femmes ayant déjà un ou des enfants. L'effet serait plus marqué quand l'accompagnante ne fait pas partie du personnel hospitalier, si l'accompagnante est présente tôt pendant le travail et quand le soutien est continu plutôt qu'intermittent.

IMPACT SUR L'ACCOUCHEMENT : DURÉE DU TRAVAIL RACCOURCIE ET MOINS D'INTERVENTIONS. Les effets sur l'accouchement sont nombreux et importants : réduction de la durée du travail, diminution du recours aux médicaments analgésiques et anesthésiants[306], baisse des taux d'accouchements aux instruments (forceps ou ventouse), des taux de césariennes, moins d'ocytocine pour stimuler le travail.

IMPACT SUR LA MÈRE : TAUX DE SATISFACTION PLUS ÉLEVÉ ET AUTRES RÉSULTATS SUR LE PLAN PSYCHOLOGIQUE. Les femmes accompagnées disent éprouver plus de satisfaction que les femmes n'ayant pas été accompagnées[307]. Leur expérience d'accouchement a été plus positive[308]. Les femmes exprimant de la satisfaction relativement à leur accouchement ont le sentiment d'avoir accompli quelque chose d'important, d'avoir été en contrôle et qu'on a pris soin d'elles[309]. Ce sentiment accru d'avoir été en contrôle a aussi été constaté ailleurs, ainsi que des taux moins élevés de dépression post-natale[310]. Les femmes accompagnées auraient eu moins d'anxiété pendant leur accouchement, et éprouvé moins de douleurs, elles auraient aussi été plus capables d'exercer leur pouvoir (*empowerment*)[311]. Et elles gardent un excellent souvenir de cette expérience[312].

IMPACT SUR LE BÉBÉ : UN MEILLEUR APGAR** ET UN TAUX D'ALLAITEMENT PLUS ÉLEVÉ. On note une réduction des Apgar inférieurs à

* L'autorité en matière de preuves scientifiques dans le milieu médical.

** Le score d'Apgar permet d'évaluer l'état de la santé d'un nouveau-né juste après la naissance, prenant en compte la fréquence cardiaque, la respiration, la coloration de la peau, le tonus musculaire et la réaction à l'excitation de la peau.

à cinq minutes[313], un taux d'allaitement exclusif plus élevé[314,315], et moins de difficultés à allaiter[316].

IMPACT SUR LA RELATION MÈRE-BÉBÉ : PLUS DE BONDING ET DE MATERNAGE. On note plus de facilité pour la mère accompagnée à materner son bébé, et elle y consacre plus de temps. Elle prend aussi moins de jours (2,9 jours) à développer un lien d'intimité avec leur bébé que la femme non accompagnée (9,8 jours)[317]. L'accompagnement contribuerait donc à renforcer le lien d'attachement entre la mère et son bébé[318].

IMPACT SUR LE PÈRE : SOULAGEMENT ET LIEN AVEC LE BÉBÉ. La présence d'une doula* pendant le travail, même si elle peut être crainte initialement par certains pères ou certains couples[319], s'avère généralement un atout pour le futur papa. Dans un essai clinique randomisé, tous les pères du groupe ayant bénéficié des services d'une doula avaient trouvé son aide extrêmement importante. Plusieurs étaient d'avis qu'ils n'auraient pas pu vivre cet accouchement sans sa présence[320]. Une étude québécoise[321] rapporte aussi un impact positif de la présence d'une accompagnante à la naissance sur le lien père-bébé.

On oublie souvent dans nos sociétés que la présence d'une femme proche de la femme qui accouche est chose courante dans les sociétés non industrialisées. Soutenir la femme durant le travail est fort important, et réduit l'anxiété éprouvée[322]. On reconnaît en général qu'en temps de stress le besoin de soutien fourni par un autre être humain augmente proportionnellement avec le degré d'anxiété éprouvée... Si la femme en travail n'a pas ce soutien, elle doit compter uniquement sur ses propres ressources pour faire face à la situation et son sens de la réalité peut s'en trouver affecté. La possibilité de parler avec quelqu'un, de le regarder, d'être touché par une personne aimante et présente peut minimiser les peurs ressenties, renforcer l'espoir que l'accouchement se déroule bien et aider à rester en contact avec la réalité.

Une recherche rapporte que toutes les femmes d'un groupe ayant accouché vaginalement avaient une personne « de soutien » durant

* Doula = autre nom pour l'accompagnante, signifiant « au service de la femme ».

le travail et l'accouchement, tandis que 25 % des femmes ayant finalement eu une césarienne étaient seules en travail, et 33 % seules durant l'expulsion[323]. Il se peut aussi que le recours croissant à la péridurale lors des accouchements diminue les compétences des infirmières à les soutenir autrement.

Lorsque vous prévoyez du soutien pour votre accouchement, demandez d'avoir à vos côtés la ou les personnes choisies pour vous soutenir. Vous n'avez pas à choisir entre votre conjoint et une accompagnante. L'accompagnante – une amie ayant accouché et ayant confiance que vous pouvez réussir, une éducatrice prénatale, une femme formée à cet effet (voir liste des ressources) – peut de son côté s'assurer avec diplomatie que vos besoins et demandes sont respectés durant l'accouchement. Une personne compétente augmentera votre confiance en vos capacités d'accoucher. Pour elle, la douleur et l'intensité des contractions sont normales, positives et nécessaires. La présence et l'expérience de l'accouchement de l'accompagnante, sa connaissance de massages qui soulagent ou de positions qui sont plus confortables et favorisent le travail vous aideront à mieux vivre cette expérience.

LA GESTION DES RÉACTIONS DE L'ENTOURAGE

Lorsqu'on manifeste le désir d'avoir un AVAC, les réactions de l'entourage peuvent être très variées. Même si les AVAC ont commencé à être connus dans les années 1980, beaucoup de gens croient encore à la maxime « césarienne un jour, césarienne toujours ». Ils peuvent s'inquiéter de votre décision et aller jusqu'à tenter de vous décourager. Vous pouvez alors réagir de différentes façons. D'abord, il est essentiel de ne pas vous laisser influencer par de telles réactions, provoquées bien plus par l'ignorance et les préjugés que par d'autres causes. Ensuite, vous pouvez choisir soit de les ignorer, soit de renseigner sur l'AVAC les personnes qui vous sont chères. L'International Childbirth Education Association a d'ailleurs conçu une « lettre à l'entourage » intitulée « Oui, je vais avoir un AVAC », une idée originale pour informer ses proches de ses intentions, pour les renseigner un peu et leur demander de respecter sa décision, même si d'aventure ils n'étaient pas d'accord. On peut bien sûr ne pas informer l'entourage de ses plans, ce qui parfois évite des situations difficiles ou encore n'informer que certaines personnes.

Pour tout accouchement, un environnement favorable ne peut qu'aider. Pour un AVAC, cela devient un facteur primordial. Encore une fois cependant, si vous ne pouvez réunir toutes les conditions « idéales », votre propre détermination vous aidera à renverser les obstacles pouvant se dresser sur votre chemin. Car, souligne le docteur Michel Lirette : « Ce qui importe finalement ce n'est pas le médecin ni l'infirmière ni la sage-femme mais celle qui accouche. Si elle a confiance en elle, elle n'a pas besoin de moi ni des autres. On est simplement là pour l'aider, pour renforcer sa confiance. Après tout, quand cela fait des dizaines d'années que les femmes entendent "once a cesarean... always a cesarean", c'est normal que celles qui veulent accoucher vaginalement après une césarienne manquent de confiance. »

TÉMOIGNAGE D'ESTELLE

Une bataille vitale

Estelle m'appelle, enceinte de 10 semaines. Sa première césarienne a été faite sous anesthésie générale, à la suite d'un arrêt de progression du travail et à un cordon ombilical court. Elle se sent comme si elle avait été alors laissée de côté. Elle a eu ensuite une césarienne répétée, car son bébé se présentait par le siège. Après, elle a passé une pelvimétrie et a demandé l'opinion de 3 médecins. Selon l'un d'eux, sa première césarienne était justifié par le cordon d'à peine 5 pouces, la pelvimétrie montrant toutefois qu'elle pourait accoucher de bébés de 10 livres. Un médecin consulté pour un AVAC n'est toutefois pas encourageant ; il met des conditions (devra accoucher à 36-37 semaines, etc.). Son obstétricien-gynécologue fait peur à son conjoint : « Tu mets ta femme dans les mains du Créateur ; quand j'ouvre une femme après 2 césariennes, je vois le bébé au travers de l'utérus. »

Un autre médecin consulté contredit les avis des premiers et confirme la pelvimétrie. Elle n'a pas du tout, comme un médecin lui avait dit, un petit bassin plat : « À l'autre hôpital tu as de jeunes médecins qui *freakent* et des vieux médecins qui ne sont plus au courant. » Selon lui, elle a 80 % de chances de réussir un AVAC et elle peut avoir une accompagnante si elle le désire. Il est prêt à lui laisser dépasser la date prévue sans déclencher l'accouchement (jusqu'à 42 semaines). Et si son bébé se présente par le siège, il est même prêt à tenter l'AVAC.

Mais deux mois plus tard, le médecin qui avait effrayé son conjoint (que son travail met régulièrement en contact avec des obstétriciens-gynécologues) lui a de nouveau fait peur. Celui-ci revient à la maison inquiet, peu sûr de vouloir risquer l'aventure. Mais il sait qu'Estelle est déterminée. Finalement, Estelle entre en travail, un long travail latent de plus de deux jours, et un long travail actif à l'hôpital, accompagnée d'une sage-femme. Pendant la nuit, l'anesthésiste vient les voir, soulignant qu'il s'en va chez lui, offrant une péridurale avant de partir, sachant que les contractions allaient s'intensifier et ne voulant pas être « dérangé en pleine nuit ». Estelle ne veut pas d'une péridurale, ayant l'impression que celle-ci peut ouvrir la porte à une autre césarienne. Le médecin de garde lui déclare que si dans quelques heures – on est au milieu de la nuit – les choses n'avaient pas évolué, « on l'ouvre ». Estelle dit alors à son conjoint : « Fais ma valise, on va aller accoucher dans le parking. » Celui-ci réussit à convaincre le médecin d'accorder un peu de temps, sachant que sa femme ne changerait pas d'idée. Même si le travail est lent, le cœur du bébé est beau. La rupture des membranes fait alors évoluer rapidement la situation. Le col utérin d'Estelle se dilate de 5 à 10 cm très rapidement, et en trois poussées, son fils naît, avec un Apgar de 9-10-10. L'accouchement a été entièrement naturel, même si une épisiotomie fut pratiquée. William pesait 9 livres et 2 onces.

Lors d'une conversation avec elle quelques années plus tard, Estelle est extrêmement contente d'avoir accouché ainsi et de s'être opposée à la césarienne. Elle m'apprend qu'elle a eu après son accouchement une dépression en post-partum, qui serait selon elle causée par le stress de la bataille qu'elle a menée pour avoir un AVAC. Pour elle, c'était vital de mettre elle-même son troisième enfant au monde. Elle dit sortir grandie de cette expérience.

6
POUR FAVORISER L'AVAC DURANT LE TRAVAIL

DANS CE CHAPITRE :

À éviter idéalement pour prévenir une autre césarienne :

- Recours à des médicaments pour ramollir le col avant de déclencher artificiellement l'accouchement
- Déclencher artificiellement l'accouchement avant 41 semaines de gestation complètes
- Recourir à la surveillance électronique continue du rythme cardiaque du bébé plutôt que par intermittence ou par auscultation du cœur fœtal, pour les femmes peu à risques
- Se servir des résultats d'une échographie au 3e trimestre de la grossesse pour évaluer la grosseur d'un bébé et déterminer la probabilité d'un accouchement vaginal
- Rompre la poche des eaux de manière routinière
- Utiliser de routine un soluté (par intraveineuse)
- Recourir à la péridurale pour le soulagement de la douleur, en particulier avant 4 cm de dilatation du col ou lorsque la tête du bébé n'est pas engagée dans le bassin de la mère
- Garder les femmes en travail au lit et restreindre leur liberté de mouvement en travail
- Garder les femmes en travail en position couchée
- Exiger que les femmes poussent en étant couchées (sur le dos avec jambes dans les étriers)
- Admettre une femme en travail à l'hôpital avant qu'elle soit en travail actif
- Restreindre l'accès des femmes en travail à du soutien émotif et physique continu
- Restreindre l'accès des femmes présentant peu de risques aux services des sages-femmes
- Restreindre l'accès des femmes présentant peu de risques aux maisons de naissances

À faire pour favoriser un accouchement physiologique :

- Rester mobile (marcher, changer fréquemment de position, utiliser le gros ballon) ; se restaurer (boire, manger légèrement) ; s'immerger dans l'eau chaude ; exprimer ce qui ne va pas sur le plan émotif ; se reposer ; adopter une autre position que la position couchée sur le dos pour accoucher

Qu'en est-il des protocoles durant un AVAC ?

- On peut poser des questions sur les protocoles en vigueur
- On peut demander à ne pas avoir les interventions de routine pouvant nuire au travail

Dois-je éviter la surveillance électronique continue ? Des avis partagés

Dois-je éviter la péridurale ? Connaître les effets secondaires généralement tus de cette intervention :

- Effets négatifs sur le travail (peut en augmenter la durée, nuire à la position du bébé, entraîner un recours plus fréquent aux instruments)
- Effets négatifs sur la mère : peut entraîner plus de fièvre, toute une série d'interventions, de l'hypotension, des maux de tête, etc.
- Effets négatifs sur le bébé : provoque parfois une baisse inquiétante mais généralement transitoire du rythme cardiaque du bébé, peu de temps après l'administration de la péridurale ; serait susceptible de nuire à l'allaitement

Le médecin doit-il être présent tout le temps à l'hôpital pendant mon AVAC ?

Ai-je le droit de refuser une intervention ?

- Oui, selon la loi québécoise, voici vos droits : être informée ; ne pas être soumis à aucune intervention sans votre consentement ; droit de refus ; et droit de participer à toute décision vous concernant

Pour toutes les personnes favorables à l'AVAC, le plus important, ce sont les conditions dans lesquelles celui-ci se déroule. Un AVAC est avant tout un accouchement, et comme un AVAC non complété est associé à plus de complications, il est important d'en favoriser le bon déroulement par un environnement propice et avec des intervenants qui favoriseront le processus et qui croient dans les capacités des femmes de mettre elles-mêmes au monde leur bébé. Selon des professionnels de la santé qui m'en ont fait part, les femmes enceintes, depuis quelques générations, ont de moins en moins confiance dans leurs capacités à mettre elles-mêmes au monde leur bébé. On voit alors l'importance pour la femme enceinte de se préparer et de tenter d'accroître sa confiance en ses capacités d'accoucher, en choisissant bien son médecin ou sa sage-femme, en lisant des livres comme celui d'Isabelle Brabant, *Une naissance heureuse*, en ayant recours aux services d'une accompagnante, en trouvant des vidéos d'accouchements physiologiques qui se déroulent bien. Il est important aussi de ne pas se laisser impressionner par les accouchements (fictifs ou réels) que l'on voit à la télévision*, médium qui donne une image fausse de l'accouchement et qui accentue l'anxiété des femmes n'ayant jamais accouché**.

> *Les meilleures pratiques dictent des politiques qui encouragent l'AVAC pour la plupart des femmes, qui évitent le recours à des pratiques accroissant le risque de rupture utérine – tels le déclenchement artificial du travail avec des prostaglandines ou le recours sans précaution à de l'ocytocine pour déclencher ou stimuler le travail. Les meilleures pratiques aussi sont celles qui font la promotion de l'accouchement vaginal.*
>
> Henci GOER***

* Pour ma thèse de doctorat, j'ai interviewé les femmes dont j'avais observé le travail et l'accouchement, et plusieurs m'ont dit avoir regardé fréquemment des émissions de télé-réalité américaines comme *Baby Stories* ou *The Maternity Ward*, qui montrent des accouchements très médicalisés ayant lieu aux États-Unis.

** Voir liste de ressources en annexe.

*** Henci Goer, chercheuse principale, revue systématique de la Coalition for Improving Maternity Services, 2007. Communication personnelle avec l'auteure le 17 septembre 2005.

Avant d'aborder ce que l'on peut faire pour favoriser le déroulement d'un accouchement, je rappelle quelles sont les interventions qu'il serait préférable d'éviter.

COMMENT ÉVITER UNE CÉSARIENNE*

Voici des interventions, ou des protocoles, susceptibles d'accroître la probabilité d'avoir une césarienne lorsqu'elles sont faites de routine auprès de femmes en santé. De plus, elles n'améliorent pas les résultats pour les mères et leurs bébés.

- Recours à des médicaments pour ramollir le col avant de déclencher artificiellement l'accouchement;
- déclencher artificiellement l'accouchement avant 41 semaines de gestation complètes;
- recourir à la surveillance électronique continue du rythme cardiaque du bébé plutôt que par intermittence ou par auscultation du cœur fœtal, pour les femmes présentant peu de risques durant l'accouchement;
- se servir des résultats d'une échographie au troisième trimestre de la grossesse pour évaluer le poids d'un bébé et déterminer la probabilité d'un accouchement vaginal;
- rompre la poche des eaux de manière routinière;
- utiliser de routine un soluté (par intraveineuse);
- recourir à la péridurale pour le soulagement de la douleur, en particulier avant 4 cm de dilatation du col ou lorsque la tête du bébé n'est pas engagée dans le bassin de la mère;
- garder les femmes en travail au lit et restreindre leur liberté de mouvement;
- garder les femmes en travail en position couchée;
- exiger que les femmes poussent en étant couchées sur le dos et les pieds dans des étriers;
- admettre une femme en travail à l'hôpital avant qu'elle soit en travail actif;

---

* Cette liste a été élaborée par Nicette Jukelevics, dans Jukelevics, N., 2004, « Once a cesarean, always a cesarean: The sorry state of birth choices in America », *Mothering*, n° 123: 46-55.

- restreindre aux femmes en travail l'accès à du soutien émotif et physique continu;
- restreindre aux femmes présentant peu de risques l'accès aux services des sages-femmes;
- restreindre aux femmes présentant peu de risques l'accès aux maisons de naissances.

MOINS D'INTERVENTIONS MÉDICALES GRÂCE AUX SAGE-FEMMES QUÉBÉCOISES

Comparaison d'une clientèle à bas-risques suivies par les sages-femmes et suivies par les médecins

Quatre fois moins de déclenchements artificiels (5,5 % vs 23,6 %).
Quatre fois moins d'utilisations de forceps (1,4 % vs 4,1 %).
Huit fois moins de recours aux ventouses (1,7 % vs 10,2 %).
Cinq fois moins d'épisiotomies (5,8 % vs 32 %).
Deux fois moins de césarienne (10,8 % vs 19,8 %).
Réduction de plus de 70 % des déchirures des 3e et 4e degrés
Près de deux fois moins d'accouchements prématurés (2,9 % vs 5,7 %).
Près de deux fois moins de bébés de faible poids (1,6 % vs 2,9 %).
Trois fois moins d'hospitalisations en cours de grossesse (3,3 % vs 10,3 %).
Taux d'allaitement de plus de 98 % chez les clientes des sages-femmes.

Source: Blais, R., *et al.*, *Évaluation des projets-pilotes de la pratique des sages-femmes au Québec*, Université de Montréal, Université Laval, Données citées par Lajoie, F., *Dossier périnatalité*, 28(11), 28 mars 2007.

COMMENT FAVORISER UN ACCOUCHEMENT PHYSIOLOGIQUE

Dans une minorité d'accouchements, il se peut parfois qu'il faille, judicieusement, intervenir pour « aider la nature ». Mais, une fois en travail, avant qu'on sorte l'arsenal habituel, pourquoi, comme cela se fait de plus en plus dans les institutions progressistes, n'auriez-vous pas recours aux mesures suivantes ? Des recherches ont prouvé qu'elles peuvent être efficaces*. Elles favorisent le bon

* Pour toute cette section sur les pratiques favorisant l'accouchement physiologique, si vous avez besoin d'arguments pour soutenir vos souhaits pour votre accouchement devant un médecin réticent, voir la revue systématique de la Coalition for Improving Maternity Services, publiée en mars 2007 dans *The Journal of Perinatal Education*. Il s'agit des résultats d'études ayant porté sur ces pratiques, qui forment les conditions de l'Initiative Amis des mères. Vous

déroulement de tout accouchement, et on peut aussi y avoir recours lorsque le travail progresse mal ou très lentement ou si le bébé se place mal en phase de dilatation. Il y a beaucoup de choses que l'on peut faire pendant le travail, avant d'avoir recours à une péridurale, ou lorsqu'on souhaite s'en passer. La plupart du temps, ce qui favorise le bon déroulement d'un travail fait partie des 10 conditions ou sous-conditions de l'Initiative Amis des mères, dont il a été question et dont vous trouverez la version française sur le site web www.motherfriendly.org. Et l'Organisation mondiale de la santé recommande la plupart de ces pratiques[325]. Voici donc ce que l'on gagne à faire, pendant qu'on est en travail et qu'on donne naissance.

Pendant la première phase du travail (la dilatation du col)

Demeurer mobile

L'OMS recommande d'encourager la mobilité pendant le travail. Il est important de ne pas rester couchée. Quitter le lit, marcher, bouger, rester à la verticale pour aider le bébé à descendre, tout cela est important. La position verticale augmente l'efficacité des contractions, pourrait raccourcir la durée du travail, dilate plus rapidement le col, réduit l'inconfort et la douleur éprouvés, réduit le moulage de la tête du bébé, abaisse l'incidence de variations anormales du rythme cardiaque fœtal et aide le bébé à mieux se porter durant l'accouchement. La liberté de mouvement accroît aussi le bien-être des femmes en travail. Elle réduit aussi la possibilité d'épisiotomie, le recours à l'ocytocine pour stimuler le travail, les lacérations graves du périnée, que l'accouchement soit assisté (forceps ou ventouse) ou qu'il se termine par une césarienne. De plus, il n'existe aucune preuve que cela soit nocif. Au contraire, la position couchée diminue la circulation du sang entre la mère et le bébé, pouvant affecter négativement son rythme cardiaque. Elle augmente aussi le niveau d'hormones de stress chez la mère, réduisant la contractilité de l'utérus et nuisant au travail.

---

pouvez télécharger ces documents en allant sur le site www.motherfriendly.org ou les mentionner à votre professionnel de la santé. Et le Regroupement Naissance-Renaissance a traduit certains de ces documents en français: www.naissance-renaissance.qc.ca.

Au besoin, appuyez-vous sur votre conjoint, sur votre accompagnante ou sur les deux si vous avez de la difficulté à rester debout. Vous pouvez aussi vous asseoir sur les gros ballons dont sont de plus en plus équipés les départements d'obstétrique, et vous appuyer avec le haut du corps sur le lit. Le ballon favorise aussi la mobilité du bassin, qui doit constamment se réajuster pour garder l'équilibre. Ou utilisez la chaise de massage, que l'on vous masse ou non. Pendant la poussée, demandez qu'on installe la barre horizontale pour que vous puissiez vous y suspendre en étant accroupie, ou le banc de naissance, ou demandez à votre conjoint ou à l'infirmière de vous soutenir par en arrière, dans la position accroupie. Plusieurs femmes trouvent les douleurs moins pénibles lorsqu'elles ne sont pas couchées.

Se ravitailler légèrement

L'accouchement demande énormément d'énergie. Il peut être important de prendre des liquides, ou des semi-solides ou des aliments faciles à digérer. L'OMS recommande d'encourager les femmes en travail à manger et à boire, à leur convenance, tout au long du travail. Des recherches ont en effet montré qu'un jeûne total est peut-être plus dangereux, car il y a un risque d'aspiration des sucs gastriques par les poumons en cas d'anesthésie. Un jeûne total, en plus d'affaiblir l'organisme qui doit fournir un travail énorme, augmente la quantité et l'acidité des sucs gastriques[326]. Selon le docteur Murray Enkin, professeur d'obstétrique à l'Université McMaster de Hamilton, les semi-solides peuvent constituer un compromis acceptable. Certains hôpitaux laissent les femmes s'alimenter durant le travail. La possibilité d'aspiration est infime[327] et l'imposition d'un jeûne est aussi stressante pour la mère.

Se détendre grâce à l'eau chaude ou au massage

S'immerger dans l'eau chaude aide à se détendre. À défaut d'un bain, une douche chaude ou même des compresses chaudes peuvent aider. Se faire masser aussi, si cela vous fait du bien en travail. On peut vous masser le cou, la tête, le haut du dos, les fesses, les cuisses, les pieds, si cela vous fait du bien ; selon les études examinées dans la revue systématique de CIMS, le massage réduit la douleur ressentie, diminue le stress maternel et l'anxiété, aide à traverser la douleur, et contribue à rassurer, réconforter et encourager les femmes qui en bénéficient. Par ailleurs, l'immersion dans un bain réduit l'hypertension artérielle, diminue l'anxiété, diminue la douleur dans la première phase du travail, réduit le recours aux médicaments antidouleur et à la stimulation artificielle du travail ; les femmes la trouvent aidante pour la poussée et ont l'impression d'avoir plus de contrôle sur leur travail ; l'immersion dans l'eau chaude favoriserait aussi une bonne présentation du bébé, le sentiment chez les femmes de liberté de mouvement et d'intimité.

Vérifier si quelque chose ne va pas sur le plan émotif

Si quelque chose ou quelqu'un vous contrarie dans la pièce, ou si vous avez peur de quelque chose, dites-le ; au besoin, demandez ou faites demander à la personne en question de sortir, la peur étant une émotion qui peut bloquer la sécrétion naturelle d'oxytocine.

Se reposer si le travail est long

Uriner souvent

Une vessie pleine peut faire obstruction à la descente du bébé.

Changer de position fréquemment

Certaines positions, comme se placer « à quatre pattes », peuvent contribuer à rectifier la position du bébé, le faisant tourner d'une position postérieure (plus difficile sur le plan de la douleur éprouvée et pour l'accouchement) à une position antérieure ; cette position est aussi la préférée de certaines femmes, qui disent éprouver moins de douleur qu'en position assise.

Pendant la deuxième phase du travail (la poussée)

Le début de la poussée : pourquoi se presser ?

Il n'est pas nécessaire de commencer à pousser dès que la dilatation est complète. Certaines femmes éprouvent une forte envie de pousser, mais d'autres non. Certaines ont besoin d'aider la poussée en forçant pendant les contractions, d'autres non. Et certains bébés demeurent au niveau des épines du bassin (ou même plus haut) jusqu'à ce que la mère commence activement à pousser.

Favoriser la position non couchée

Si la dilatation est complète, vous pouvez aider la période de poussée en demeurant à la verticale, en vous asseyant sur les toilettes, en vous couchant sur le côté ou, mieux, en vous accroupissant (seulement lorsque la tête est engagée, toutefois), ce qui, selon les recherches, augmente l'espace pelvien de 20 à 30 %, rend la poussée plus efficace et raccourcit donc la phase d'expulsion. L'OMS recommande la position verticale pour pousser. La poussée sera plus courte, moins douloureuse, provoquera moins de variations anormales du rythme cardiaque du bébé, donnera moins lieu à des dommages au périnée, à l'enflure de la vulve et provoquera moins de perte de sang[328]. N'oubliez pas que c'est vous qui accouchez, et c'est votre préférence qui devrait compter, et non celle de l'intervenant. Vous n'irez peut-être pas jusqu'à dire ce qu'a répondu une certaine Québécoise à quatre pattes, à la suite de la demande du médecin qu'elle se retourne pour la naissance du bébé, en relevant la tête de l'oreiller sur lequel elle s'appuyait (pour l'y replonger aussitôt après avoir exprimé son refus bien senti) : « C'est moi qui accouche... C... ! », mais vous pouvez demander qu'on respecte ce que vous voulez.

Préférer la poussée physiologique ?

Le mieux est de pousser pendant les contractions, de manière plus brève, en relâchant le plus possible les cuisses et le périnée, en ne fermant pas la glotte complètement et en vous laissant aller, au besoin, à des grognements. On appelle cette forme de poussée la poussée physiologique, par opposition à la poussée dirigée qui est généralement la règle dans les centres hospitaliers, mais qui pourrait avoir des effets négatifs pour le bébé, soit entraîner une diminution de l'oxygène[329]. L'OMS déconseille la poussée dirigée. Vous centrer sur l'ouverture qui se produit et sur le bébé qui se fraie un passage facilite cette phase du travail. La poussée physiologique diminue la durée de la phase de poussée, elle diminue aussi les interventions et elle améliore l'état général du bébé[330]. Toutefois, il est possible, particulièrement si vous avez eu une péridurale et ne sentez plus les contractions, que l'on dirige votre poussée.

La durée de la poussée : selon votre état ou celui du bébé

En ce qui concerne la deuxième phase du travail, dont il vient d'être question et qui commence lorsque la dilatation est complète, on ne veut pas – ce fut mon cas – que les femmes l'étirent en poussant trop longtemps. Le recours aux forceps fut très fréquent pour les AVAC. D'après le docteur Lirette, cette habitude n'a aucun fondement scientifique. Des femmes ont poussé deux ou trois heures sans problèmes[331]. Tant que la surveillance du bébé est adéquate, pourquoi paniquer ? N'oublions pas qu'une femme qui a fait tout ce chemin pour donner elle-même naissance à son bébé ne sautera pas au cou de son médecin si, sans raison valable, celui-ci sort le bébé à l'aide d'un forceps ou d'une ventouse, parce qu'il ne peut plus attendre et « au cas où ». Elle aura eu son AVAC, mais elle aura aussi l'impression qu'on lui en a volé la meilleure part, sans compter l'épisiotomie éventuelle qui l'incommodera durant des semaines, si ce n'est pas des mois.

CE QUI PEUT FAVORISER UN AVAC

Faut-il se présenter lorsque le travail est bien engagé ?

Parmi les exigences souvent formulées pour un AVAC, on demande à la femme de se rendre à l'hôpital au tout début du travail. Pourquoi ? Où est l'urgence ? Au contraire, une recherche à l'hôpital de l'Université McMaster, en Ontario, a montré qu'arriver lorsque le travail est bien engagé (par exemple entre 3 et 5 cm de dilatation) réduit le risque d'aboutir à une césarienne. Continuer en début de travail à s'activer chez soi, dans un environnement familier, n'est pas dangereux, selon l'avis de plusieurs médecins. D'après le docteur Enkin, obstétricien et professeur d'obstétrique, c'est une décision qui regarde chaque femme. Selon le docteur King : « Il est préférable que le travail se déroule à la maison jusqu'à 4-5 cm de dilatation ; mais après 2 césariennes, c'est mieux de se présenter plus tôt à l'hôpital. » Si on arrive trop tôt à l'hôpital, ajoute pour sa part le docteur Shea :

« Cela leur donne plus de temps pour s'inquiéter à votre sujet et trop d'occasions d'intervenir. »

Et la rupture des membranes ?

On veut souvent accélérer le travail en rompant la poche des eaux. Est-ce toujours souhaitable ? Est-ce absolument nécessaire d'accélérer un travail ? Une des raisons invoquées est de déterminer la couleur du liquide amniotique, un indicateur de souffrance fœtale. Le docteur Michel Odent préfère utiliser à cette fin un amnioscope, c'est-à-dire un tube de métal terminé par une lampe qui permet de voir la couleur du liquide amniotique sans rompre les membranes.

Parfois on veut aussi mettre un moniteur interne au bébé, d'où la rupture obligatoire des membranes. Est-ce nécessaire, en dehors des cas où on veut s'assurer qu'il y a vraiment une souffrance fœtale ? Pourtant, en 2006, une accompagnante me faisait part de la situation vécue par sa cliente, qui voulait un AVAC, et à qui on avait dit qu'il fallait lui mettre un moniteur interne pendant son travail, « au cas où », dans un hôpital montréalais.

N'oublions pas que rompre les eaux augmente le risque d'infection, surtout si la femme est sur le dos (le liquide s'écoule moins bien et peut refluer), et si on rompt la poche des eaux trop tôt, cette intervention a moins d'effet et peut accroître le risque d'infection chez la mère ou le bébé. Elle accroît aussi le risque de procidence du cordon [332] ; de plus, l'effet « coussin » pour la tête du bébé disparaît. On ne devrait pas avoir recours à cette intervention de façon routinière, mais bien lorsque la situation l'exige réellement, d'autant plus qu'elle rend les contractions plus douloureuses et plus intenses et qu'elle ne raccourcit la durée du travail que d'une ou deux heures. Et la revue systématique de CIMS montre de plus que la rupture des membranes n'entraîne pas d'avantages pour le bébé et qu'elle peut même augmenter le risque d'avoir des tracés non rassurants (rythme cardiaque du bébé qui fait des siennes).

Et la durée du travail ?

On assigne aussi dans bien des cas une limite à la durée d'un travail « AVAC ». On oublie toutefois qu'il faut considérer la femme tentant un AVAC comme une primipare, puisque le premier accouchement a abouti en césarienne. Elle est donc susceptible de prendre plus que les 12 heures « réglementaires » pour mener son travail à bien. Est-il possible de garder confiance quand on sent qu'il faut « performer » et faire d'un phénomène non contrôlable une course contre la montre ? Selon le docteur Enkin, c'est important de ne pas être rigide, mais « si cela ne progresse pas, on ne peut l'ignorer indéfiniment ; ce qui compte, c'est comment se portent la mère et le bébé ».

Selon le docteur Bujold, fixer à l'avance une limite à la durée du travail n'est pas favorable à l'AVAC. Toutefois, une étude qu'il a menée conclut qu'il serait important d'éviter que s'éternise trop longtemps un travail dystocique lorsque la dilatation du col est avancée[333].

Une femme en plein AVAC (une dystocie avait entraîné la première césarienne) décida, comme son travail progressait lentement mais que tout allait bien, de ne pas laisser le médecin ou l'infirmière faire d'examen vaginal toutes les deux heures. Comme cela, raisonna-t-elle, elle ne saurait pas fréquemment où elle en était, elle ne se découragerait pas et aurait plus de chances d'éviter une césarienne. Elle les laissa cependant écouter régulièrement le cœur du bébé. Elle refusa l'accélération artificielle de son travail, et plusieurs heures plus tard, le bébé descendit et elle fut complètement dilatée. Elle accoucha vaginalement.

Baptisti-Richards, L., *The Vaginal Birth After Cesarean Experience – Birth Stories by Parents and Professionals*, Bergin & Garvey, 1987.

Et le soluté, est-ce vraiment nécessaire ?

On impose souvent un soluté à l'arrivée. En fait, un *heparin lock* serait moins encombrant (on place une aiguille pour avoir une porte d'entrée, mais on ne la rattache pas à un soluté) et pourrait servir si jamais une urgence se produisait. Il est, en tout cas, préférable de placer une intraveineuse seulement lorsque le travail est très avancé, si vous l'acceptez. Voici ce qu'en dit une infirmière ayant de l'expérience en cardiologie et en chirurgie : « Poser une intraveineuse "au cas où on en aurait besoin plus tard" est inutile selon moi. En poser une si une urgence se présente peut se faire vite et plus sûrement d'ailleurs, une urgence donne généralement des signes avant-coureurs de son imminence. Le liquide du soluté n'est pas un substitut au fait de boire et de manger, et il peut bouleverser l'équilibre électrolytique de la femme en travail. » Dans *Controverses obstétricales et les soins maternels*, on note que la nécessité de poser de routine un soluté n'a pu être démontrée[334].

De plus, si on laisse les femmes en travail boire et manger, on n'a plus besoin d'un soluté qui fournit liquides et calories[335] ; d'ailleurs, aucune étude n'a démontré que l'administration d'un soluté améliore les résultats d'un accouchement ou l'état du bébé. Un soluté, au contraire, peut causer de l'inconfort et entraîner un stress. Cela interfère avec la mobilité, et l'administration d'une quantité excessive de liquide par soluté peut provoquer de l'anémie et une réduction dans l'osmolalité*. De plus, l'utilisation d'un soluté sans électrolytes** peut entraîner des problèmes, dont des problèmes chez le nouveau-né (plus de risques d'hypoglycémie, d'hyponatrémie*** et d'ictère****, précise le médecin québécois Julie Choquet[336]), et le soluté avec glucose peut provoquer une hyperglycémie chez le nouveau-né.

Et la stimulation artificielle du travail ?

On semble avoir oublié comment un accouchement peut se dérouler normalement, sans intervention médicale. On a de plus en plus recours à l'administration d'ocytocine synthétique, pendant les accouchements (le fameux Syntocinon, aussi connu sous le nom de Pitocin). Aux États-Unis, une enquête nationale révèle que plus de la moitié des femmes voient leur travail stimulé. On a vu au chapitre sur les risques de l'AVAC que les prostaglandines et l'ocytocine pouvaient augmenter le risque de rupture utérine, en particulier lorsqu'il s'agit du déclenchement artificiel du travail. Toutefois, en ce qui concerne l'accélération (aussi appelée stimulation), le portrait est moins clair. Stimuler le travail de manière prudente et bien

---

* L'osmolalité du sang augmente avec la déshydratation et diminue avec une surhydratation.

** Les électrolytes sont des composés chimiques tel le sodium.

*** La natrémie représente schématiquement le rapport entre la quantité de sel et la quantité d'eau présente dans l'organisme.

**** Jaunisse.

surveiller à l'aide de doses peu élevées de Syntocinon pourrait faire la différence parfois entre compléter ou non un AVAC. Il ne serait pas non plus entièrement contre-indiqué de soulager des douleurs à l'aide d'analgésiques. Souvent, cependant, souligne le docteur Michelle Harrisson, ces derniers ne font pas disparaître la douleur et rendent la femme moins capable d'y faire face ou moins en contrôle de son accouchement[337],

On peut se demander pourquoi les femmes modernes auraient des contractions si « déficientes » ou inadéquates qu'il faudrait aussi fréquemment les stimuler avec des hormones artificielles[338]. Il semble plutôt que les médecins et les infirmières sont tellement habitués de voir des contractions stimulées artificiellement qu'ils ne reconnaissent pas les contractions naturelles.

De l'avis des associations de soutien à l'AVAC, des groupes d'information sur la césarienne et des gens conscients des désavantages des interventions durant un accouchement, il est préférable de pouvoir se passer de ces substances qui ont l'inconvénient de mener, dans certains cas, à une escalade de difficultés pouvant conduire à la césarienne.

Et les examens vaginaux ?

L'OMS recommande de vérifier la dilatation du col aux 4 heures, pendant la phase de latence du travail et pendant le travail actif. Il n'y a donc pas de justification à ce que vous ayez des examens vaginaux plus fréquemment que cela.

Et l'épisiotomie ?

On m'a coupée avec de grands ciseaux de bord en bord, du vagin à l'anus. Moi j'appelle ça une césarienne vaginale.
Brigitte Denis, Montréal

L'épisiotomie est une intervention heureusement de moins en moins répandue. Elle fut longtemps presque automatique, sous prétexte qu'elle comportait des avantages qui n'ont jamais pu être démontrés. De plus, elle provoquerait plus de douleur qu'une déchirure naturelle, affaiblirait les muscles pelviens, cicatriserait moins bien et nuirait aux relations sexuelles. Il se pourrait que la position couchée sur le dos ou semi-assise, souvent exigée par le personnel pour expulser l'enfant, rende l'épisiotomie plus nécessaire. Par contre, la position de Sim (couchée sur le côté) aiderait à éviter les déchirures en laissant à la tête du bébé le temps qu'il faut pour distendre doucement le périnée. Une femme qui a effectué les exercices de Kegel* et le massage quotidien du périnée a moins de chances de subir une déchirure. Enfin, si on supporte le périnée pendant la poussée, qu'on y applique, comme le font les sages-femmes et certains médecins, de l'huile ou des compresses chaudes, et que la femme contrôle bien la poussée, l'orifice vaginal s'étire progressivement. Bref, l'épisiotomie ne devrait se justifier que s'il y a urgence, si l'accouchement doit être précipité ou si le périnée est sur le point de se déchirer.

Utile, la révision utérine?

Certains médecins font aussi, à l'issue de l'accouchement, une révision utérine, c'est-à-dire qu'ils profitent de l'ouverture du col pour insérer leur main dans l'utérus et en faire le tour, vérifiant ainsi l'état de la cicatrice. Ce n'est absolument pas nécessaire, si tout va bien. Subir une révision manuelle est à tout le moins inconfortable, sinon douloureux. Cela peut présenter des risques, en particulier le risque d'infection de l'utérus. De plus, comme il faut faire vite, cela implique souvent une sortie rapide du placenta après avoir coupé le cordon en vitesse. Le rythme de la naissance et de ses suites est accéléré au lieu de suivre son cours normal. Selon le docteur James Martin, la révision utérine ne permettrait pas toujours de bien évaluer l'état de la cicatrice utérine. Certaines femmes ont une sacrée surprise lorsqu'après un bel accouchement sans intervention aucune, un médecin trop zélé les fait sauter au plafond en procédant sans les avertir ni les anesthésier à une révision manuelle de leur utérus. Si on soupçonne une

* Exercices de Kegel: exercices de contraction des muscles du périnée pour améliorer leur force et leur tonus. Préviennent les déchirures et favorisent le retour à la normale des muscles du périnée et du vagin après l'accouchement. Lorsqu'on contrôle bien ces muscles, on peut mieux les détendre durant l'accouchement et se retenir ou pousser durant l'expulsion. Pour les identifier on peut s'exercer à arrêter volontairement d'uriner à plusieurs reprises durant la miction, puis s'exercer plusieurs fois par jour.

séparation de cicatrice, si la mère perd beaucoup de sang ou encore éprouve une douleur suspecte, évidemment, c'est différent.

LES PROTOCOLES D'UN AVAC*

Il est utile de se renseigner sur les protocoles du médecin et de l'hôpital pour un AVAC (ou pour tout accouchement, si c'est la même chose). Dans les années 1980, plusieurs médecins étaient d'avis, tels les docteurs Phelan (Los Angeles), Shulman (New York), Enkin (Hamilton), et certains médecins québécois, que les femmes qui accouchent vaginalement après une césarienne ne devraient pas être traitées différemment des autres. Si ces propos étaient motivés par une préoccupation de conserver à l'AVAC un caractère normal, ces opinions ont malheureusement, par un effet pervers, ouvert grand la porte au recours croissant au déclenchement artificiel et à la stimulation artificielle du travail, de plus en plus répandus pour l'accouchement en général, mais qui pour l'AVAC peuvent accroître le risque de rupture utérine.

Questions utiles à poser

Voici des questions que vous ou la personne significative qui vous accompagne pourrait poser, au besoin, durant le travail[339] :

- Cette intervention est-elle nécessaire en ce moment ?
- S'agit-il d'une urgence ou avons-nous le temps d'en parler ?
- Quels seraient les avantages à faire une césarienne maintenant ?
- Quels sont les risques de le faire, pour moi et mon bébé ?
- Quoi d'autre serait nécessaire si nous décidons d'aller de l'avant avec la césarienne (procédures, préparation, etc.) ?
- Quelles sont les alternatives ?
- Qu'arriverait-il si nous attendions une heure ou deux avant de décider ?
- Mon bébé ou moi serions-nous en danger si je décidais de ne pas avoir de césarienne ?

---

* Les protocoles encadrent les pratiques médicales et infirmières, dans un centre hospitalier ou dans une maison de naissance, pour la pratique sage-femme.

L'augmentation des interventions lors des accouchements

De plus en plus, les femmes ne présentant pas de risques particuliers sont soumises dans bien des institutions à plusieurs interventions pas toujours indiquées médicalement, comme en font foi les données du tableau suivant.

Taux d'interventions au Québec (1985 – 2000-2001)

Intervention	1985	2000-2001
Déclenchement artificiel du travail	26 % des accouchements	n. d.
Soluté et/ou moniteur	+ de 80 %	n. d.
Anesthésie locale (accouchement vaginal)	45 %	30,9 %
Aucune anesthesie (accouchement vaginal)	n. d.	16,1 %
Péridurale (accouchement vaginal)	32,7 %	52,1 %
Épisiotomie	66,7 %	30,1 %
Accouchement avec forceps ou ventouse	17,8 % (1986-1987)	13,6 % (2001-2002)
Chambre de naissance	14,2 %	n. d.

Source des données de 1985 : sondage réalisé pour la Corporation professionnelle des médecins du Québec par le Centre de sondage de l'Université de Montréal, septembre 1985. Cité dans *Accoucher autrement, op. cit.*, p. 126.
Source des données de 2000-2001 : le ministère de la Santé et des Services sociaux du Québec. Les dernières données disponibles, en avril 2008, étaient celles de l'exercice 2000-2001.

Il est difficile de savoir avec précision, au Québec, quels sont les taux récents des interventions puisque le ministère de la Santé et des Services sociaux n'a pas jugé bon de mettre à jour les statistiques concernant les accouchements depuis 2001. Heureusement, un organisme canadien, l'Institut canadien d'information sur la santé, a réussi à brosser un tableau des taux dans les diverses provinces canadiennes, incluant le Québec. On peut aussi avoir une idée des taux d'interventions en examinant ceux des États-Unis, puisque les pratiques obstétricales des deux pays présentent de grandes similitudes.

Taux d'interventions aux États-Unis (2006)[340]

Surveillance électronique du cœur fœtal	94 %
Intraveineuse	83 %
Rupture artificielle des membranes en travail	47 %
Stimulation à l'aide d'ocytocine	47 %
Péridurale (accouchement vaginal)	76 %
Un examen vaginal ou plus	75 %
Une sonde urinaire	56 %
Déclenchement artificiel du travail	Plus du tiers
Être couchée pendant le travail	Plus des 3/4
Être couchée pendant la poussée	75 %

Le tableau suivant présente les taux d'interventions des hôpitaux de la grande région montréalaise, obtenus auprès des départements d'obstétrique par une journaliste de *La Presse*. La parution de ce dossier a remis encore une fois sur la place publique le dossier de la médicalisation de l'accouchement, et des émissions de radio et de télévision en ont traité au cours de la semaine où a paru le dossier. Deux données auraient eu avantage toutefois à être publiées par *La Presse* : les taux de déclenchement artificiel et de stimulation artificielle du travail, puisqu'on s'aperçoit depuis quelques années que ces interventions, en augmentation depuis quinze à vingt ans, ne sont pas toujours faites pour des raisons médicales et peuvent entraîner des effets négatifs pour la mère ou son bébé, comme une probabilité plus grande que l'accouchement se termine par une césarienne, plus de douleurs lors des contractions, et plus de ruptures utérines[341]. Et si les taux au niveau provincial ne sont malheureusement pas fiables, les hôpitaux colligent ces données, même si parfois on y mélange déclenchement et stimulation artificielles du travail. Une enquête publiée au Canada en 2004 montrait que déjà en 2000-2001 le cinquième des femmes en moyenne voyaient leur accouchement déclenché artificiellement[342]. Et en Colombie-Britannique, 40 % des accouchements ne seraient pas spontanés[343].

Taux d'interventions dans 16 hôpitaux de la région de Montréal

Hôpital	Taux de césariennes	Taux de péridurale	Taux de forceps ou de ventouse	Taux d'épisiotomie	Taux de mortinaissances	Nombre de naissances	Classement général qualitatif
Anna-Laberge (Châteauguay)	17 %	54 %	n. d.	16 %	n. d.	1706	exceptionnel
Maisonneuve-Rosemont	17 %	54 %	5,66 %	24 %	0,45 %	2880	passable
LaSalle	18 %	78 %	10 %	2 %	0,41 %	2696	exceptionnel
Pierre-Boucher (Longueuil)	18 %	67 %	8 %	30 %	0,20 %	2947	moyen
Le Gardeur (Repentigny)	20 %	73 %	8,80 %	21 %	0,39 %	2033	exceptionnel
Cité de la Santé (Laval)	20 %	74 %	12,50 %	n. d.	0,17 %	4141	moyen
Sacré-Cœur	22 %	58 %	13,89 %	9 %	0,34 %	2088	moyen
CHUM	23 %	61 %	10,21 %	11 %	0,59 %	2703	moyen
Haut-Richelieu (Saint-Jean)	24 %	64 %	15,41 %	34 %	0,16 %	1259	moyen
Saint-Eustache (Saint-Eustache)	24 %	62 %	14,25 %	12 %	0,31 %	1621	moyen
St. Mary's	26 %	74 %	4,4 %	22 %	0,31 %	4216	exceptionnel

Charles-LeMoyne (Longueuil)	26 %	79 %	12,40 %	24 %		1630	passable
Royal Victoria	28 %	68 %	4,79 %	Non disp.	0,74 %	3793	passable
Lakeshore (Pointe-Claire)	29 %	85 %	10,71 %	33 %	0,19 %	1036	passable
Sainte-Justine	30 %	n. d.	7,10 %	10 %	1,59 %	3464	moyen
Hôpital général juif	30 %	79 %		n. d.	n. d.	4352	passable

Source : Lacoursière, A., 2008, « Palmarès des maternités », *La Presse*, 7 avril, p. A2 à A5, et 8 avril, p. A2 et A3. Les taux présentés dans *La Presse* en plusieurs tableaux ont été ici regroupés par l'auteure.

Les interventions inutiles augmentent la probabilité que l'accouchement se termine par une césariennne et, souvent, une intervention mène à d'autres (la « cascade d'interventions »), comme le montre une étude récente[344] ayant porté sur près de 800 000 femmes. Par exemple, on rompt les membranes, et comme l'accouchement doit alors avoir lieu dans les 24 heures, on administre du Syntocinon pour accélérer les choses. Cette pratique entraînant des contractions plus douloureuses, on administre des analgésiques ou une péridurale, ce qui accroît à son tour le risque d'avoir recours au forceps, ce qui peut entraîner plus de soins donnés au bébé après sa naissance, etc.

La cascade d'interventions

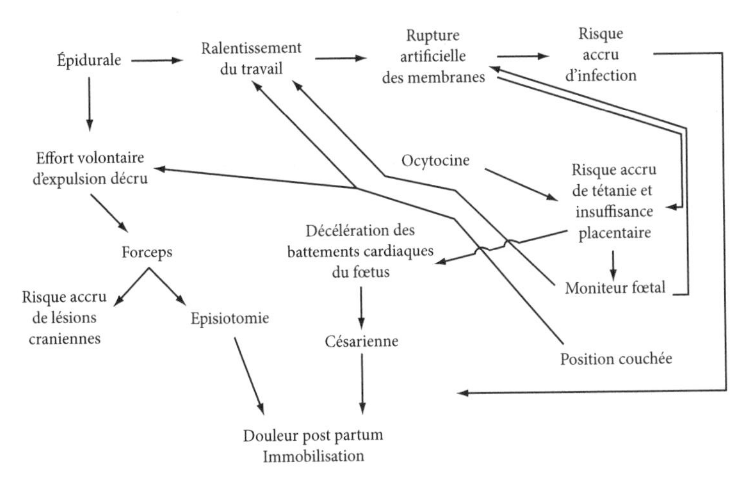

* Les flèches indiquent à quel point chaque intervention augmente les risques d'avoir à subir la suivante.

Source : Brody, Howard et Thompson, J.R., « The Max/min, Strategy », *Modern Obstetrics, Journal of Family Practice,* n° 12 :979, 1981, reproduit dans *C/Sec Newsletter,* 9 :2, 1983, p. 4.

Cela ne veut pas dire qu'il faut rejeter d'emblée toutes les interventions. Comme le dit l'omnipraticienne Yolande Leduc : « Il faut juger cas par cas – ce qui n'est pas facile – et y avoir recours quand c'est nécessaire. » De plus, les interventions sont trop souvent effectuées sans que les femmes soient informées des risques qu'elles ou que leurs bébés courent[345].

Des conditions restrictives réduisent les chances de succès d'un AVAC en médicalisant cet accouchement et en diminuant la confiance de la femme ou du couple dans la réussite de l'entreprise.

Le rythme cardiaque du bébé doit-il être surveillé constamment ?

Les dernières années ont vu changer certains protocoles relativement à l'AVAC. La Société des obstétriciens et gynécologues du

Canada recommande le recours à la surveillance électronique continue du cœur fœtal pour un AVAC. Toutefois, aucune étude sur l'AVAC n'a indiqué qu'il fallait procéder ainsi. Cela pourrait même nuire au bon déroulement d'un AVAC puisque cela oblige la femme à rester couchée, ne favorise pas un bon travail et peut même susciter une souffrance fœtale liée à la position couchée!

La revue systématique de CIMS (2007) indique que comparé à l'auscultation intermittente du cœur du bébé, le monitoring continu ne réduit pas le taux de mortalité périnatale, n'améliore pas l'Apgar du bébé, ne diminue pas le taux d'admission du bébé à l'Unité de soins intensifs ni l'incidence de paralysie cérébrale. Le recours au monitoring continu accroît aussi la probabilité d'accouchement assisté ou de césarienne, la césarienne étant précisément ce qu'une femme tentant un AVAC veut éviter... De plus, lorsque les moniteurs électroniques de surveillance fœtale sont reliés à une centrale au poste des infirmières, comme c'est le cas dans certains hôpitaux, cela réduit les interactions entre les infirmières et les femmes en travail et le soutien dont celles-ci pourraient bénéficier pendant leur accouchement. Enfin, la surveillance électronique du cœur fœtal n'offre aucun avantage relativement à la prévention du décès du bébé[346].

Si surveiller le cœur fœtal est important, une surveillance intermittente pourrait peut-être suffire et, pourquoi pas, à l'aide d'un doppler qui n'exige pas que la femme en travail se couche dans le lit pour que l'on puisse capter le rythme cardiaque du bébé. L'OMS recommande d'écouter le cœur fœtal toutes les heures durant la phase de travail latent, aux demi-heures durant le travail actif et aux 5 minutes pendant la poussée. Et de plus en plus d'hôpitaux utilisent la télémétrie pour surveiller le cœur du bébé. La femme en travail transporte un sac qui contient l'appareil de surveillance, ce qui lui permet de bouger à sa guise. Les résultats sont automatiquement transmis au poste d'infirmières. Il y a donc moyen de suivre les lignes directrices de la SOGC tout en demeurant mobile!

De rares études ont indiqué la possibilité que le monitoring continu réduise l'incidence des convulsions chez le nouveau-né, mais la plupart des études revues par Cochrane n'ont pas indiqué cet effet; toutes ces études avaient par ailleurs trop peu de sujets pour déceler une différence significative à ce sujet[347]. L'unique effet significatif que l'on retrouvait associé à cette intervention était un accroissement du taux de césariennes et d'accouchements à l'aide d'instruments. Et même pour les grossesses à risques, il y aurait peu de preuves convaincantes et solides pour soutenir la surveillance électronique versus l'auscultation périodique du cœur du bébé[348].

Est-il préférable d'éviter la péridurale ?

« Si l'analgésie épidurale est administrée à une femme enceinte à faible risque, on peut se demander si ce qui en résulte peut encore être appelé "travail normal". »

OMS, *Les soins liés à un accouchement normal : guide pratique*, Rapport d'un groupe de travail technique, 1997, p. 18.

Avoir une péridurale lorsqu'on accouche est entré dans les mœurs. Au nom du droit des femmes à disposer de leur corps et à faire des choix, plusieurs estiment qu'avoir une péridurale est un droit et que chaque femme qui en désire une devrait y avoir accès. Oui, il s'agit d'un choix personnel. Oui, il arrive qu'on en ait besoin. Pour ma part, j'ai eu une péridurale pendant mon premier accouchement, et je m'en suis passée pendant le second. Il faut cependant savoir que :

- la péridurale consiste à administrer des médicaments pouvant avoir des effets négatifs ;
- l'OMS hésite à qualifier d'accouchement « normal » un accouchement sous péridurale ;
- au Royaume-Uni, on vient d'exclure les accouchements sous péridurale des accouchements normaux[349], tout comme les accouchements déclenchés artificiellement, les accouchements avec instruments ou avec épisiotomie, dans un document qui vise à offrir une définition standard de l'accouchement normal et à le promouvoir.

On oublie souvent qu'on administre jusqu'à trois familles de médicaments lors d'une péridurale : des anesthésiques locaux, de l'épinéphrine et des narcotiques telle la morphine et ses dérivés[350]. Or les narcotiques, en particulier ceux que l'on trouve dans une famille de médicaments anti-douleur comme le Nubain, ne sont pas sans avoir d'effets secondaires. Selon le docteur Choquet, ils peuvent bloquer la libération d'endorphines et, demeurant plus longtemps dans l'organisme du bébé, peuvent nuire au succès de l'allaitement. Administrés trop près de la naissance, par exemple sous forme de Nubain, les narcotiques sont susceptibles d'entraîner des difficultés respiratoires chez le bébé. Même l'anesthésie locale (xylocaïne) peut être retrouvée dans l'urine du bébé jusqu'à 48 heures après sa naissance[351].

L'anesthésie régionale peut provoquer de l'hypotension maternelle, elle augmente le besoin d'interventions obstétricales et ralentit le travail. Avoir une épidurale multiplie le risque de voir l'accouchement se terminer par un forceps. Clark et Alfonso, dans *Soins infirmiers*, soulignent que « la plupart des agents anesthésiants causent un relâchement utérin, augmentant par conséquent l'incidence des césariennes, l'usage des forceps et l'atonie postnatale[352] ».

Le Québec a un taux élevé de péridurales (68 % des accouchements vaginaux en 2005-2006[353]). Si la péridurale peut s'avérer parfois nécessaire*, elle est loin d'être inoffensive en ce qui concerne les effets secondaires**. Des études ont démontré que pour l'accouchement elle peut ralentir le travail, nuire à la rotation de la tête du bébé, entraîner des démangeaisons dérangeantes, accroître le recours aux forceps ou à la ventouse pour la naissance du bébé (ce qui accroît le risque de traumatismes au périnée), ou à la césarienne (si elle est administrée trop tôt), provoquer des déchirures rectales[354]. Et certains médecins canadiens sont critiques au sujet de la péridurale : le docteur Michael Klein, médecin et chercheur, après examen des études de Cochrane sur le sujet (2000), conclut que la péridurale donnée avant la phase active du travail fait plus que doubler le risque que l'accou-

---

* Par exemple, il est possible qu'une péridurale soit utile lorsqu'il y a un arrêt de progrès du travail, chez une femme se trouvant en travail depuis longtemps, une fois que d'autres approches auront été tentées ; et certaines femmes, victimes d'agressions sexuelles, peuvent préférer ne pas sentir la douleur des contractions, qui devient alors synonyme de souffrance morale.

** Pour une liste plus détaillée des effets secondaires de la péridurale, établie par la chercheuse américaine Judith Rooks, voir mon site web www.helenevadeboncoeur.com.

chement se termine en césarienne[355]. Et le docteur Andrew Kotaska et ses collègues soulignent que la péridurale et l'oxytocine administrée à faible dose pour stimuler un travail ayant ralenti accroissent la probabilité que l'accouchement se termine par une césarienne[356]. De plus, la péridurale oblige généralement la femme qui y a recours à rester couchée, ce qui peut nuire au progrès du travail, entraîner plus de détresse fœtale, lorsque la veine cave est comprimée, car cela nuit à l'oxygénation du fœtus. Il semble aussi que les bébés ont plus de difficultés pour l'allaitement[357], dont de la difficulté à téter[358], ils pleurent davantage et ont une température corporelle plus élevée[359]. La durée d'allaitement aussi pourrait être plus brève[360]. Le fait qu'ils font plus de fièvre entraîne plus de séparation d'avec la mère pour évaluation, et plus d'antibiotiques administrés de façon préventive. Dans la moitié des études, les effets sur les bébés persistent jusqu'à ce qu'ils aient un mois. Ces bébés sont moins alertes, ont plus de difficultés à s'orienter et leur motricité est plus désorganisée[361].

Idéalement, il vaudrait donc mieux se passer de la péridurale. Avoir un bon soutien durant l'accouchement, accès à une baignoire, à des méthodes non pharmacologiques de soulager la douleur devrait être privilégié.

Lors d'un AVAC, certains intervenants s'inquiètent que l'administration d'une péridurale masque des douleurs inhabituelles, susceptibles de révéler la présence d'une séparation de l'incision utérine, même si les études ne sont pas concluantes à ce sujet.

La présence d'un médecin à l'hôpital pendant un AVAC est-elle nécessaire ?

Dans les débuts de l'AVAC, dans les années 1980, souvent le médecin était à l'hôpital pendant le travail d'une cliente désirant un AVAC. Depuis les recommandations de l'ACOG, cette pratique est revenue. Toutefois, il n'existe pas d'étude ayant démontré que cela soit absolument nécessaire. Il serait prudent qu'un obstétricien-gynécologue et qu'un anesthésiste soient avertis qu'une femme désirant un AVAC est en travail, s'ils sont « de garde » à l'extérieur du centre hospitalier. On touche ici à toute la question du délai optimal entre les signes révélateurs d'une rupture symptomatique de l'incision utérine et le début de la césarienne que cela exige.

On s'entend généralement pour recommander qu'une césarienne devrait pouvoir se faire à l'intérieur d'un délai de 30 minutes (recommandation de l'ACOG). Il existe une seule étude ayant indiqué que ce délai ne devrait pas dépasser 17 minutes pour un AVAC (Leung). Certains hôpitaux, n'ayant pas de médecins spécialisés sur place 24 heures sur 24, refusent aux femmes qui le souhaiteraient la possibilité d'avoir un AVAC. On se demande pourquoi ils acceptent que les autres femmes qui ont un accouchement « ordinaire » donnent naissance dans leur établissement, puisque tout accouchement présente un risque de complications sérieuses, plus élevé que le risque de rupture utérine. Par ailleurs, il n'est pas toujours vrai qu'un département d'obstétrique ayant tout le personnel et l'équipement nécessaire pour procéder au besoin à une césarienne d'urgence y arrive toujours dans un temps optimal.

Ai-je le droit de refuser une intervention ?

Les femmes ou les couples qui vont accoucher ignorent souvent qu'on peut refuser une intervention. Pourtant, même l'American College of Obstetricians and Gynecologists reconnaît ce droit aux femmes (voir encadré). Si ni votre bébé ni vous n'êtes en danger, vous pouvez refuser les interventions de routine que l'on vous propose. Parfois, il est alors nécessaire de signer un refus de traitement en ce qui touche l'intervention, mais si vous êtes convaincue de votre choix, si tout va bien et si vous avez à vos côtés des personnes qui vous soutiennent, pourquoi pas ? N'oublions pas que beaucoup de ces pratiques ont été instaurées sans que des recherches scientifiques n'aient prouvé leur utilité. La Coalition for Improving Maternity Services souligne dans sa revue qu'un accouchement vaginal planifié ne constitue pas un « traitement » puisqu'il constitue l'issue inévitable d'une grossesse. Autrement dit, cet événement physiologique se déclenchera généralement spontanément à la fin de toute grossesse, comme des infirmières d'un hôpital de Louisiane ont pu le constater, lors de l'ouragant Katrina : alors qu'on avait renvoyé chez elles ou annulé tous les déclenchements artificiels du travail prévus, elles constatèrent avec étonnement que la presque totalité des femmes avaient mis au monde leur bébé un ou deux jours après.

Cela convainquit plusieurs membres du personnel de changer leur approche face à l'accouchement.

> Une fois la patiente informée des risques et avantages d'un traitement, test ou procédure, elle a le droit d'exercer sa pleine et entière autonomie en décidant si elle accepte ce traitement, test ou procédure ou si elle préfère choisir entre plusieurs traitements, tests ou procédures. Dans l'exercice de cette autonomie, la patiente renseignée a aussi le droit de refuser tout traitement, test ou procédure [...] Légalement, effectuer une chirurgie sur une patiente sans son consentement peut constituer une agression. Dans la plupart des circonstances, il s'agit d'un acte criminel [...] Un tel refus [de consentement] peut être fondé sur des croyances religieuses, des préférences personnelles, une question de confort.
>
> Source: American College of Obstetricians and Gynecologists, 2000, p. 46-47.

Au Québec, la Loi sur la santé et les services sociaux garantit aux personnes hospitalisées le droit* d'être informé, de refuser un traitement et de participer à toute décision pouvant les affecter, comme l'illustrent les articles de loi suivants[362] :

- Tout usager des services de santé et des services sociaux a le droit d'être informé sur son état de santé et de bien-être, de manière à connaître, dans la mesure du possible, les différentes options qui s'offrent à lui ainsi que les risques et les conséquences généralement associés à chacune de ces options avant de consentir à des soins le concernant.
- Nul ne peut être soumis sans son consentement à des soins, quelle qu'en soit la nature, qu'il s'agisse d'examens, de prélèvements, de traitement ou de toute autre intervention.
- Tout usager a le droit de participer à toute décision affectant son état de santé ou de bien-être.

* Vous pouvez trouver sur le site de l'Association pour la santé publique du Québec un dépliant sur les droits des femmes pendant leur grossesse et leur accouchement: www.aspq.org. La plupart des droits figurant sur ce dépliant ont aussi été inclus dans l'édition 2008 du *Mieux vivre avec notre enfant,* livre qui était donné à chaque femme autour de l'accouchement jusqu'en 2007 et qui, à partir de 2008, est distribué aux femmes pendant la grossesse. Vous pouvez le consulter à l'adresse suivante: www.inspq.qc.ca/MieuxVivre.

Déjà, en 1988, le docteur Walter Hannah, alors président de la Société des obstétriciens et gynécologues du Canada, soulignait que les femmes peuvent même refuser une césarienne. Si on veut vous faire une césarienne simplement parce que vous en avez déjà eu une ou plusieurs avant, personne ne peut vous la faire si vous ne donnez pas votre consentement. Si, contre son gré, une femme se fait faire une césarienne, elle peut poursuivre le médecin pour assaut. Si, alors que vous êtes en travail, l'hôpital refuse de vous aider et veut vous expédier ailleurs, vous pourriez alerter les médias… ce qui ne serait pas nécessairement du goût au centre hospitalier. La seule façon pour un hôpital de forcer une femme à avoir une césarienne est de passer par un tribunal. Malheureusement, cela s'est fait aux États-Unis dans les années 1980 et 1990. Au Canada, c'est rare.

En conclusion, accoucher n'est pas une performance. Même si pour plusieurs femmes c'est important de réussir cet acte que seule une femme peut accomplir, c'est encore plus important d'arriver à vous aimer, peu importe comment vous accoucherez. Selon l'auteure de *Pregnant Feelings*, même les femmes qui tentent un AVAC et le réussissent sont souvent dures envers elles-mêmes, parce qu'elles n'ont pas réussi à répondre à quelques-unes des vingt-cinq exigences qu'elles s'étaient données. Tenter un AVAC dans notre société est une démarche courageuse, il faut savoir le reconnaître. Savoir se féliciter de l'avoir tenté et se pardonner en cas de pépin de « n'avoir pas été à la hauteur » est important. On peut en vouloir au médecin, si nos désirs n'ont pas été respectés durant cet événement, mais souvent, et inconsciemment en général, on s'en veut à soi-même de n'avoir pas été capable de faire respecter ce qu'on voulait. Il ne faut pas oublier qu'en plein travail une femme est rarement en état de faire respecter ses droits. La tâche qui l'occupe est trop intense. Alors, soyons un peu moins dures pour nous-mêmes et, surtout, ayons à cœur de bien nous préparer, de manifester clairement et fermement nos préférences, de les faire consigner au dossier et d'avoir durant le travail des personnes qui nous soutiennent pour vivre l'accouchement que nous désirons.

Si tout ne se déroule pas comme nous l'aurions voulu, essayons de ne pas nous sentir coupables. Nous aurons amplement l'occasion en élevant nos enfants de nous sentir coupables ! Un accouchement n'est pas un examen que nous réussissons ou échouons. L'accouchement, c'est la naissance d'un bébé, peu importe comment cela se termine.

TÉMOIGNAGE DE CÉLYNE

Ils ne m'ont tout simplement pas laissé le choix; j'ai eu une autre césarienne

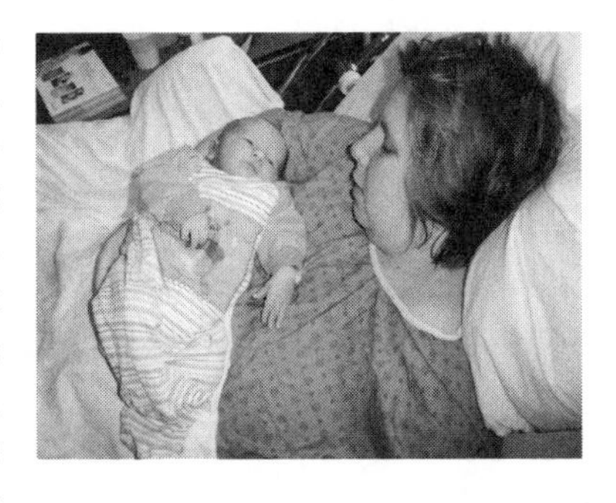

Le 2 juillet 2008, à 37 semaines de grossesse et quelques jours, je me rends à mon rendez-vous chez le médecin qui me suit pour cette deuxième grossesse. Je suis confiante puisque tout va bien depuis le début, je me suis bien préparée pour mon AVAC, j'ai posé les questions qui me venaient en tête, à savoir si ce serait possible, si j'avais affaire à un autre médecin le jour venu, si je pouvais avoir cet AVAC si attendu tout de même, j'ai même pris le soin de prendre une accompagnante avec nous. J'ai beaucoup travaillé sur moi-même au cours de cette grossesse, j'ai parlé à mon bébé souvent et j'attendais ce rendez-vous avec impatience puisque c'était certainement l'un des derniers. Arrivée à ce fameux rendez-vous, ma pression est un peu haute. Le chiffre le plus important en pré-éclampsie est celui du bas et comme j'accote le 90, avec un peu de protéines dans les urines, mon médecin décide de me faire passer un bilan pour la pré-éclampsie. Le lendemain je commence donc ma culture d'urine sur 24 h, et je me rends à l'hôpital pour passer une prise de sang, prendre ma pression et écouter le cœur de mon bébé. Le tracé du cœur est parfait, ma pression est haute au début mais les deux autres fois un peu plus basse. Les prises de sang sont parfaites. Je n'ai pas les fameux symptômes de pré-éclampsie que j'avais lors de ma première grossesse: ni flashes devant les yeux, aucun mal de tête, aucune sensation de barre sous la poitrine…

Deux jours plus tard, tôt le matin, je vais porter la culture d'urine 24 h. Les résultats ne tardent pas, vers 10 h 15 la dame de l'hôpital m'appelle. Selon ses dires, je dois tout de suite me rendre à l'hôpital, avec ma valise. Dr X, qui remplace mon médecin, veut me voir puisqu'elle ne connaît pas mon dossier ; apparemment les protéines sont assez hautes pour qu'on me fasse venir à l'hôpital directement. La dame me dit qu'elle ne sait pas si Dr X me mettra au repos complet ou me fera voir un néphrologue, etc. Je réveille mon mari qui dort ; il travaille de nuit donc ce sera un court dodo pour lui. Nous finissons de préparer la valise et nous rendons à l'hôpital, confiants d'y rencontrer le Dr X.

Comme nous arrivons à la maternité, je dis à une infirmière que nous sommes attendus par le Dr X. Elle dit tout de suite à une autre infirmière de m'installer dans la salle de réveil, que le Dr Y, une gynécologue, me fait une césarienne d'emblée, elle ne veut pas avoir de troubles avec nous. Ce sont ses propres paroles. Je l'entends aussi dire qu'ils attendent une autre patiente, que le Dr X verra aussitôt arrivée. Ma première réaction est de lui répondre que Dr X doit nous voir et m'examiner. L'infirmière me dit que selon mon dossier et les résultats, j'aurai une césarienne. Je ne peux pas y croire. Après tout ce chemin, on *décide* que je vais avoir une césarienne ? Sans même m'expliquer pourquoi ? Mon mari appelle notre accompagnante, qui s'en vient aussitôt. Entre-temps, je rencontre la gynécologue, lui pose plusieurs questions, à savoir les risques d'avoir une rupture utérine, selon elle 1/1000, alors que je lui demande quels sont les risques d'une césarienne répétée par rapport à une rupture utérine. Tout ce qu'elle me dit c'est que c'est pour ma santé, que de nos jours on fait de moins en moins d'AVAC, que les risques sont trop gros. Malgré ma peine et ma colère de me faire traiter ainsi, je lui dis qu'avec mon médecin je préparais cet AVAC et que deux jours plus tôt il m'a dit que si mon col était favorable et selon les résultats des tests, nous pourrions tenter un déclenchement. Je demande donc au Dr Y d'au moins vérifier mon col. Elle me répond qu'il est bien fermé et qu'il est impossible de tenter un déclenchement. Encore une fois on me dit que c'est pour ma santé. Même mon accompagnante, arrivée entre-temps, essaie d'avoir des réponses à nos questions ; sans succès.

Ce qui me met en colère c'est que leur décision était prise avant même que j'arrive. Ils ne m'ont tout simplement pas laissé le choix. J'ai bien sûr pensé un instant de prendre un deuxième avis dans un autre hôpital, mais à se faire dire que notre santé est en jeu, qu'ils veulent *sauver* la mère et le bébé, c'est difficile de faire un choix éclairé. Je ne cesse de me dire que j'ai un beau bébé en santé, mais pourquoi alors ai-je l'impression qu'on m'a volé mon accouchement ? Pourquoi ai-je l'impression qu'ils auraient dû mieux répondre à mes questions, me donner des chiffres et le pourquoi de cette intervention ? Pourquoi n'ai-je pas senti que j'avais le droit de refuser cette césarienne ? Pourquoi n'ai-je pu voir mon médecin ou alors son remplaçant ?

On m'a promis que je pourrais avoir mon bébé en peau-à-peau, ainsi que mon mari, que mon bébé serait avec moi en salle de réveil. Au lieu de cela, j'ai vu mon bébé plusieurs heures plus tard, encore une fois, mais j'ai décidé de ne pas les laisser m'avoir. J'ai collé ce petit être tant attendu, je l'ai bercé déjà beaucoup et lui donne tout mon amour afin de ne pas vivre une deuxième fois ce que j'ai vécu avec ma fille. Pour moi, cet accouchement devait être merveilleux, faire de moi une vraie mère avec ce premier contact entre mon enfant et moi, alors que ça m'avait été impossible lors de mon premier accouchement par césarienne. Ce contact entre moi et mon fils, il était attendu depuis des mois, mais s'il n'a pu se faire dès les premières minutes ou même heures, je me suis bien rattrapée après. À 10 jours aujourd'hui, mon fils cesse de pleurer dès qu'il est collé contre moi, et c'est ma plus grande réussite. Aujourd'hui, je me dis que je vais parler de l'AVAC au plus de mamans possible, afin de faire connaître et de faire comprendre que c'est possible d'en avoir un. Je vais les inciter à se renseigner encore mieux que moi, afin qu'elles ne se laissent pas voler leur accouchement si désiré.

7
ACCOUCHER, UN DÉFI EXCLUSIVEMENT FÉMININ

DANS CE CHAPITRE :

L'accouchement est un événement culturel et social

- L'approche biomédicale de l'accouchement : un reflet de notre société
- Notre corps sait comment accoucher : énergie, ouverture et abandon

Pourquoi vouloir accoucher ?

- L'accouchement peut être une expérience de transformation
- La dimension psychologique est importante
- C'est un rite majeur de passage, où l'aspect affectif est souvent négligé
- Le sentiment d'accomplissement éprouvé peut être puissant
- Cette occasion de croissance sur le plan psychologique peut avoir un impact sur le reste de la vie
- L'accouchement constitue un défi exclusivement féminin, en cette ère de recherche d'expériences fortes comme la pratique de sports extrêmes

Donner naissance n'est pas un événement isolé dans la vie d'une femme. Elle accouche avec tout son être, son corps et son esprit, et elle est influencée par la façon dont on considère la naissance dans sa famille et dans sa culture... Dans notre culture donner naissance est censé être dangereux et requiert interventions et technologie... Nous devons modifier cette façon de voir en nous informant et en créant de nouvelles images si nous voulons retrouver notre capacité d'accoucher harmonieusement, avec notre corps et notre esprit.

Baldwin, R., et Palmarini, T., 1986, *Pregnant Feelings*, Celestial Arts, Berkeley, p. 31.

J'ai hésité longtemps avant d'écrire ce dernier chapitre. Il peut être difficile pour certaines femmes ayant eu une ou des césariennes de lire sur l'accouchement et de voir ce qu'accoucher peut apporter aux femmes. Mais j'ai décidé d'en parler, devant la montée insensée du taux de césariennes en Amérique du Nord, en Amérique latine, et ailleurs dans le monde. J'ai non seulement repris certaines sections de la première édition de mon livre, mais j'ai ajouté plusieurs pages sur l'impact considérable que peut avoir pour une femme le fait de mettre elle-même son bébé au monde. Devant l'engouement chez certaines pour la césarienne, devant la banalisation incroyable de cet événement, il m'apparaît important d'aborder pourquoi accoucher par voie vaginale peut être si important dans la vie d'une femme, et même être crucial pour plusieurs d'entre elles. Et par le fait même, cet impact important ne peut qu'avoir un effet positif sur la société*.

Dans notre société, accoucher est vu comme un événement médical, et même, avec la hausse du taux de césariennes, comme un événement chirurgical. Depuis une trentaine d'années, en

* On pourrait comparer le fait de parler de l'accouchement vaginal avec le fait de parler des avantages de l'allaitement. Pendant longtemps, on a tu ou peu insisté sur les bénéfices de l'allaitement, pour ne pas culpabiliser les femmes choisissant l'alimentation au biberon. Depuis quelques années cependant, l'Organisation mondiale de la santé et, au Québec, le ministère de la Santé et des Services sociaux font la promotion sans restriction de l'allaitement. Si les bébés nourris au biberon se développent normalement, l'allaitement comporte plus d'avantages. Il en est de même selon moi avec l'AVAC. Oui, les bébés nés par césarienne se développent normalement, mais naître par voie vaginale prépare mieux les bébés à la vie extra-utérine, et mettre soi-même son bébé au monde peut apporter aux femmes et à la société d'importants bénéfices que l'on commence seulement à mesurer.

Amérique du Nord, on n'endort plus les femmes qui accouchent, mais on intervient et on opère de plus en plus. En réaction, un mouvement de démédicalisation de l'accouchement a vu le jour à la fin des années 1970 en Amérique du Nord, et a migré ailleurs dans le monde. Ce retour à une conception différente de l'accouchement est prôné au Québec par des organismes comme le Regroupement Naissance-Renaissance et l'Association pour la santé publique (ASPQ), aux États-Unis par la Coalition for Improving Maternity Services (CIMS) et d'autres organismes. Il est aussi prôné en France par l'Alliance française pour l'accouchement respecté (AFAR) et le Collectif interassociatif autour de la naissance (CIANE), au Royaume-Uni par l'Association for Improvement in the Maternity Services (AIMS), et au Brésil par le Rede Pela Humanização do Parto e Nascimento (REHUNA), notamment. Pour les coordonnées de ces organismes, voir l'annexe de ressources.

PLAIDOYERS POUR UNE NOUVELLE VISION DE L'ACCOUCHEMENT

Depuis une trentaine d'années, plusieurs personnes de divers horizons, tes l'éducatrice prénatale et anthropologue anglaise Sheila Kitzinger, Michel Odent, obstétricien français, Ricardo Jones, obstétricien-gynécologue brésilien, et bien d'autres, ont œuvré pour recentrer l'accouchement sur sa nature physiologique et sur les besoins des femmes et des bébés lors de cet événement.

Sheila Kitzinger, par exemple, a entre autres illustré à quel point dans la seconde moitié du XXe siècle, une femme était dépossédée d'elle-même au nom de l'hygiène dès qu'elle mettait le pied à l'hôpital. Selon elle, y accoucher ressemblait – et ressemble encore, hélas, dans certains établissements – à un rite de passage primitif qui comprend les éléments suivants :

- la séparation : la mère est séparée de ses proches, de ses autres enfants. Souvent elle ne peut même pas avoir une amie ou sa propre mère à ses côtés ;
- la dépersonnalisation : on lui met un bracelet d'identité, on lui enlève ses bijoux, on lui fait enfiler une blouse d'hôpital, elle se retrouve dans un lieu non familier ;

- la purification : on la « prépare » et, dans certaines institutions, on la rase, on lui administre un lavement, etc. ;
- l'atmosphère de peur créée par le fait d'être à l'hôpital, de voir la quincaillerie médicale, d'entendre des bruits et des cris de femmes en travail, de ne pas savoir qui prendra soin de soi ou quand cette personne devra partir, etc. ;
- l'évaluation de l'accouchement lui-même ;
- la célébration : « Ouf c'est fini, j'ai pensé mourir mais je m'en suis sortie. »

Pour Sheila Kitzinger : « La façon dont se déroulent les accouchements dans un hôpital fait participer les femmes à un rituel et à des procédés qui privilégient l'institution au détriment de l'individu... Pour refaire de la naissance l'acte spécifiquement féminin qu'il est, il faut d'abord changer notre propre façon de concevoir l'accouchement... et nous rendre compte que donner naissance contribue à augmenter notre propre estime et notre pouvoir en tant que femmes[364]. [...] L'environnement qui convient pour accoucher est le même que celui qui convient pour faire l'amour », écrit-elle dans l'introduction d'un livre de Michel Odent, *Birth Reborn*.

Et selon Michel Odent*, qui a mis beaucoup l'accent dans sa pratique et ses écrits sur l'importance de créer un environnement favorable au déroulement physiologique des accouchements, on ne peut guère faire plus actuellement en Occident pour diminuer le taux de mortalité périnatale. Par contre, on peut diminuer la quantité de médicaments prescrits aux femmes en travail, réduire le nombre d'interventions et diminuer le nombre de bébés séparés de leur mère, et ce, à la seule condition d'améliorer nos connaissances de l'accouchement et de reconnaître l'importance de l'environnement dans lequel il se déroule. Depuis qu'un certain docteur Meauriceau s'est introduit au XVIIe siècle dans la chambre des femmes en train d'accoucher et les a fait coucher sur le dos, dit Michel Odent, l'obstétrique a voulu prendre le contrôle de l'accou-

---

* Sauf indication contraire, le contenu de cette section sur le docteur Odent provient d'une entrevue qu'il m'a accordée en 1987 et d'un article que j'avais écrit pour *L'une à l'autre* au printemps 1988 : « Surtout, ne pas perturber l'accouchement ». Les propos sont toujours d'actualité en 2008, même si l'accouchement s'est humanisé jusqu'à un certain point depuis 20 ans.

chement, sans se demander si le fait même de contrôler ne pouvait pas aussi signifier perturber.

Michel Odent s'est inspiré des constatations d'une chercheuse de l'école de médecine de l'Université de Chicago, Niles Newton. Elle avait découvert, dès les années 1960, que si on mettait des souris en travail dans un endroit non familier, qu'on les transportait en différents lieux entre le début du travail et la naissance, qu'on les plaçait dans une cage en verre éclairée où elles se sentaient observées plutôt que dans une cage sombre et opaque, on rendait leur accouchement plus long, plus difficile et plus risqué[365]. Le docteur Odent a transposé ces observations dans sa pratique et a fait de la maternité de Pithiviers un lieu où il faisait bon accoucher, de concert avec les sages-femmes. Pour le docteur Odent, plus une femme s'isole durant le travail, plus vite elle accouche. Pour accoucher par elle-même, « avec ses propres hormones », la femme doit se couper du monde. Inutile de multiplier les touchers vaginaux pour savoir où elle en est. Dans un milieu favorable, si la femme se sent libre de s'installer et d'agir comme elle l'entend, une simple observation des bruits qu'elle fait indique qu'en quelques contractions, le bébé sera né. Par exemple, à l'approche de la deuxième phase elle peut manifester un besoin soudain de s'agripper ou une peur panique peut la saisir. Et pour Odent, contrairement à la tendance de l'obstétrique traditionnelle, ce sont les femmes les plus susceptibles d'éprouver des difficultés que l'on entourera des conditions idéales citées plus haut, soit les femmes dites à risques élevés.

Et selon Jean Saint-Arnaud, médecin de famille québécois qui fut l'un des premiers médecins au Québec à collaborer avec les sages-femmes : « Dans l'accouchement, l'experte, c'est celle qui accouche. On ne peut transposer le modèle d'une intervention très fortement médicalisée, s'appliquant à certaines circonstances obstétricales, à l'ensemble de tous les accouchements. On en est venu à confondre accouchements à hauts et à moyens risques, et en plus, lorsqu'une femme ne présente aucun risque particulier, on la classe dans la catégorie "à risques peu élevés"*. » Il ajoute : « Ce que les gens vivent

* Propos tirés d'une entrevue que j'ai faite avec le docteur Saint-Arnaud en 1988. On en trouvera de plus larges extraits sur mon site web : www.helenevadeboncoeur.com.

durant un accouchement est exigeant et souvent difficile, pénible. Il y a parfois des peurs. Que cela soit exprimé peut changer le cours d'un travail. Si on passe à côté du vécu émotif du couple durant le travail, on passe à côté de l'essentiel. C'est là que se situent souvent les blocages. En tant qu'accompagnant, on peut au moins vérifier ce qui se passe.»

Toujours selon le docteur Saint-Arnaud (et certaines découvertes scientifiques), il est important d'exprimer ses émotions durant un accouchement, car: «L'hypothalamus* est le siège des émotions. Or certains croient que la sécrétion d'endorphines a quelque chose à voir avec l'hypothalamus. De plus, l'hypothalamus contrôle la glande pituitaire postérieure qui relâche l'hormone ocytocine, favorisant le travail utérin. Plus on favorise l'expression des émotions, plus la sécrétion d'endorphines** augmente[366]. La chambre de naissance, qui permet aux proches de la femme d'être présents, ouvre la porte au confort physiologique et à la réalité émotive et sociale de l'accouchement. Plus on crée un contexte permettant aux femmes d'oublier leurs connaissances durant le travail, plus elles reprennent contact avec leur instinct, leur corps, leurs émotions, ce qui favorise la sécrétion d'endorphines. Durant un accouchement, une femme doit s'abandonner, lâcher ce qu'elle a "appris". Une des façons de le faire est de se centrer sur le bébé qui vient.»

Quant au médecin brésilien Ricardo-Herbert Jones, obstétricien-gynécologue, il souligne que c'est la naissance de son fils aîné qui lui a, selon ses propres mots***, «ouvert les yeux: j'ai vu pour la première fois la puissance d'une femme accouchant elle-même, avec son propre pouvoir, alors que j'étais étudiant en médecine». Depuis plus de dix ans, ce médecin a changé radicalement sa pratique, faisant équipe avec sa conjointe, une infirmière sage-femme et une doula, pour aider les femmes à mettre au monde leur enfant dans

---

* Partie du cerveau jouant un rôle dans l'équilibre hormonal de la femme et son cycle menstruel.

** Hormones aidant à soulager la douleur. La tension et la peur inhibent la production d'endorphines.

*** Entrevue que j'ai faite avec le docteur Jones, au Mexique en juillet 2005. On peut trouver le compte rendu de cette entrevue dans le numéro d'octobre de la revue *Périscoop*, sur le site web de l'Association pour la santé publique du Québec: www.aspq.org.

le lieu qu'elles désirent, à l'hôpital ou chez elles. Plus souvent qu'autrement, il ne fait rien lors de l'accouchement, assis dans un coin, lisant une revue ou prenant des photos.

Les docteurs Odent, Saint-Arnaud et Jones ont une conception de l'accouchement différente de celle de plusieurs de leurs confrères. Ce faisant, ils vont à l'encontre de certains courants de notre société.

L'ACCOUCHEMENT, UN ÉVÉNEMENT CULTUREL ET SOCIAL

« Il semble en général que et les usagères et les intervenants sont devenus beaucoup plus à l'aise avec la technologie, et plus réticents à prendre des risques. »

British Columbia Perinatal Health Program, 2008, *Caesarean Birth Task Force Report*, Vancouver.

Il est évident que la façon dont notre société conçoit l'accouchement n'est pas indépendante des valeurs qu'elle véhicule. Par exemple, dans une société où tout va vite et où, au moindre problème de quelque nature, le premier geste est de recourir à la technologie, l'accouchement ne doit pas traîner, on doit l'« aider » par des interventions médicales plutôt que par un soutien émotif ou une interrogation sur pourquoi cela se passe ainsi.

Ainsi, nos réactions face à la douleur de l'accouchement sont souvent colorées par les valeurs que véhicule la société. La publicité, entre autres, nous conditionne à ne pas vouloir endurer le plus petit mal de tête en nous encourageant à nous précipiter sur l'analgésique le plus à la mode, au lieu de suggérer une promenade au grand air, un massage fait par un proche ou une conversation sur ce qui nous préoccupe. Pas étonnant que les cours prénatals soient encore dans bien des cas axés sur l'évitement de la douleur, le silence sur les peurs et l'acquisition de techniques permettant de contrôler tout cela. Dans *Transformation through Birth*, Claudia Panuthos se demande à quel point ces techniques n'augmentent pas en fait les peurs et la sensibilité à la douleur. Selon elle, « une préparation adéquate à la douleur – l'admettre, en parler – ainsi qu'une compréhension et une connaissance de nos peurs faciliteraient au contraire l'accouchement[367] ».

On semble oublier qu'avoir mal pendant le travail ne signifie pas que quelque chose ne tourne pas rond ou qu'on est en danger. Ces douleurs sont normales. Y faire face ne veut pas dire non plus accepter de façon masochiste de souffrir. On peut grandir grâce à une expérience difficile et qui n'a qu'une durée limitée. Pendant les contractions pénibles, garder le contact visuel avec quelqu'un (les yeux dans les yeux) et lui tenir la main sont bénéfiques. La douleur de l'accouchement nous force à demander du soutien à notre entourage. Le travail accentue la production des endorphines qui contribuent à diminuer la douleur. Ces hormones nous rendent également euphoriques une fois que le bébé est dans nos bras. La douleur ressentie n'a plus alors d'importance, même si on ne l'oublie jamais.

Pourquoi vouloir accoucher?

Depuis des décennies, d'excellents ouvrages sur de nouvelles façons de concevoir l'accouchement ont été publiés. Je pense en particulier à *Birthing Normally. Transformation through Birth* et *Pregnant Feelings.* Un excellent livre a aussi été publié et est régulièrement réédité au Québec, *Une naissance heureuse**. Dans *Birthing Normally*, Baldwin et Palmarini écrivent: « L'accouchement est un processus auquel on doit s'abandonner et non résister, tout comme lors d'une relation sexuelle on s'abandonne pour atteindre l'orgasme. L'énergie est la même. On peut gagner à se laisser aller, accepter de se laisser envahir par quelque chose de plus puissant que soi. Notre corps sait comment accoucher. On doit lui faire confiance. Accoucher s'est fait de tout temps et ne s'apprend pas, pas plus qu'éternuer ou avoir un orgasme. Mais de même qu'on peut retenir un éternuement ou bloquer un orgasme, de même on peut, en résistant, nuire au processus de l'accouchement[368]. »

En s'abandonnant, en disant oui, en acceptant ce qui se passe, même si c'est douloureux, en gardant contact avec son bébé, on s'aide. Cela ne se fait pas avec sa tête mais avec son corps et son cœur. Ce n'est pas facile, mais on peut y arriver graduellement, puisque le

* Il s'agit du livre de la sage-femme Isabelle Brabant, publié aux Éditions Saint-Martin, ouvrage que toute femme enceinte gagnerait à lire. Vous y trouverez notamment un excellent chapitre sur la douleur de l'accouchement.

travail dure assez longtemps pour que nous tentions de l'apprivoiser ! Ce qui aide est de se laisser aller ; une femme ne devrait pas être gênée de s'exprimer, de crier s'il le faut, de grogner, de chanter, tout ce qui peut lui faire du bien ! Après tout, pourquoi ne pas vivre à fond l'événement sans souci de maintenir une image de personne bien élevée ? Nous n'accouchons que si rarement dans notre vie !

À une époque où certaines femmes commencent à demander à leur médecin de leur faire une césarienne sans raison médicale et sans nécessairement avoir accouché ainsi auparavant, on peut s'interroger sur les raisons poussant d'autres femmes à désirer fortement mettre leur bébé au monde elles-mêmes.

La réponse tient essentiellement au fait qu'accoucher et mettre au monde un enfant n'est pas uniquement – et loin de là – un événement biomédical, comme on le conçoit essentiellement en Occident. La naissance d'un être humain constitue en effet un événement comportant plusieurs dimensions qui, toutes, sont importantes.

La façon dont on considère l'événement peut varier, selon les pays. Ainsi, pour les Hollandaises, la naissance constitue un processus naturel, où l'on a confiance que le corps des femmes « sait » accoucher ; pour les Suédoises, il s'agit d'un événement intense, une occasion de réalisation personnelle ; aux États-Unis, il s'agit essentiellement d'un événement médical. Ces conceptions colorent les pratiques entourant la naissance. Par exemple, la présence d'autres enfants auprès du bébé est vue avec réticence aux États-Unis, car on y craint les microbes ; elle est bienvenue en Europe, car importante pour l'interaction familiale, et elle va de soit au Mexique, car les femmes accouchent chez elles[369]. D'autres aspects de l'accouchement sont ainsi colorés par ces conceptions différentes. Il en est ainsi par exemple pour la manière dont on conçoit la douleur, qui diffère si l'accouchement est vu comme un événement médical ou familial ou naturel. Et une des dimensions souvent négligées est la dimension psychologique de l'accouchement.

*L'accouchement, une expérience de transformation**

« Chez les mammifères, et en particulier chez les êtres humains, toutes nos fonctions physiologiques sont affectées par notre état d'esprit [...] et pendant l'accouchement, les aspects du travail sont profondément affectés par nos émotions, nos croyances et nos relations interpersonnelles. On sait depuis longtemps que le stress peut ralentir le travail ou l'arrêter, et peut causer des contractions utérines mal coordonnées et de la douleur extrême. On a encore beaucoup à apprendre sur l'effet du stress, sur la manière dont le corps et l'esprit interagissent, pendant la grossesse et l'accouchement. »

Kitzinger, S., 2000, *Rediscovering Birth*, Londres, Little Brown, p. 65.

La dimension psychologique de la grossesse et de l'accouchement touche à l'impact de cette période pour l'identité de la femme, son épanouissement, sa maturation vers la maternité qui comprend sa relation avec son bébé. En effet, les perceptions négatives que peut avoir une femme de son accouchement pourraient affecter son sentiment de compétence maternelle, l'attachement à son enfant, et le développement de son rôle de parent, selon une étude québécoise[370].

Dans certaines cultures, par exemple au Guatemala, la sage-femme demande à la femme dont le travail est difficile si quelque chose la préoccupe, soulignant ce qui peut influencer le déroulement, soit la dimension psychologique de la grossesse : « Nous traînons avec nous pendant nos accouchements toutes sortes de préoccupations ; nous ne nous demandons pas seulement si nous arriverons à accoucher, mais nous nous inquiétons des changements survenant dans notre corps, dans nos rôles comme femme, dans nos relations interpersonnelles[371]. »

La grossesse et l'accouchement sont en effet des moments de vulnérabilité dans la vie d'une femme, ce que plusieurs sociétés traditionnelles avaient compris, s'employant à les protéger de ce qui pouvait être nocif. Des études menées dans les années 1990 ont révélé l'impact possible de l'accouchement sur la psyché des femmes.

* Ce texte s'inspire d'une revue de littérature que j'avais effectuée sur la multi-dimensionnalité de l'accouchement pour l'Association pour la santé publique du Québec (ASPQ), en 2004.

Comme on l'a vu au chapitre 5, certaines femmes auraient un syndrome de stress post-traumatique (SSPT) après leur accouchement[372]. Et cela n'est pas uniquement vrai pour des femmes ayant eu une césarienne, car un accouchement traumatisant peut donner lieu à un SSPT, pouvant être accompagné d'un évitement des relations sexuelles et de difficultés dans le rôle parental[373]. Une étude précise que la plupart des femmes identifiées comme ayant un SSPT ont eu un accouchement vaginal considéré par le milieu médical comme normal[374].

Par ailleurs, il existe des liens entre la manière dont une femme est traitée par les intervenants lors de son accouchement et son estime d'elle-même[375]. La chercheure et thérapeute Gayle Peterson[376] souligne en particulier les effets de la manière dont on critique les femmes pendant l'accouchement sur leur estime de soi et leurs relations familiales. Et la sociologue anglaise Ann Oakley[377] indique un lien entre le bien-être émotionnel des mères et le recours à la technologie pendant l'accouchement. Il n'est pas surprenant que l'accouchement affecte autant les femmes, car il s'agit d'un rite majeur de passage, influençant profondément tous les aspects de la vie d'une femme, son image corporelle, son identité (*sense of self*)[378]. Les attentes reliées aux aspects affectifs occuperaient une place considérable dans le discours des Québécoises enceintes[379].

Déjà, à la fin des années 1980, la sociologue québécoise Maria De Koninck souligne que la dimension affective de l'accouchement est souvent négligée[380]. Et l'éducatrice prénatale Penny Simkin[381] montre à quel point une femme se rappelle de son accouchement, même de nombreuses années après, et en particulier de l'attitude des intervenants à son égard, attitude pouvant avoir des effets durables chez elle. Elle fait remarquer que les souvenirs négatifs ne s'estompent pas avec le temps, au contraire. De manière similaire, l'attitude des intervenants envers la femme en travail peut conduire, selon sa nature, soit à un sentiment d'*empowerment* des femmes, soit à un sentiment de découragement[382].

> Mon bébé est enfin parmi nous et il est sorti par la bonne porte, au grand plaisir de ses parents ! Je suis contente d'avoir réussi et c'est certain que ça affecte plein de choses dans ma vie. Avec une césarienne, je n'aurais pas allaité. Je n'aurais pas été aussi proche de mon bébé et c'est certain

> que je n'aurais eu qu'une grossesse après celle-ci... Maintenant, tout est possible. Je sais que je peux accoucher et j'en suis vraiment contente ! J'ai beaucoup appris sur moi-même à travers cette grossesse et à travers l'accouchement. Je me suis découvert une détermination à toute épreuve, une confiance en moi, une nouvelle vision des épreuves que la vie nous donne, une force intérieure insoupçonnée, une capacité de dépassement de moi-même plus qu'impressionnante. Enfin, tout ça m'a amenée à faire la paix avec mon passé sur plusieurs aspects, notamment avec mes césariennes précédentes, mais aussi avec des épreuves que j'ai eu à vivre.
>
> Caroline. Courriels envoyés à l'auteure, et reproduits dans *Au cœur de la naissance. Op. cit.* p. 129-131.

L'accouchement peut en effet donner lieu chez les femmes à un sentiment d'accomplissement et à une expérience de profonde transformation. Dans la seconde moitié des années 1990, une étude sur l'humanisation de la naissance menée au Brésil en a indiqué l'importance. Si l'aspect « transformation » se révèle lors d'accouchements « humanisés », il a particulièrement été souligné à la suite d'accouchements à domicile, lorsque les femmes peuvent demeurer elles-mêmes et aller chercher au plus profond d'elles-mêmes les ressources les aidant à mettre leur bébé au monde[383].

Un sentiment d'accomplissement

J'ai donné naissance en faisant confiance à mes forces. Nous avons une telle puissance en nous, à condition qu'on sache s'en servir et qu'ose suivre le chemin qui nous inspire, même si ce n'est pas la direction valorisée par la société... Oser faire ce qui nous semble juste[384].

Viisaiven K., 2001

Une dimension importante pour les humains que nous sommes est celle de *fulfillment*, que je traduirai par « sentiment d'accomplissement[385] ». L'expérience de l'accouchement comporte cette dimension[386]. Par ailleurs, mettre au monde un enfant pourrait être accompagné d'une expérience de transformation profonde susceptible d'avoir des répercussions sur d'autres aspects de notre vie.

Des études menées dans le cadre du système médical soulignent les sentiments d' accomplissement et d'autotransformation que certaines femmes peuvent éprouver. Les Finlandaises[387], par exemple, perçoivent la grossesse et l'accouchement comme des expériences de croissance et de bien-être, et leur accordent plusieurs dimensions. Ce qui se dégage de l'expérience de ces Finlandaises est une forte confiance dans leurs capacités d'accoucher (*Je suis capable de le faire !*), confiance qui influence leur perception et la conduite de leur accouchement. Elles ont un sentiment d'accomplissement particulièrement prononcé et elles se sentent prêtes à vivre et à traverser la douleur, considérant l'accouchement comme un défi apporté par la vie. On retrouve des résultats similaires sur le plan culturel à propos d'un autre pays scandinave, la Suède[388]. Notons que la Scandinavie est une région du monde où les femmes mettent leur bébé au monde essentiellement avec des sages-femmes, en l'absence de complications. Ces sentiments d'accomplissement et d'autotransformation correspondent aussi à l'expérience vécue par de nombreuses femmes qui ont eu un AVAC, comme l'illustrent des récits d'accouchement de ce livre.

Une occasion de croissance

> *Changer l'expérience de l'accouchement signifie changer la relation que les femmes entretiennent avec la peur et l'impuissance, avec leur corps, leurs enfants ; cela a des implications importantes sur le plan psychique et même sur le plan politique !*
>
> Adrienne Rich, « The Theft of Childbirth », *The New York Review of Books*, 2 oct. 1975, p. 29.

Une dimension de la grossesse et de l'accouchement dont on parle généralement peu est l'aspect développemental de cet événement pour les femmes, aspect que l'on peut aussi appeler « croissance personnelle » ou « transformation* », comme il a été souligné à la section précédente. Certaines études anthropologiques nous renseignent sur cette question.

Cela peut paraître banal de dire que la grossesse et l'accouchement transforment une femme en mère, en particulier lorsqu'il s'agit

---

* C'est une dimension qui est cependant fréquemment évoquée par les sages-femmes québécoises qui ont d'abord exercé auprès de femmes accouchant à domicile et dont elles disent avoir beaucoup appris. Voir le livre de récits d'accouchements publié en 2004 par les Éditions Remue-Ménage : *Au cœur de la naissance*.

de la première fois. Partout dans le monde, on voit la grossesse et l'accouchement comme une période de transition, de transformation. À notre époque, il m'apparaît de plus en plus important de se demander si l'accouchement peut constituer une occasion de croissance sur le plan psychologique[389]. Sans compter que, comme Occidentales, nous n'avons pas de cérémonies ou de rites exprimant la transformation qui survient alors : en surface, la terre continue à tourner. Mais pour la femme qui vient de mettre au monde son enfant, tout semble différent. Elle doit alors laisser aller son bébé, tout comme elle aura à le faire à répétition au cours des différentes étapes de la vie de son enfant qui, éventuellement, quittera la maison[390].

La chercheuse Lucy H. Johnson, dans sa thèse *Childbirth as a Developmental Milestone* publiée en 1997[391], vise à répondre à la question que l'on pourrait se poser : « *If the outcomes are good, what's lost?* (si la mère et le bébé sont en santé, se peut-il que quelque chose manque ?) », précisant que lors d'un accouchement médicalisé, quelque chose de crucial pour le développement de la femme semble presque irrémédiablement perdu, comme le montre sa thèse de doctorat. Pour elle, la technologie infantilise la femme et lui ôte la possibilité d'être en contrôle de l'expérience de projeter son monde intérieur sur le monde extérieur, selon la théorie psychanalytique. Au contraire, une grossesse et surtout un accouchement naturellement vécus et non masqués et contrariés par les médicaments et interventions auraient un effet de maturation chez elle. Considérant ces événements comme aussi importants que la puberté, Johnson souligne que l'accouchement donne aux femmes l'occasion de confronter leurs peurs primitives et de les dépasser, qualifiant l'événement d'acte créateur, d'accomplissement importants : les femmes ressortent de l'expérience avec de nouveaux acquis psychiques et leur monde psychique intérieur est aussi profondément changé qu'il l'est lors de l'adolescence. Cette expérience de croissance est un phénomène qui se continue et se déploie ultérieurement en intégrant et en s'appuyant sur de nouvelles manières d'être tout au long de la vie.

Un obstétricien-gynécologue français, rapportant les excellents résultats de sa pratique axée sur le respect de la physiologie de l'accouchement, conclut en évoquant les bénéfices de cette approche pour les mères, leurs bébés et même pour la ou le professionnel de la santé qui est à leur côté durant l'accouchement : d'abord on préserve l'intégrité de la mère, on préserve son intimité et celle de son couple, elle ressent le bonheur d'avoir surmonté cette épreuve, elle acquiert de la confiance en elle et en son bébé, et les liens tissés pendant la naissance sont très forts ; il y a moins de séparation mère-enfant ou père-enfant ; la mère est plus capable de s'occuper de son bébé et passe plus de temps avec lui, l'allaitement dure plus longtemps, la mère est moins sujette à la dépression post-partum, elle est plus libre de ses mouvements (moins d'épisiotomie, de forceps, de césarienne). Ce médecin constate que les bébés ont de meilleurs scores d'Apgar que ceux nés d'accouchements médicalisés, il observe de meilleures performances neurologiques au cours du premier mois de vie, ainsi qu'un état de sérénité et de confiance chez ces bébés qui pleurent moins. Il souligne la qualité de l'engagement humain lors des accouchements physiologiques, le bonheur d'avoir su accompagner, encourager la confiance[392].

Pour certaines femmes, un accouchement naturel bien vécu peut être l'occasion de reprendre contact avec leur instinct et leur intuition. Souvent, les femmes qui choisissent de donner naissance à la maison avaient précédemment accouché à l'hôpital et eu un accouchement difficile ou médicalisé. On constate par exemple dans cette étude un cas extrême, celui de Nina qui, après avoir mis au monde trois enfants chez elle, décide de suivre son instinct et d'accoucher sans assistance, atteignant pendant le travail un état méditatif et aidant elle-même son bébé à sortir, soulignant « *I was my own midwife* (j'étais ma propre sage-femme) ». Nina précise que cette dernière naissance l'a conduite à atteindre une maturité spirituelle et physique dans d'autres domaines de sa vie. Et une autre participante, Miriam, souligne que son dernier accouchement à domicile fut une expérience incroyable. Au cours de celle-ci, elle fut submergée par un sentiment très fort d'amour pour l'univers entier qui la conduisit, depuis, à approfondir une quête spirituelle fondée sur le féminin et honorant le pouvoir des femmes dans la mise au monde d'un enfant.

Plus près de nous, la sage-femme québécoise Céline Lemay[393], dans son étude sur l'accouchement à domicile au Québec, fait les constats suivants : la naissance est un acte essentiellement féminin, une ouverture, non seulement corporelle, mais une ouverture à l'autre, à l'inconnu, à soi-même et à la vie même. C'est aussi une force avec laquelle on collabore et non que l'on doit contrôler. C'est un acte qui se produit à l'intérieur de soi, jusqu'à la sortie du bébé. La naissance relève de l'instinct et est une occasion de découvrir qui l'on est vraiment, d'évoluer et de vivre un lien avec toutes les femmes ayant depuis toujours mis au leur bébé monde. C'est un événement qui modifie à jamais l'identité personnelle et sociale d'une femme.

Pour l'anthropologue et éducatrice prénatale Sheila Kitzinger, la naissance a aussi essentiellement à voir avec le pouvoir des femmes, le pouvoir féminin. Ce contact que des femmes vivent avec leur propre puissance peut s'accompagner d'un sentiment d'unité, d'un sentiment d'union entre cette naissance et le reste de la création, avec la nature. Ce sentiment de non-séparation caractérise notamment la culture orientale. Et traditionnellement, les femmes de différentes cultures ont invoqué les forces des déesses et l'énergie de toutes les femmes, de tous temps, pendant le travail et la naissance de leur bébé. Dans plusieurs cultures, comme en Namibie, tout comme Klassen[394] l'a montré à propos de certaines Américaines, les femmes accouchent seules, considérant l'accouchement comme de un rite transformation, et elles se sentent guidées par une énergie spirituelle. Ces femmes croient que leur seul ennemi est la peur. Leur accouchement est vu comme un processus important de maturation signifiant leur entrée dans la vie comme adulte responsable, productive et possédant du pouvoir.

Une occasion de dépassement exclusivement féminine

On pourrait se demander pourquoi, à une époque où paradoxalement l'on valorise beaucoup les sports extrêmes, la recherche d'expériences donnant des sensations fortes, ou permettant de se dépasser ou de transcender la douleur, on semble oublier que mettre au monde un bébé constitue une occasion unique aux femmes de vivre une expérience intense, susceptible de permettre un dépassement de soi assez unique et assez puissant, pouvant influencer le reste de la vie.

Accoucher est une expérience physique infiniment intense où tout notre être est engagé : notre corps, nos émotions, notre âme.

C'est comme courir un marathon. C'est dur, ça fait mal, on se heurte à un certain moment à un « mur », mais on passe au travers, on termine l'expérience et on en sort grandies, avec, en prime, le bébé qu'on attend depuis neuf mois. Alors si, durant le travail, vous avez l'impression que jamais vous n'y arriverez, que vous avez été folle de vouloir un AVAC, que cela fait trop mal et que vous demandiez une césarienne, souhaitons que quelqu'un vous rappelle en cet instant à quel point vous avez désiré accoucher vaginalement et qu'il ou elle vous aide à prendre les contractions une à la fois. Généralement, une femme éprouve cette réaction en transition, quand la dilatation est presque complète et que le bébé est sur le point de sortir.

À ce propos, le docteur Porreco m'explique l'entente conclue à son hôpital avec toute femme désirant un AVAC : « Nous nous entendons avec elle verbalement pour la soutenir durant le travail aussi longtemps que les indices médicaux montrent qu'elle et son bébé se portent bien et que le progrès est normal. Nous lui soulignons que les regrets qu'elle peut éprouver durant le travail sont normaux et ne signifient pas que cela va mal. Aucune femme n'est obligée de se taire durant son travail mais nous lui disons clairement que nous ne mettrons pas fin à son travail par une césarienne uniquement parce qu'elle change d'idée en route : ce n'est pas une raison valable. Nous l'encourageons à se préparer en lui indiquant des cours prénatals destinés aux femmes dans sa situation. »

On oublie souvent, dans notre société, qu'accoucher veut dire donner naissance, mettre au monde un enfant. Il y a plusieurs années, le phénomène Leboyer entraîna une prise de conscience de ce qu'était un accouchement : la naissance d'un enfant. On a mis tant d'accent sur l'accouchement naturel qu'on a parfois oublié l'enjeu de tout cela : l'enfant qui doit naître. Pour ma part, j'avoue que même si durant mes grossesses mes enfants *in utero* étaient très présents pour moi, lors de mon AVAC je n'y ai à peu près pas pensé, tellement j'ai trouvé le travail et l'expulsion intenses. C'est à peine si j'avais conscience que le bébé était en train de se frayer un passage pour sortir. Il est facile de tomber dans ce piège au cours d'un AVAC, surtout si on a dû faire plusieurs démarches pour enfin trouver un médecin ou un hôpital qui accepte. Essayons de ne pas oublier que, si important que cela puisse être dans notre vie, un accouchement n'est que le passage de notre enfant de notre ventre au monde. L'aventure se poursuit ensuite et elle sera autrement plus exigeante que les quelques heures de contractions qui nous font parfois si peur.

TÉMOIGNAGE DE MARIE-JOSÉE

Ces trois accouchements ont influencé de façon déterminante la femme que je suis aujourd'hui

Lorsque j'étais à l'université, j'ai suivi plusieurs cours portant sur la médicalisation du corps des femmes, si bien que je m'étais fait une opinion assez tranchée sur l'accouchement médicalisé. À cette époque, je ne voulais pas encore d'enfant, mais je savais déjà que je ne voudrais jamais accoucher à l'hôpital.

Lorsque nous attendions notre premier bébé, en 2001, Sébastien et moi avions décidé d'avoir recours à une sage-femme reconnue dans sa communauté, puisqu'à cette époque, il n'était pas légalement possible d'utiliser les services des maisons de naissance pour un accouchement à domicile.

Nous nous sommes préparés pour cet accouchement dans une grande innocence et avec une belle confiance en la vie. À 34 semaines de grossesse, mon médecin de famille évalue que notre bébé se présente par les fesses, et nous convenons de confirmer cela à l'aide d'une échographie. À 35 semaines, c'est confirmé: le bébé est en siège! Je continue tout de même d'avoir confiance en mon bébé, après tout, l'accouchement est encore loin! Notre sage-femme me propose l'acupuncture, l'ostéopathie, rendez-vous auxquels je me présente à plusieurs reprises pendant six jours. Malheureusement, le travail se déclenche spontanément une semaine plus tard, soit à 36 semaines, alors que le bébé est toujours en siège. Nous choisissons de nous rendre à l'hôpital Lasalle, puisqu'il est possible qu'on y respecte mon choix d'accouchement vaginal. Finalement, le bébé n'a pas le menton fléchi sur le sternum, et il est donc possible que le menton soit retenu par le col. Nous choisissons donc d'opter pour la césarienne. Même après cette déception et ce deuil d'un accouchement qui n'a pas eu lieu, je n'ai jamais eu un seul doute sur ma capacité à donner naissance, à accoucher. La rencontre avec Maxine ne s'est pas déroulée comme je l'aurais souhaité, mais je sais que la rencontre avec moi-même n'est que partie remise.

En 2003, alors que nous attendons notre deuxième bébé, la loi sur les sages-femmes ne leur permet pas d'assister les femmes ayant eu une césarienne. L'accouchement en maison de naissance est donc exclu. Comme j'ai vraiment apprécié d'avoir été reçue avec respect à Lasalle, je décide d'y retourner pour cet accouchement qui, pour moi cela ne fait aucun doute, sera un AVAC. Notre petite Lia est née le 15 décembre. Les contractions débutent vers 2 h durant la nuit. Sébastien doit se lever à 5 h pour se rendre au travail. Il me propose de rester avec moi, ce que je refuse. Avec une belle naïveté, je suis persuadée que nous n'aurons pas ce bébé avant plusieurs heures, les contractions sont vraiment très tolérables et assez espacées. De plus, cet accouchement est considéré comme un premier, ce sera donc sans doute très long. À 7 h, je suis de plus en plus certaine que ce n'est pas une fausse alerte, la douleur s'intensifie, je ne suis plus capable de parler durant les contractions… Je ne suis pas capable de faire une rôtie à ma fille de deux ans qui s'impatiente. J'appelle le père de Sébastien, Michel, pour qu'il vienne s'occuper de Maxine. Un autre bain, un peu de marche… Il est déjà près de 9 h 30. Pour moi, ce sera très long, je ne compte rien, ni les intervalles, ni la durée des contractions, je pratique le « lâcher prise » ! Michel, qui était policier, a vu plusieurs femmes accoucher, puisqu'à ses débuts, les policiers étaient aussi ambulanciers. Il me demande d'appeler Sébastien afin d'aller à l'hôpital. Je refuse en lui disant qu'on a plein de temps devant nous. Mais le 15 décembre 2003, c'est la première tempête de neige de l'année, il neige à plein ciel et il y a énormément de circulation sur les autoroutes. Nous habitons Saint-Eustache, nous sommes donc à une trentaine de minutes de Lasalle par beau temps et sans trafic. Michel me laisse aller un peu, mais pas tellement longtemps après, il me redemande d'appeler Sébastien, ce que je refuse toujours. J'ai droit à un regard sévère et, d'une voix grave, il me dit : « Écoute-moi bien, tu as des contractions aux trois minutes, qui durent plus qu'une minute. Y a une tempête. Sébas est pas arrivé, pis vous êtes pas proches d'être arrivés à Lasalle. Faque si tu l'appelles pas, moi je l'appelle. » J'appelle Sébas ! (J'avoue n'avoir eu aucune idée que j'avais des contractions aux trois minutes.) Lorsqu'il arrive à la maison, mes contractions, que je calcule un peu maintenant, sont aux deux minutes et elles sont toujours assez longues. J'hésite, nous sommes à cinq minutes de l'hôpital Saint-Eustache et, à cause de la température, à plus d'une heure de Lasalle. Sébastien insiste un peu pour aller à Saint-Eustache et je lui avoue que je ne sais pas si le bébé pourra attendre d'arriver à Lasalle. Je tranche : on va à Lasalle, parce que pour des raisons totalement irrationnelles et nébuleuses, je ne veux pas accoucher à Saint-Eustache. Je vais m'arranger pour que le bébé attende : finie, la visualisation du type « Je m'ouvre sur le passage de mon enfant » et « Mon col est une fleur ». Je vois plutôt mon col attendre et je vois mon bébé bien haut, ça semble bien marcher, les contractions s'espacent aux trois ou quatre minutes.

Nous arrivons à l'hôpital vers midi trente, le lâcher prise revient, tout va vite, les contractions se rapprochent et s'intensifient. Nous passons à la salle d'évaluation après plusieurs arrêts sur la rampe au mur. L'infirmière ne voit pas la nécessité de m'installer le moniteur pour confirmer que je suis en travail. Elle me fait un examen vaginal, mais elle ne me dit rien à propos de ses observations. En fait, cela m'importe peu, si je suis à trois centimètres, je ne serai pas déçue, mais je ne tiens pas à le savoir maintenant. Elle me demande de lui fournir un échantillon d'urine avant qu'on m'emmène dans ma chambre. Je suis incapable de faire deux pas sans avoir une contraction, cela prend une éternité pour que je lui remette mon petit pot plein. L'infirmière me propose une chaise roulante pour me conduire à ma chambre. Je refuse, je veux marcher pour faire accélérer le travail. Elle insiste, elle me dit que je pourrai marcher tant que je veux une fois rendue, mais que ce sera plus rapide en chaise. Au rythme d'une contraction aux deux pas, elle avait probablement raison, cela aurait été interminable, ma chambre était vraiment loin ! Aussitôt dans la chambre, une autre infirmière me demande si je veux l'épidurale, je lui réponds un « Non, merci » très poli. Une autre rajoute que si je la veux, c'est maintenant, parce que je suis à huit centimètres. C'est en fait de cette façon que j'ai appris que c'était presque terminé ! « Ça ne se peut pas, ça va trop vite... », je suis surprise et un peu déçue, j'ai attendu ce moment depuis si longtemps et c'est déjà presque terminé. L'infirmière qui nous est attitrée est une femme d'un certain âge qui semble froide et un peu sèche. Elle insiste à plusieurs reprises pour que Sébastien aille faire l'admission, je lui indique clairement qu'il n'ira nulle part, qu'il reste avec moi.

Comme je sens que ça pousse, l'infirmière me fait un autre examen et me dit que je suis presque à neuf centimètres. Je décide de rester quelques minutes sur le côté pour me remettre un peu, beaucoup plus de la vitesse à laquelle tout cela se déroule que de la douleur. L'infirmière sort, j'ai une autre contraction; à la suivante, je porte ma main à ma vulve et je touche le bébé: « Sébas, le bébé est là. » Il s'approche, j'ouvre les jambes, il confirme. Il part d'un pas lent et se dirige vers la porte pour avertir l'infirmière. Ils se croisent dans l'encadrement de la porte et Sébastien lui dit qu'on voit le bébé. Elle lui répond avec un air dont je me rappellerai toute ma vie: « Ben voyons Monsieur, il y deux minutes, elle n'était même pas complète! » J'ai une autre contraction, j'ouvre les jambes et je lui montre. J'avoue, avec le recul, avoir pris un certain plaisir à la voir littéralement sauter sur la cloche pour demander au médecin de se présenter sur-le-champ. Moins d'une minute plus tard, le médecin et une interne arrivent en courant. La seule phrase que je répète en boucle est: « Ça va trop vite, je ne suis pas prête. » Le médecin me demande de pousser: « Ça va trop vite, je ne suis pas prête. » Sébastien essaie de me convaincre: « Marie, t'a pas le choix, le bébé est là! » (petit couronnement). Je lui tends le bras, je veux qu'il m'aide à me relever, à m'accroupir, à me mettre sur mes pieds, je ne veux pas accoucher couchée sur le dos. « Marie, le bébé est là! » (grand couronnement). J'ai appris qu'on ne se bouge pas sans aide avec un bébé aussi proche de la sortie! Je pousse pendant deux autres contractions et le médecin me dit: « Viens chercher ton bébé. » Mon premier réflexe est que je ne suis pas capable, que je n'en ai pas envie et, en même temps, je sais que si je ne le fais pas, je vais le regretter amèrement. Je rassemble toutes les forces qui me restent et je vais chercher ma fille. Ça fait tellement de bien de la sentir hors de moi. Il est 14 h 09.

La naissance de Lia m'a permis de confirmer ce que je savais depuis longtemps: j'étais capable. Il me reste tout de même au fond de moi, pour fermer la boucle, ce désir de vivre un accouchement à domicile parce que non seulement je suis capable, mais accoucher c'est normal!

Notre petit Tommy est né le 21 juillet dernier, dans le confort de notre maison, en compagnie de nos deux filles. Puisque depuis 2005 la loi sur les sages-femmes leur permet de suivre les femmes ayant déjà eu une césarienne et puisque la question de l'assurance responsabilité pour l'accouchement à domicile est réglée, il m'est maintenant possible d'avoir recours aux services de la maison de naissance de Blainville. Lors des rencontres avec notre sage-femme, Sébastien et moi exposons clairement nos besoins, nous savons que nous pouvons nous débrouiller seuls, mais nous avons besoin d'elle si quelque chose devait aller moins bien. En d'autres mots, on veut être chez nous parce qu'on veut la paix ! Et on veut le vivre pleinement.

Quatre jours avant l'accouchement, ma grande Maxine parle au bébé et lui dit : « Tu arrives dans quatre dodos… » Et chaque jour, elle fait le décompte… et elle avait raison. Tout au long de la semaine, j'ai eu plusieurs épisodes de contractions préparatoires assez intenses. Si bien que, dans la nuit du 21, lorsque les contractions ont débuté, je me suis levée, j'ai pris un bain, j'ai mangé, ce qui avait plus ou moins fait cesser les contractions les jours précédents. Vers 5 h le matin, je fais trop de bruit, je respire trop fort, Sébastien se réveille. Les contractions sont aux trois minutes et durent environ une minute. Elles font vraiment mal, je n'ai aucun doute, ce sera aujourd'hui. À 7 h, j'appelle notre sage-femme pour lui demander de venir tranquillement. J'appelle aussi Sonia, une amie de longue date, qui a accepté de venir s'occuper des filles, qui assisteront à l'accouchement. Elles arrivent toutes deux vers 9 h 30, je suis dans le bain, de l'eau jusqu'aux oreilles, j'ai à peine le nez qui sort, la physiologie humaine m'y oblige ! Notre sage-femme est d'une discrétion indescriptible, elle est probablement dans la salle de bain depuis plusieurs minutes sans que je m'en sois rendu compte. Elle me demande si elle peut écouter le cœur du bébé. Tout est beau. Elle me demande si je veux un examen vaginal, pour elle ce n'est pas nécessaire pour confirmer que je suis en travail actif. Il n'y aura donc pas d'examen vaginal à ce moment. Je sors du bain, je me promène, je regarde par la fenêtre mes filles qui sautent sur le trampoline, il fait beau et c'est tellement calme ! Sébastien est avec moi, j'aimais beaucoup mon beau-père (que notre Tommy ne connaîtra malheureusement pas autrement que par nos souvenirs), mais j'aime tout de même mieux accoucher avec mon chum !

J'ai tellement apprécié l'incroyable respect de notre intimité de notre sage-femme, qui m'a seulement demandé à deux reprises si tout se déroulait comme je le voulais. Elle a très bien compris ce que je désirais et sa présence et sa discrétion m'ont permis de le vivre pleinement. Vers la fin de l'avant-midi, elle me demande si j'accepterais d'avoir un examen vaginal; le col est dilaté à plus de neuf centimètres. Cette fois-ci, je suis contente que ce soit presque terminé. Je sais que je n'ai jamais travaillé si fort ni eu si mal pour avoir Lia. La deuxième sage-femme arrive juste un peu avant la rupture des membranes. Sonia prépare les filles: le bébé s'en vient vraiment bientôt.

Cette fois-ci, je sais que je ne bougerai plus quand le bébé s'apprêtera à sortir. Aussitôt l'examen vaginal terminé, je m'appuie sur Sébastien qui est assis sur le divan. Cette fois-ci, je n'aurai pas mon bébé couchée sur le dos, je reste à genoux, inclinée vers l'avant (on soupçonne que le bébé n'est pas parfaitement positionné, le nez vers mon dos, je veux donc l'aider à compléter sa rotation en restant penchée vers l'avant). Lorsque les cheveux du bébé commencent à apparaître, les filles viennent nous rejoindre. Je sais qu'elles sont là, je sens qu'elles sont là, mais je ne les vois pas et elles n'ont jamais été si silencieuses de leur vie! Je suis tellement heureuse qu'elles soient avec nous, nous avons préparé cet accouchement ensemble, je sais qu'elles voulaient être présentes et, en même temps, je sais que c'est plus important pour moi qu'elles soient là que ça l'est pour elles. La poussée est douce, à notre rythme, à mon bébé et à moi. Personne ne me dit quoi faire, ni comment le faire, c'est moi qui décide et pour moi, ça n'a pas de prix. Sébastien voulait, dès notre premier accouchement, accueillir lui-même le bébé. C'est ce qui est prévu cette fois-ci. Mais à quelques minutes d'accoucher, je n'ai pas le courage de me tasser pour qu'il puisse aller accueillir le bébé. Je savais, à ce moment précis, que je serais déçue (et qu'il le serait aussi), mais je me sentais incapable de prendre l'initiative de me déplacer.

Juste avant la naissance, alors que ma vulve brûle beaucoup, je ne suis pas certaine de la progression de la tête. Mon instinct me dit qu'une bonne partie de la tête est sortie, mais en même temps, c'est comme si je ne le sentais pas. Je demande si la tête est sortie un peu, et c'est ma petite Lia qui répond vite que toute la tête est sortie. J'ai alors le courage de le confirmer en allant y toucher. J'ai trouvé très spécial de toucher toute la tête du bébé alors que, pendant quelques secondes, rien ne bougeait, que tout était simple et que ça ne faisait pas si mal que ça, à ce moment là. Après que les filles nous ont rejoints dans la chambre, le bébé est né dans les 15 ou 20 minutes suivantes, vers 13 h. Nous ne savions pas quel était le sexe du bébé, et nous avons tous été très surpris de voir un bébé garçon. Nous étions tous, Sébastien, moi, les filles, convaincus que ce serait une fille ! Maxine, à cinq ans et demi, a rapidement préféré retourner jouer avec ses amies : elle trouvait le bébé beau, mais un peu dégueulasse. J'avoue avoir oublié de leur dire et de leur montrer des bébés visqueux, alors elle s'attendait à un beau bébé propre ! Lia, à trois ans et demi, n'a même pas vu que le bébé était sale et il a tout de suite eu droit à plein de becs. Elle dit fièrement à qui veut l'entendre : « C'est moi qui ai coupé le cordon ! »

Quand nous disions, lors des rencontres prénatales, que nous voulions avoir la paix pour cet accouchement, cela pouvait sembler sec, mais ce que nous voulions, en fait, c'était être au cœur de cet événement, ne pas avoir à demander, à justifier, à argumenter sur ce que nous voulions. L'accouchement de Tommy m'a appris que j'avais beaucoup plus d'instinct que je ne le croyais (à part peut-être pour le sexe du bébé !) et cela me donne davantage confiance en moi. On apprend toujours beaucoup à travers un accouchement, les pires comme les plus beaux. L'accouchement est un rite de passage pour le bébé, mais aussi pour la mère, le père et pour la famille. Le rôle d'un rite de passage est d'apprendre sur soi-même. En ce qui me concerne, ces trois accouchements ont influencé d'une façon déterminante la femme que je suis aujourd'hui.

Note : Ce témoignage a été publié dans *MAMANzine*, Vol. 11, n°.1, septembre 2007. Bulletin d'information du Groupe MAMAN, Mouvement pour l'autonomie dans la maternité et pour l'accouchement naturel. Reproduit avec la permission de Lysane Grégoire, du Groupe Maman, et avec la permission de l'auteure du témoignage.

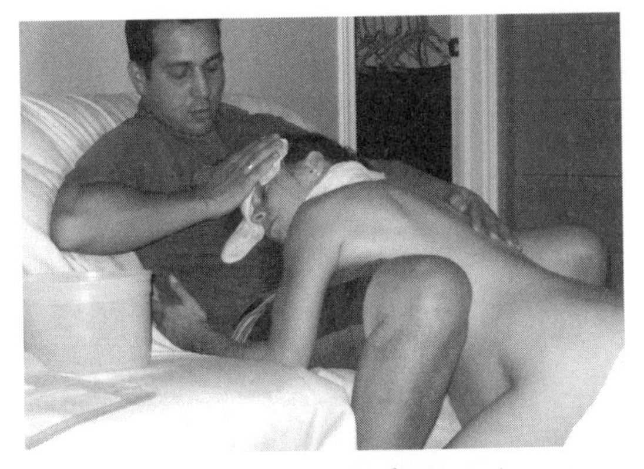

1. Marie-Josée se prépare à donner naissance.

2. Le bébé naît.

3. Je l'ai fait!

TÉMOIGNAGE DE MARIE-CLAUDE

Lorsqu'il naît, je prends mon bébé et le dépose sur mon ventre. Il pose son premier regard sur moi.

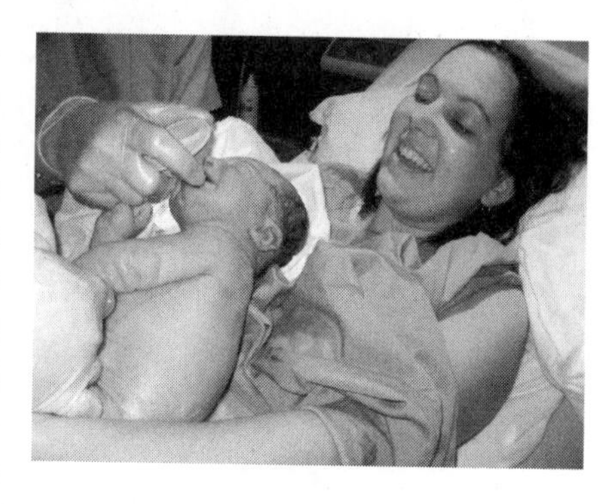

Lors de ma première grossesse, mon médecin m'informe à 32 semaines que mon bébé se présente par le siège. Après qu'on ait tenté une version à 37 semaines, j'ai finalement une césarienne en avril 2004. Ce n'est pas une surprise et j'ai eu le temps de me préparer mentalement à cette éventualité. La césarienne se passe bien. Toutefois, je trouve difficile de devoir attendre deux heures pour pouvoir prendre ma fille lorsqu'elle naît. Deux heures qui m'apparaîtront une éternité. Et je ne peux pas oublier comment, après l'opération, je ne suis pas en mesure de lui prodiguer des soins. La douleur est importante et me déplacer est difficile, l'allaitement est douloureux car aucune position n'est confortable. Je suis dépendante de mon conjoint et des infirmières.

Deuxième grossesse, deux ans plus tard. Je m'informe immédiatement si je dois avoir une autre césarienne. Mon médecin m'explique que c'est préférable en raison des risques de rupture utérine. Je me vois de nouveau clouée au lit, incapable de prendre soin de mon bébé qui viendra de naître. Je décide de m'informer, et je suis de plus en plus convaincue que je peux acoucher par voie naturelle. Mon bébé se présente bien et je ne vois alors aucune raison pour une deuxième césarienne. À chaque rendez-vous, j'en parle à mon médecin qui, chaque fois, réussit à semer le doute dans mon esprit. Elle me parle même d'un bébé qui en est décédé. J'en parle à mon entourage qui connaît mon désir et tous, sans exception, me laisseront prendre ma décision. Je pense à ça jour et nuit, je ne sais plus quoi faire. J'entame la lecture d'*Une autre césarienne ? Non merci*, et à la fin du livre, mon idée est faite et personne ne me fera changer d'idée. Je crois en ma capacité d'accoucher et je sais que le risque de complications est faible. J'informe mon médecin qui réussit pour une dernière fois à semer le doute, mais seulement quelques secondes. Je veux connaître un accouchement naturel, et comme je crois que c'est ma dernière grossesse, c'est de plus ma dernière chance.

Le 8 novembre 2006, j'arrive à l'hôpital. Il est 23 h. Je suis accompagnée de ma sœur, informée de mon intention. Nous en avons discuté souvent et elle sait que c'est toujours mon désir le plus cher. En arrivant, j'informe l'infirmière au poste que je vais tenter un AVAC. Première surprise : elle me mentionne que cela dépend du médecin de garde. Elle doit lui téléphoner à son domicile. Elle revient avec une réponse négative. Pas la nuit. J'insiste et elle le rappelle. Elle revient avec une série de conditions. Deuxième surprise : des conditions ? Je veux juste accoucher et mes contractions sont de plus en plus fortes et douloureuses. Je n'arrive plus à raisonner. J'accepte en bloc les conditions, je veux accoucher.

Minuit, on m'installe enfin dans une chambre. Et je suis alors soumise à la première condition : l'anesthésiste m'attend pour me faire l'épidurale. Puis on m'informe de la deuxième condition : je serai accompagnée d'une infirmière qui restera à mon chevet jusqu'à l'accouchement. Puis c'est la troisième condition : on m'installe le moniteur. Même si j'avais fait mes lectures et que je m'y attendais un peu, je vais de surprise en surprise. Puis le médecin arrive, pour m'expliquer le déroulement et m'informer de la quatrième condition : il ne tolérera aucune décélération du cœur de mon bébé et, surtout, la salle d'opération est prête, au cas.

Puis, nouvelle surprise, inquiétante celle-là. En effet, il consulte mon dossier et il ne trouve pas le protocole opératoire de ma césarienne. Sans cela, il ne peut me laisser accoucher naturellement. Il m'explique que je n'ai pas eu ma césarienne à cet hôpital et que, malheureusement, il n'est pas possible d'obtenir des informations de cette nature durant la nuit. J'insiste encore, tout en lui expliquant que mon médecin traitant l'avait bien obtenu, car on en avait discuté. Il voit alors dans les notes « protocole : ok ». Bon, ça va, il autorise l'accouchement. Il est environ 1 h et on me laisse enfin tranquille. Bien sûr, il y a l'infirmière, mais elle est discrète. Deux heures plus tard, je suis dilatée à 10 cm et elle va chercher le médecin. Vers 3 h

30, je commence à pousser. Lors de la deuxième poussée, les battements du cœur de mon bébé diminuent un peu. Le médecin m'informe qu'il doit absolument sortir à la prochaine poussée sinon… et il prononce le mot que je ne peux plus entendre. Il sort alors la ventouse et me fait une épisiotomie. Moi, je pousse de toutes mes forces, plus déterminée que jamais. Je sais que je vais très bientôt voir mon petit bébé. On n'a pas besoin d'utiliser la ventouse. Il est 4 h 06, mon bébé est là. Le médecin me demande de tendre les bras pour venir le chercher. Je le prends et le dépose sur mon ventre. Il pose son premier regard sur moi. Je vis les plus beaux instants de ma vie. Quelle sensation de sentir ce petit être blotti, peau à peau, contre ma poitrine. Je suis tellement fière, j'ai réussi.

Quelques heures plus tard, je me lève, je n'ai aucune douleur. Mon garçon pleure et c'est moi qui vais le chercher, j'en suis capable. Je m'installe confortablement pour l'allaiter, ça va super bien. J'ai des points et des hémorroïdes, mais après juste 24 heures, ça fait déjà moins mal. La deuxième journée, je quitte l'hôpital en très grande forme… oui, rien à voir avec mon premier accouchement.

ANNEXE I
LES RESSOURCES

Mon site web : www.helenevadeboncoeur.com

Livres

- Block, Jennifer, 2007, *Pushed – The Painful Truth About Childbirth and Modern Maternity Care*, Da Capo Press.
  Une enquête très pertinente sur la médicalisation de l'obstétrique aux États-Unis, par une une journaliste qui a co-dirigé la dernière édition de *Our Bodies, Our Selves.*
- Brabant, I., 2001, *Une naissance heureuse*, Éditions Saint-Martin.
  D'une sage-femme québécoise ayant près de 30 ans de pratique.
- Carrière, M.-J., 2007, *Le grand livre de l'accompagnement à la naissance*, Éditions Saint-Martin.
  D'une accompagnante à la naissance, tout sur le sujet.
- Grégoire, L., et St-Amant, S., (dir.), 2004, *Au cœur de la naissance – Témoignages et réflexions sur l'accouchement*, Éditions du Remue-Ménage.
  Récits d'accouchements, et textes de réflexion d'auteurs canadiens et internationaux.
- Odent, M., 2005. *Césariennes : questions, effets, enjeux – Alerte face à la banalisation*, Le Souffle d'Or, coll. « Champ d'Idées », 183 pages.
  Réflexion à la fois provocante et stimulante sur les conséquences possibles du recours de plus en plus fréquent à la césarienne pour notre société.

Films

- *The Business of Being Born*, réalisé par Abby Epstein, 2008, www.thebusinessofbeingborn.com.
  Critique de la médicalisation de l'obstétrique et comparaison avec approche plus axée sur la normalité.
- *Orgasmic Birth*, réalisé par Debra Pascali-Bonaro, 2008. www.orgasmicbirth.com.
  Documentaire sur la nature intime de l'événement qu'est la mise au monde d'un enfant, un miracle quotidien. Illustre des accouchements physiologiques.
- *Près de nous*, documentaire sur la pratique sage-femme réalisé par Sophie Bissonnette, 1997. On peut se le procurer auprès de GroupeMAMAN : www.groupemaman.org.

- *Bonjour la vie*, documentaire produit par Denis Boucher Communications Inc. www.petitmonde.com/iDoc/Fiche.asp?ID=490. On peut y voir différents types d'accouchements.

Organismes en Amérique du Nord

Québec

- Regroupement Naissance-Renaissance: www.naissance-renaissance.qc.ca Vous y trouverez beaucoup d'information, notamment sur les interventions obstétricales, ainsi que la traduction d'initiatives axées sur les besoins des femmes pendant qu'elles accouchent.
- Association pour la santé publique du Québec (ASPQ): www.aspq.org Vous y trouverez en version électronique *Le Périscoop*, bulletin où paraissent régulièrement des articles très intéressants.

Associations d'accompagnantes

- Alternative-Naissance (région de Montréal): www.alternative-naissance.ca
- Collectif des accompagnantes de Québec: www.accompagnantes.qc.ca
- Réseau québécois d'accompagnantes à la naissance: www.naissance.ca
- Birth Companions (région de Montréal, multilingue): www.montrealbirthcompanions.homestead.com
- Mère et Monde: www.mereetmonde.com
- Réseau québécois d'action pour la santé des femmes: www.rqasf.qc.ca

Regroupement d'usagères:

- Groupe MAMAN, Mouvement pour l'autonomie dans la maternité et pour l'accouchement naturel: www.groupemaman.org
- Association de professionnels de la santé:
  - Regroupement Les sages-femmes du Québec: tél. 514-738-8090
  - Association des omnipracticiens en périnatalité du Québec: www.aopq.org

Canada

- Enkin, M., Keirse, MJNC, Neilson, J., *et al.*, *A Guide to Effective Care in Pregnancy and Childbirth*. 3e éd., Oxford University Press, 2000. Ce livre est aussi disponible en version électronique sur le site web: www.childbirthconnection.org
- Réseau canadien pour la santé des femmes: www.cwhn.ca

Aux États-Unis

- Coalition for Improving Maternity Services site web www.motherfriendly.org
- Childbirth Connection: www.childbirthconnection.org
- International Cesarean Awareness Network: http://ican-online.org
- Site web sur l'AVAC: www.vbac.com

- Association for Pre and Perinatal Psychology and Health : www.birthpsychology.com

Organismes en Europe

France

- Alliance française pour l'accouchement respecté (AFAR) : http://afar.naissance.asso.fr
- Collectif intarassociatif autour de la naissance (CIANE) : www.ciane.info
- Les Dossiers de l'Obstétrique : www.elpea.fr
- Site web sur la césarienne et l'AVAC : www.cesarine.free.fr

Royaume-Uni

- Association for Improvements in the Maternity Services : www.aims.org.uk

Organismes en Amérique latine

Brésil :

- Rede Pela Humanização do Parto e Nascimento : www.rehuna.org.br
- Amigas do Parto : www.amigasdoparto.com.br
- Amigas do Parto : www.amigasdoporto.org.br

Pour en savoir un peu plus sur les médecines douces

- www.passeportsante.net

Où s'adresser pour trouver un praticien « alternatif » professionnel

- Commission des praticiens en médecine douce du Québec : www.cpmdq.com
- Syndicat professionnel des homéopathes du Québec : www.sphq.ca
- Registre des ostéopathes du Québec : www.registre.org
- Ordre des acupuncteurs du Québec : www.ordredesacupuncteurs.qc.ca
- Collège des naturopathes du Québec : www.naturopathie.com
- Ordre des chiropraticiens du Québec : www.chiropratique.com
- Association des phytothérapeutes du Québec : www.aqp-annspq.org

ANNEXE II
ACCOUCHEMENT VAGINAL ET CÉSARIENNE : COMPARAISON DES RISQUES*

Les tableaux des pages suivantes comportent la liste des risques encourus, par la mère et par le bébé, selon le type d'accouchement. Afin d'illustrer plus clairement le niveau de risques, j'ai ajouté après chaque complication possible un trait correspondant au niveau de risque encouru, tel qu'illustré dans ce qui suit :

NIVEAU DE RISQUE ET FRÉQUENCE DES ÉVÉNEMENTS

Risque très faible -	**Risque faible --**	**Risque modéré ---**	**Risque élevé ----**	**Risque très élevé -----**
Moins de 1 mère ou bébé sur un total de 10 000	1 à 9 mères ou bébés sur un total de 10 000	10 à 99 mères ou bébés sur un total de 10 000	100 à 999 mères ou bébés sur un total de 10 000	1000 à 10 000 mères ou bébés sur un total de 10 000

Inquiétudes à propos de la césarienne

Avoir une césarienne plutôt qu'un accouchement vaginal augmente le risque des problèmes suivants :

* Les tableaux qui suivent accompagnent la brochure *What Every Pregnant Woman Needs to Know About Cesarean Section*, publiée en 2006 par Childbirth Connection : www.childbirthconnection.org/cesareanbooklet/. Et la classification des risques, de très faible à très élevé, figure dans cette brochure. Traduction autorisé.

RISQUES POUR LA MÈRE AUTOUR DU MOMENT DE LA NAISSANCE	RISQUES POUR LE BÉBÉ AUTOUR DU MOMENT DE LA NAISSANCE
• Décès (- à --) • Hystérectomie d'urgence (---) • Caillots sanguins et accident vasculaire cérébral (--) • Lésions dues à la chirurgie (impossible à déterminer par la revue de littérature) • Séjour plus long en centre hospitalier (----) • Réhospitalisation plus fréquente (---) • Infection (----) • Douleur, en général et au site de l'incision (----- de douleur plus importante et persistante) • Expérience négative d'accouchement (---- à -----) • Moins de contact tôt avec son bébé (----- de ne pas voir et étreindre son bébé immédiatement) • Réaction non favorable envers le bébé (impossible à déterminer par la revue de litt.) • Dépression (selon certaines études mais pas toutes) • Traumatisme psychologique (en particulier lorsque césarienne non prévue,---- de syndrome de stress post-traumatique) • Problèmes de santé mentale et d'estime de soi (impossible à déterminer par la revue de litt.) • Difficultés à fonctionner dans la vie courante (risque impossible à déterminer par la revue de littérature)	• Coupures accidentelles dues à la chirurgie (----) • Problèmes respiratoires (--- à ----) • Ne pas être allaité (---- à -----)

RISQUES PERSISTANTS POUR LA MÈRE

- Douleurs pelviennes (risque impossible à déterminer par la revue de littérature)
- Obstruction intestinale (---)

RISQUES PERSISTANTS POUR LE BÉBÉ

- Asthme durant l'enfance et la vie adulte (----)

RISQUES FUTURS SUR LE PLAN DE LA REPRODUCTION POUR LA MÈRE

- Infertilité: vouloir devenir enceinte et ne pas y arriver (---- à -----)
- Désir d'enfants: avoir moins envie de devenir enceinte et décider de ne pas avoir d'autre enfant (----)
- Décès maternel (relié à incision – pourrait –être -)
- Grossesse ectopique (---)
- Placenta praevia (bouche le col) (--- après 1 seule césarienne, et élevé (----) après plus d'une césarienne)
- Placenta accreta (reste accroché) (---)
- Placenta abruptio (décollement) (---)
- Rupture utérine (---)

RISQUES POUR LE BÉBÉ LORS DE GROSSESSES ULTÉRIEURES

- Mort in utero ou peu après la naissance (---)
- Poids insuffisant à la naissance et naissance prématurée (impossible de préciser le risque après revue de littérature)
- Malformation (impossible de préciser le risque après revue de littérature)
- Lésion au système nerveux central (impossible de préciser le risque après revue de littérature)

Inquiétudes à propos de l'accouchement vaginal avec ventouse ou forceps

Avoir un accouchement vaginal où une ventouse ou bien un forceps aura été utilisé(e) plutôt qu'un accouchement sans une telle assistance accroît le risque des problèmes figurant au tableau suivant :

RISQUES POUR LA MÈRE

- Déchirure du périnée allant jusqu'au muscle de l'anus ou le déchirant (ventouse : ---- à -----) (forceps : -----)
- Saignement excessif (----) et transfusion sanguine (--- à ----)
- Réhospitalisation (---)
- Infection (du périnée : --- à ----) ; (de l'utérus : ----)
- Douleur dans la région vaginale (---- de douleurs au périnée)
- Expérience négative d'accouchement (----)
- Problèmes intestinaux (--- à ----)
- Incontinence urinaire (impossible à déterminer – les résultats des études sont contradictoires)
- Incontinence anale (si forceps ---- à ----- de passage de gaz ou de selles dans la période qui suit la naissance) (si ventouse risque impossible à déterminer car résultats d'études sont contradictoires)
- Hémorrhoïdes (---- à -----)
- Problèmes sexuels (----- au cours des semaines et mois suivant l'accouchement)
- Traumatisme psychologique (---- de diagnostic de syndrome de stress post-traumatique)
- Difficultés à fonctionner dans la vie courante (impossible à déterminer avec la revue de littérature)

RISQUES POUR LE BÉBÉ

- Lésion cérébrale (--)
- Autre lésion lors de la naissance (--- de lésion au corps et à la figure)

Inquiétudes à propos de l'accouchement vaginal

Avoir un accouchement vaginal plutôt qu'une césarienne accroît le risque des problèmes mentionnés dans le tableau suivant. Les différences tendent à augmenter lorsque l'accouchement est fait aux instruments (ventouse ou forceps) et à diminuer lorsqu'il s'agit d'un accouchement vaginal sans recours à ces techniques.

RISQUES POUR LA MÈRE	RISQUES POUR LE BÉBÉ
• Douleur dans la région vaginale (-----) • Incontinence urinaire (niveau difficile à déterminer avec revue de littérature) • Incontinence fécale (niveau difficile à déterminer avec revue de littérature) Dans la plupart des cas, ces problèmes sont modérés et disparaissent au cours des relevailles. Plusieurs problèmes peuvent être prévenus lorsqu'on restreint le recours à certaines pratiques (ex.: épisiotomie). Pour plus de renseignements, consulter le document *What Every Pregnant Woman Needs to Know About Cesarean Section*, p. 7 et 27-28, et pour connaître des façons de diminuer les risques (p. 13-18).	• Lésion au plexus brachial (--) Dans la plupart des cas, cette lésion disparaît peu après la naissance ou au cours des semaines qui suivent l'accouchement. Chez une petite proportion de bébés affectés, une faiblesse dans le bras persiste lorsqu'ils se lèvent.

RÉFÉRENCES

1. Institut canadien d'information sur la santé, 2007. *Donner naissance au Canada: Tendances régionales de 2000-2001 à 2005-2006 – Analyse en bref.* Ottawa.

NOUVELLE INTRODUCTION

2. Centers for Disease Control and Prevention National Center for Health Statistics, 2004.
3. Roberts, R.G., Keutchman, M., King, V.J., *et al.*, 2007. « Changing Policies on Vaginal Birth after Cesarean : Impact on Access » *Birth*, 34(4) : 316-322 ; Declercq, E.R., Sakala, C., Corry, M.P., *et al.*, 2006. *Listening to Mothers II – The Second National U.S. Survey of Women's Childbearing Experience.* New York : Childbirth Connection. Disponible sur le liste : www.childbirthconnection.org/listeningtomothers/.
4. Rioux-Soucy, L.M., 2007. « Femmes enceintes, femmes négligées » *Le Devoir*, 8-9 décembre 2007, p. A-1, A-6, A-7.
5. Institut canadien d'information sur la santé, 2004. *Donner naissance au Canada : les dispensateurs de soins.* Ottawa ; Lalonde, A., 2008. « La pénurie de ressources humaines en obstétrique au Canada est à nos portes ». *Communiqué SOGC*, avril 2008, p. 3.
6. Hueston, W.J., Lewis-Stevenson, S., 2001. « Provider Distribution and Variations in Statewide Cesarean Section Rates ». *Journal of Community Health*, 26(1) : 1-10.
7. Lacoursière, A. 2008. « Les sages-femmes auront du renfort ». *La Presse*, 1er mai 2008 ; Rioux-Soucy, L.M., 2007, *op. cit.*
8. Gagnon, A. & Waghorn, K., 1996. « Supportive Care by Maternity Nurses : A Work Sampling Study in an Intrapartum Unit ». *Birth*, 23(1) : 1-6 ; McNiven, P.E., Hodnett, E., O'Brien-Pallas, L.L., 1992. Supporting women in labor : A work sampling study of the activities of labor and delivery nurses. *Birth*, 19(1) : 3-8.
9. Hofberg, K. et Ward, M., 2003. « Fear of pregnancy and childbirth ». *Postgraduate Medical Journal* 79 :505-510 ; Wijma, K., 2003. Why focus on "fear of childbirth". *Journal of Psychosomatic Obstetrics and Gynecology*, 24(3) : 141-143.
10. Veloso, C. M., 2006. *Medication use of childbirth and unplanned cesarean sections : associations with stress and coping*, State University of New York at Stony Brook.
11. Weaver, J. J., Statham, H., et Richards, M., 2007. « Are There "Unnecessary" Cesarean Sections ? Perceptions of Women and Obstetricians About

Cesarean Sections for Nonclinical Indications», *Birth,* 34(1): 32-41; McCourt, C., Weaver, J., Statham, H., *et al.* Elective Cesarean Section and Decision Making: A Critical Review of the Literature. *Birth,* 34(1):65-79.

12. Green, J. M., Baston, H. A., 2007. «Have Women Become More Willing to Accept Obstetric Interventions and Does This Relate to Mode of Birth? Data from a Prospective Study», *Birth,* 34(1): 6-13.
13. Vadeboncœur, H., 2004. *La naissance en 2004: qu'est-ce que l'humanisation?* Association pour la santé publique du Québec. Montréal; Vadeboncœur, H., 2004. *La naissance au Québec à l'aube du troisième millénaire: de quelle humanisation parle-t-on?* Thèse de doctorat. Sciences humaines appliquées. Université de Montréal; Hivon, M., et Jimenez, V., (2006). *Perception d'une naissance et naissance d'une perception: où en sont les femmes?* Publication du centre de recherche et de formation, CSSS de la Montagne, Montréal; Hunter, N., 2008. *Mums having procedures without consent.* www.irishealth.com/index.html?level=4etid=13216.
14. Kroeger, M., et L.J. Smith, 2004, *Impact of Birthing Practices on Breastfeeding – Protecting the Mother and Baby Continuum,* Mississauga, Johns and Bartlett Publ.
15. The Coalition for Improving Maternity services, 2007. Evidence Basis for the Ten Steps of Mother-Friendly Care. *The Journal of Perinatal Education,* 16(1): Supplément. Note: on peut télécharger une copie du site web www.motherfriendly.org.
16. Lajoie, F., 2007. «Femmes libres tenues dans l'ignorance. Dossier périnatal». *L'Actualité médicale,* 28(10). 21 mars 2007. Entrevue avec la sage-femme Céline Lemay.
17. Fédération des médecins omnipraticiens du Québec, sondage SOM, 2006. Cité par Lajoie, F., 2007, *op. cit.*
18. Vadeboncœur, H., 2004. *La naissance au Québec à l'aube du troisième millénaire: de quelle humanisation parle-t-on?* Thèse de doctorat. Sciences humaines appliquées. Université de Montréal.
19. Maternity Care Working Party, 2008, *Making normal birth a reality,* Consensus Statement, The Royal College of Midwives et Royal College of Obstetricians and Gynaecologists, United Kingdom.

1 – LA CÉSARIENNE ET L'AVAC, OÙ EN EST-ON?

21. Schulman, H., directeur du département d'obstétrique et de gynécologie du Collège de médecine Albert Einstein de New York, cité par Norwood, C., 1984, *How to Avoid a Cesarean Section,* New York, Simon et Schuster, p. 11.
22. Bouchez, C., 2006, *Caesarean on Rise Despite Risks to Baby, Mom.* www.*FoxNews.com.*
23. St-Amant, S., 2006. «La construction medico-médiatique du concept de "césarienne sur demande"». *Mamanzine,* 10(1): 27-30.
24. Declercq, E. R., Sakala, C., Corry, M.P., *et al.,* 2006, *Listening to Mothers II – The Second National U.S. Survey of Women's Childbearing Experience,*

New York: Childbirth Connection. Disponible sur le site: www.childbirthconnection.org/listeningtomothers/; McCourt, C., Weaver, J., Statham, H . ,
et al., 2007, « Cesarean section and decision-making: A critical review of the literature ». *Birth*, 34(1): 65-79; Weaver, J.J., Statham, H. H., Richards, M., 2007, « Are There "Unnecessary" Cesarean Sections? Perceptions of Women and Obstetricians About Cesarean Sections for Nonclinical Indications », *Birth*, 34(1): 32-41; Turner, C.E., Young, J.M., Solomon, M.J., *et al.*, 2008, « Vaginal delivery compared with elective caesarean section: the views of pregnant women and clinicians. », *BJOG*; DOI: 10.1111/j.1471-0528.2008.01892.x.

25. *La césarienne sur demande*, Enjeux, Radio-Canada, reportage, octobre 2005.
26. Fédération internationale de gynécologie et d'obstétrique (FIGO) Committee for the Ethical Aspects of Reproduction and Women's Health: Recommendations on Ethical Issues in Obstetrics and Gynecology, Londres, 2003; Société des obstétriciens et gynécologues du Canada (SOGC), 2004, *La position de la SOGC au sujet des césariennes de convenance* – Avis de la SOGC, Ottawa, 10 mars.
27. ACOG, 2003, « New ACOG Opinion Addresses Elective Cesarean Controversy », *ACOG New Release*, 31 oct. 2003, www.acog.org.
28. ACOG, 2006, « Cesarean Delivery Associated with Increased Risk of Maternal Death from Blood Clots, Infection, Anesthesia », *ACOG News Release*, 31 août; ACOG, 2000, *Evaluation of Cesarean Delivery*, Washington, DC.
29. ACOG, 2006, News release, *Patient-Requested Cesarean Update*, Washington, DC.
30. Selon Nils Chaillet, projet Essai QUARISMA, 2006, citant Morrison, J., MacKenzie, I.Z., 2003. « Cesarean section on demand », *Semin Perinatol*, 27(1):20-33; Devendra, K., Arulkumaran, S., « Should doctors perform an elective caesarean section on request? », *Ann Acad Med Singapore*, 32(5): 577-581; Gamble, J. A., Creedy, D. K., 2000. « Women's request for cesarean section: A critique of the Literature », *Birth*, 27(4): 256-263.
31. Saisto, T., Salmela-Aro, K., Nurmi, J. E., *et al.*, 2001, « A randomized controlled trial of intervention in fear of childbirth », *Obstet Gynecol* 98(5): 820-826; Nerum, H., Halvorsen, L., Sorlie, T., *et al.*, 2006, « Maternal request for cesarean section due to fear of birth: Can it be changed through crisis-oriented counseling? » *Birth*, 33(3): 221-228.
32. Nerum, H., *et al.*, 2006, *op. cit.*
33. Rioux-Soucy, M. H., 2007, « Redonner vie à la première ligne: les obstétriciens gynécologues appellent à l'aide les médecins de famille, sages-femmes et infirmières », *Le Devoir*, 8-9 septembre 2007, p. A-7.
34. Klein, M., 1988, « Do family physicians "prevent" caesarean sections? A Canadian exploration », *Fam Med*, 20(6): 431-436.

35. Klein, M., Lloyd, I., Redman, C., *et al.*, 1983, « A comparison of low-risk pregnant women booked for delivery in two systems of care : Shared-care (consultant) and integrated general practice unit. I. Obstetrical Procedures and neonatal outcome », 1983, *Brit. J. Obst. et Gyn.* 90(2) : 118-122.
36. Selon l'Organisation pour la coopération économique et le développement (OCDE), cité dans News, 2007, *Birth*, 34(1) : 92.
37. Anonyme, 2007, « More US Women Dying in Childbirth », *CBSNews,* www.cbsnews.com/stories/2007/08/24/health/main3202083.shtml ; « Maternal Mortality rate in U.S. Highest in Decades, Experts Say », *Kaisernetwork.org*, 27 août 2007.
38. Institut canadien d'information sur la santé, 2007, *Donner naissance au Canada : Tendances régionales de 2001-2002 à 2005-2006 – Analyse en bref,* Ottawa.
39. Institut canadien d'information sur la santé, 2007, *op. cit.*
40. Affonso, D., *Impact of Cesarean Childbirth,* Philadelphie, FA Davis, p. 6.
41. Korte, D., 1998, « Infant mortality, cesarean and VBAC rates », *Mothering*, n°89, juillet-août 1998.
42. Organisation mondiale de la santé, 1985, « Appropriate technology for birth », *The Lancet*, 24 août 1985.
43. SOGC, 1986, « Sommaire de la déclaration définitive du panel de la Conférence nationale d'unanimité sur les aspects de l'accouchement par césarienne », *Bulletin de la SOGC*, mars-avril 1986, p. 8-9.
44. *ACOG Practice Bulletin* n°5, 1999, « Vaginal Birth After Cesarean ».
45. News, 2007, *Birth* 34(1) : 94.
46. Guise, J.-M., McDonagh, M., Hashima, J., *et al.*, 2003. Agency for Healthcare Research and Quality *Vaginal Birth After Cesarean (VBAC)*. Evidence Report/Technology Assessment n° 71, March 2, Chapitre 3 : Question 1, Likelihood of Vaginal Delivery.
47. Chang, J. J., Stamilio, D. F., Macones, G.A., 2008. « Effect of hospital volume on maternal outcomes in women with prior cesarean delivery undergoing trial of labor », *American Journal of Epidemiology Advanced Access*, 167(6) :711-718.
48. Roberts, R. G., Deutchman, M., King, V. J., *et al.* 2007, « Changing policies on Vaginal Birth after Cesarean : Impact on access », *Birth* 34(4) : 316-322 ; Martel, M. J., Bujold, E., Pace, P. J., 2005. « The pervading controversies of VBAC », *SOGC Conference Highlights,* p. 4. ; Avery M., « Preserving Vaginal Birth : A Call to Action ». *Journal of Midwifery and Women's Health*, 51(4) : 239-241 ; Tallarico, S. J., 2004, « The war on VBAC : taking away our options ». *Clarion*, 19(2) : 4-5.
49. Declercq, E. R., Sakala, C., Corry, M. P., *et al.* 2006, « Listening to Mothers II – The Second National U.S. Survey of Women's Childbearing Experience », New York : Childbirth Connection. Disponible sur le site : www.childbirthconnection.org/listeningtomothers/.

50. « Cesarean Section –Why Does the National U.S. Cesarean Section Rate Keeps Going Up ? » Déc. 2007, www.childbirthconnection.org/article.asp ?ck=10456.
51. *ACOG News Release*, 6 mai 2006, « Patient-Requested Cesarean Update ». www.acog.org.
52. Ponte, Wendy, 2007, « Cesareans – Why so many ? », *Mothering*, sept-oct 2007, disponible sur le site www.childbirthconnection.org.
53. McCourt, C., Weaver, J., Statham, H., *et al.* 2007, « Elective cesarean section and decision making : A critical review of the literature », *Birth* 34(1) : 65-79 ; Faundes, A., de Padua, K. S., Duarte Osis M.F., *et al.* 2004. « Opinião de mulheres e médicos brasileiros sobre a preferência pela via de parto », *Rev Saúde Pública* 38(4) : 488-494 ; Weaver, J. J., Statham, H., Richards, M., 2007, « Are there "unnecessary" cesarean sections ? Perceptions of women and obstetricians about cesarean sections for nonclinical indications », *Birth* 34(1) : 32-41.
54. Declercq, E. R., Sakala, C., Corry, M. P., *et al.*, 2006. *op. cit.*
55. Gagnon, A. J., Meier, K. M., Waghorn, K. 2007. « Continuity of nursing care and its link to cesarean birth rate », *Birth*, 34(10) : 26-31.
56. Declercq, E. R., *et al*,. 2006. *op. cit.*
57. Potter, J. E., Hopkins, K., Faúndes, A., *et al.*, 2008. « Women's autonomy and scheduled cesarean sections in Brazil : A Cautionary Tale », *Birth*, 35(1) : 33-40.
58. Gamble, J., Creedy, D., McCourt, C., *et al*, 2007, « A critique of the literature on women's request for cesarean section », *Birth*, 34(4) : 331-340.
59. Bertrán, A. P., Meridaldi, M., Lauer, J. A., *et al.*, 2007. Rates of caesarean section : analysis of global, regional and national estimates, *Paediatric and Perinatal Epidemiology*, 21 :98-113.

2 – LES RISQUES DE L'AVAC ET DE LA CÉSARIENNE

61. De Koninck, M. D. 1998, « Reflections on the transfert of "progress" : The case of reproduction », Dans Sherwin, S. (dir). *The Politics of Women's Health : Exploring Agency and Autonomy*, Philadelphia : Temple University Press, p. 150-177. Citée par Fisher, C., Hauck, Y., Fenwick, J., 2006., « How social context impacts on women's fears of childbirth : A Western Australian example », *Social Science and Medicine*, 63 : 64-75.
62. Jimenez, V., 2004. « Naissances : les intervenantes ont-elles vraiment le choix ? » Conférence annuelle de l'Association pour la santé publique du Québec, 23-30 novembre 2004. *Obstétrique et santé publique : élargir les perspectives sur la réalité de la naissance.*
63. Beckett, V. A., Regan, L., 2001, « Vaginal birth after cesarean : The european experience », *Clinical obstetrics and Gynecology*, 44 : 594-603.
64. Beckett, V. A., Regan, L., 2001, *op. cit.*
65. Flamm, B., 2001, « Vaginal birth after caeserean and the New England Journal of Medecine : A strange controversy », *Birth*, 2 8(4) : 276

66. Lieberman, E., 2001, « Risk factors for uterine rupture during a trial of labor after a cesarean section », *Clin Obstet et Gynecol,* 44 : 609-621
67. Baskett, T. F., Kieser, K.E., 2001, « A 10-year, population-based study of uterine rupture », *Obstet Gynecol,* 97(4) Suppl 1:S69.
68. Lieberman, E., Ernst, E. K., Rooks, J. P., *et al.,* 2004, « Results of a National Study of Vaginal Birth After Cesarean in Birth Centers », *Obstet Gynecol,* 104(5 Part 1) : 933- :942
69. The Coalition for Improving Maternity services, 2007, *op. cit.*
70. Hugues, W. M., 2005, *Out-of-Hospital VBAC : Assessing the Risks for Midwives,* Seattle Midwifery School.
71. Chauhan, S. P., Martin, J. N., Henrichs, C. E., *et al.* 2003, « Maternal and perinatal complications with uterine rupture in 142 075 patients who attempted vaginal birth after cesarean delivery : A review of the literature », *Am. J. Obstet. Gynecol.,* 189(2) : 408-417
72. Guise, J. M., McDonagh, M., Hashima, J., *et al.,* 2003, « Vaginal Birth After Cesarean (VBAC) », Evidence Report/Technology Assessment No. 71. Agency for Healthcare Research and Quality, March 2
73. Guise, J. M., McDonagh, M. S., Osterweil, P., *et al.,* 2004, « Systematic review of the incidence and consequences of uterine rupture in women with previuous caesarean section », *BMJ,* 329(7456) : 1-7.
74. Landon, M. B., Hauth, J. C., Leveno, K. G., *et al.* 2004, « Maternal and perinatal outcomes associated with a trial of labor after prior cesarean delivery », *NEJM,* 351(25) : 2581-2589.
75. Enkin, M., Keirse, M.J.N.C., Neilson, J., *et al., A Guide to Effective Care in Pregnancy and Childbirth,* 3rd Ed. Oxford University Press, 2000. Note : Ce livre est disponible en version électronique sur le site web : www.childbirthconnection.
76. Smith, G. C. S, Pell, J. P., Cameron, A. D., *et al.,* 2002, « Risk of perinatal death associated with labor after previous caesarean delivery in uncomplicated term pregnancies », *J Am Med Assoc,* 287:2684-2690.
77. Landon, M. B., Hauth, J. C., Kennedy, J., *et al.,* 2004, *op. cit.*
78. Goer, H., 2004. « When Research is Flawed : Is Planned VBAC Safe ? » Lamaze Institute for Normal Birth. www.lamaze.org/institute/flawed/vbac1.asp.
79. Kaczmarczyk, M., Sparén, P., Terry, P., *et al.,* 2007, « Risk factors for uterine rupture and neonatal consequences for uterine rupture : a population-based study of successive pregnancies in Sweden », *BJOG : An International Journal of Obstetrics and Gynaecology,* 114(10) : 1208-1214.
80. Buhimschi, C. S., Buhimschi, I. A., Patel, S., *et al.,* 2005. « Rupture of the uterine scar during term labour : contractility or biochemistry ? », *BJOG : An International Journal of Obstetrics and Gynaecology,* 112(1) : 38-42.
81. Bujold, E., 2006, *L'accouchement vaginal après césarienne,* Congrès annuel de la CAM : L'effet cascade pour le normal : reconquérir la confiance dans la naissance, Ottawa, 18-20 octobre 2006
82. Kwee, A., Bots, M. L., Visser, G. H. A., *et al.,* 2007. « Obstetric management and outcome of pregnancy in women with a history of caesarean section

in the Netherlands», *European Journal of Obstetrics et Gynecology and Reproductive Biology*, 132(2) : 171-176.

83. Kolderup, L., McLean, L., Grullon, K., *et al.*, 1999, « Misoprostol is more efficacious for labor induction than prostaglandin E2, but is it associated with more risk ? », *Am. J. Obstet. Gynecol*, 180(6) : 1543-1550 ; Lieberman E. 2001, *op. cit.*
84. Plaut, M. M., Schwartz, M. L., Lubarsky, S. L., 1999, « Uterine rupture associated with the use of misoprostol in the gravid patient with a previous cesarean section », *Am. J. Obstet. Gynecol*, 180(6) : 1535-1542.
85. May Gaskin, I., 2000, « Cytotec : Dangerous Experiment or Panacea ? », http ://archive.salon.com/health/feature/2000/07/11/cytotec/print.html.
86. SOGC, 1996, *Le déclenchement du travail à terme,* Déclaration n°107.
87. Anonyme, 2000, « Use of hospital discharge data to monitor uterine rupture, Massachusetts Dept of Public Health ». *MMWR Morb Mortal Wkly Rep,* 49(12) : 245-248.
88. Flamm, 2001a, « Vaginal Birth After Cesarean and the New England Journal of Medicine : A Strange Controversy », *Birth,* 28(4) :276.
89. Bujold, E., 2006, *op. cit.*
90. Brill, Y., Kingdon, S., Thomas, J., *et al.*, 2003, « The management of VBAC at term : a survey of Canadian obstetricians », *J. Obstet. Gynaecol. Can,* 25(4) : 300-310.
91. Lieberman, E. 2001. *op. cit.*
92. Leung, A., Leung, E., Paul, R., 1993, « Uterine rupture after previous caesarean delivery : maternal and fetal consequences », *Am. J. Obstet. Gynecol.*, 169 :945-950 ; Grubb, D. K., Jjos, S. L., Paul, R. H., 1996, « Latent labor with an unknown uterine scar », *Obstet Gynecol,* 88 : 351-355.
93. Macones, G. A., Peipert, J., Nelson, D. B., *et al.*, 2005, « Maternal complications with vaginal birth after cesaean delivery : a multicenter study », *Am. J. Obstet. Gynecol.*, 193(5) : 1656-1662.
94. Bujold, E., Blackwell, S. C., Gauthier, R. J., 2004, « Cervical ripening with transcervical foley catheter and the risk of uterine rupture », *Obstet. Gynecol.*, 103(1) : 18-23.
95. Declercq, E. R., Sakala, C., Corry, M. P., *et al.*, 2006, *op. cit.*
96. Blanchette, H., Blanchette, M., McCabe, J., *et al.*, 2001, « Is vaginal birth after cesarean safe ? Experience in a community hospital », *Am. J. Obstet Gynecol,* 184(7) : 1478-1484 ; Zelop, C. M., Shipp, T. D., Repke, J. T., *et al.*, 1999, « Uterine rupture during induced or augmented labor in gravid women with one prior cesarean delivery », *Am. J. Obstet. Gynecol.* 181(4) : 882-886
97. Flamm, B., 2001b, « Vaginal Birth After Cesarean (VBAC) », *Best Pract Res Clin Obstet Gynaecol,* 15(1) :81-92.
98. Bujold, E., 2006, *Prise en charge de scénarios d'AVAC,* Congrès des omnipraticiens en obstétrique, SOGC, Montréal, 17 novembre.
99. Goyet, M., Bujold, E., 2006, Society for Maternal-Fetal Medicine Jan 30-Feb 4, 2006, Miami Beach, Florida. Cité dans *Medscape OB/GYn et Women's Health,* 11(1), 2006.

100. Heffner, L. J., Elkin, E., Fretts, R. C., 2003, « Impact of labor induction, gestational age, and maternal age on caesarean delivery rates », *Obstetrics and Gynecology*, 102(2) : 287-293.
101. The Coalition for Improving Maternity Services, 2007, *op. cit.*
102. Flamm, B., 2001b, *op. cit*; Lieberman, E., 2001, *op. cit.*
103. Shipp, T. D., Zelop, C. M., Repke, J. T., *et al.*, 1999, « Intrapartum uterine rupture and dehiscence in patients with a prior lower uterine segment vertical and transverse incision », *Obstet Gynecol*, 94(5 Pt 1) :735-740 ; Naef, R. W. 3rd, Ray, M. A., Chauhan, S.P., *et al.*, 1995, *Am. J. Obstet Gynecol.*, 172(6) :1666-1673.
104. Rosen, M. G., Dickinson, J. C., Westhoff, C. L., 1991, « Vaginal birth after caesarean section : a meta-analysis of morbidity and mortality », *Obstet Gynecol*, 77 : 465-470 ; Flamm, B., 2001a, *op. cit.*
105. SOGC, 2005, « Directive clinique sur l'accouchement vaginal chez les patientes ayant déja subi une césarienne », n°155.
106. Flamm, B., 2001b, *op. cit.*
107. Durnwald, D., Mercer, B., 2003, « Uterine rupture, perioperative and perinatal morbidity after single-layer and double-layer closure at cesarean delivery », *Am. J. Obstet. Gynecol.*, 189(4) :925-929
108. Koppel, E., Struzyk, B., Zbieszczyk, J., 1983, « Cesarean section using single-layer tansisthmic uterine sutures », *Zentralbl Gynakol*, 105(23) : 1522-1525
109. Durnwald, D. et B Mercer, 2003, *op. cit.*
110. The Coalition for Improving Maternity services, 2007, *op. cit.*
111. Enkin, M.W., Wilkinson, C., 2000, « Single versus two layer suturing for closing the uterine incision at caesarean section », *Cochrane Database Syst Rev* 2000 (2) : CD000192 Cochrane Library Issue 2, Oxford, 2001 ; Bujold, E. ; Bujold, C. et Gauthier, R. J., 2001, *Uterine rupture during a trial of labor after a one versus two-layer closure of a low transverse cesarean*, Abstracts of the 2001 21st annual meeting of the Society for Maternal-Fetal Medicine, *Am. J. Obstet Gynecol*, 2001, 184 (suppl) : S18 ; Cheung, V.Y.T., 2005, « Sonographic measurement of the lower uterine segment thickness in women with previous caesarean section », *Journal of Obstetrics and Gynecology Canada*, 27(7) :674-681 ; Sen, S., Malik, S., Salhan, S., 2004, « Ultrasonographic evaluation of lower uterine segment thickness in patients of previous caesarean section », *International Journal of Gynecology and Obstetrics*, 87(3) : 215-219.
112. Bujold, E., *et al.* 2005, « Single versus double layer closure and the risk of uterine rupture », *Am. J. Obstet. Gynecol.*, 193 : S20.
113. National Perinatal Epidemiology Unit, United Kingdom, 2006. CAESARean Section Surgical Techniques. www.npeu.ox.ac.uk/caesar.
114. SOGC, 2005, « Directive clinique sur l'accouchement vaginal chez les patientes ayant déja subi une césarienne », n°155.
115. Anonyme, 2004, « SOGC does about face with new VBAC guidelines », *Clarion*, 19(3) : 1.

116. Carr, C. A., Burkhardt, P., Avery, M., 2002, « Vaginal Birth After Cesarean Birth : A National Survey of U.S. Midwifery Practice », *Journal of Midwifery et Women's Health*, 47(5) :347-352.
117. Leung, A., *et al.* 1993. *op. cit.* ; Wagner, M., 2001, « What every midwife should know about ACOG and VBAC : Critique of ACOG, Practice Bulletin n°5 », juillet 1999. www.midwiferytoday.com/articles/acog.asp.
118. Collège des médecins de famille du Canada et Société des obstétriciens et gynécologues du Canada, 1997, *Énoncé de principe conjoint sur les soins maternels en milieu rural,* Comité sur les soins maternels.
119. Thompson, S., 2003, VBAC litigation paranoia, *The Female Patient,* www.femalepatient.com.
120. Hugues, W. M., 2005, *Out-of-Hospital VBAC : Assessing the Risks for Midwives,* Seattle Midwifery School.
121. C'est l'idée que je développe aussi dans le chapitre du livre *Evidence-Based Midwifery,* sous la direction de Munro, J., et H. Spiby (à paraître en 2008), « Is there a link between the VBAC decline since the 2nd half of the 90s and scientific studies on the risks of VBAC ? » aux éditions Blackwell Publishing, Royaume-Uni.
122. Zinberg, S., 2000, « Recommandation on VBAC Based on Risk of Uterine Rupture », Wash. DC, *ACOG Today,* Avril 2000 : 2.
123. Me J.-P. Ménard, 2007, avocat en droit de la santé, communication personnelle avec l'auteure.
124. Dr H. Rousseau, 2003, communication personnelle avec l'auteure.
125. Perreault, M., 2007, « Le monitoring foetal pas facile à remplacer », *La Presse*, 11 février 2007.
126. Wagner, M., 2001, « What every midwife should know about ACOG and VBAC : Critique of ACOG Practice Bulletin n°5 », juillet 1999, www.midwiferytoday.com/articles/acog.asp
127. Ministère de la Santé et des Services sociaux, 1993, *La Politique de périnatalité,* Québec. Note : Une nouvelle politique est censée paraître à l'été 2008.
128. Liste de discussion d'intervenant-e-s en obstétrique, 2008.
129. The American Academy of Family Physicians, 2005, *Trial of Labour After Caesarean* (TOLAC). Formerly *Trial of Labor Versus Elective Repeat Caesarean Section for the Woman with a Previous Caesarean Section : A review of the evidence and recommendations,* American Academy of Family Physicians
130. Janssen, P. A., Ryan, E. M., Etches, D.J., *et al.*, 2007, « Outcomes of Planned Hospital Birth Attended by Midwives Compared with Physicians in British Columbia », *Birth,* 34(2) : 140-147 ; Blais, R., Joubert, P., Collin, J., *et al.*, 1998. « Que nous apprend l'évaluation des projets-pilotes de la pratique des sages-femmes », *Interface* 19(3) :26-37.
131. Johnson, K. C., Daviss, B. A., 2005, « Outcomes of planned home births with certified professionnel midwives : large prospective study in North America », *British Medical Journal,* 330(7505) : 1416-1427.

132. Albers, L. L., 2005, « Safety of VBACs in Birth Centers : Choices and Risks », *Birth,* 32(3) : 229-231.
133. Avery, M. D., Carr, C. A., Burkhardt, P., 2004, « Vaginal birth after caesarean section : a pilot study of outcomes in women receiving midwifery care », *Journal of Midwifery and Women's Health,* 49(2) : 113-117.
134. Amelink-Vergurg, M. P., Verloove-Vanhorick. S. P., Hakkenberg, R. M. A., *et al.,* 2007. « Evaluation of 280 000 cases in Dutch midwifery practices : a descriptive study », *BJOG,* 2008 115 : 570-578.
135. Health Canada, 2004, *Special Report on Maternal Mortality and Severe Morbidity in Canada,* Maternal Health study Group of the Canadian Perinatal surveillance System.
136. Turner, L. A., Cyr, M., Kinch, R. A. H., *et al.,* 2002, « Underreporting of maternal mortality in Canada : A question of definition », *Chronic Diseases in Canada,* 23(1).
137. SOGC, 2007, « Mid-Trimester Amniocentesis Fetal Loss Rate. Committee Opinion », *Journal of Obstetrics and Gynecology Canada,* n°194, p. 586-590. Note : une étude récente montre que le risque de fausse-couche de l'amniocentèse est de 0,06 % : Eddleman, K. A., Malone, F. D., Sullivan, L., *et al.,* « Pregnancy loss rates after midtrimester amniocentesis ». *Obstet Gynecol.,* 108 :1067-1072. Toutefois, les études antérieures montraient un risque plus élevé, du même ordre que le risque de rupture utérine pour un AVAC.
138. Enkin, M., Keirse, MJNC., Neilson, J., *et al.,* 2000, *A Guide to Effective Care in Pregnancy and Childbirth,* 3rd Ed. Oxford University Press, 2000. Note : Ce livre est disponible en version électronique sur le site web : www.childbirthconnection.
139. Dauphin, F., 2003, « Les mythes de l'accouchement », *Les Dossiers de l'Obstétrique,* n°317, p. 21 -22.
140. Chaillet N, Dumont A.,2007, « Evidence-Based Strategie for Reducing Cesarean Section Rates : A Meta-Analysis », *Birth,* 34(1) : 53-64.
141. Pare, E., Quinones, J. N., Macones, G. A., 2006, « Vaginal birth after caesarean section versus elective repeat caesarean section : assessment of maternal downstream health outcomes », *BJOG : An International Journal of Obstetrics and Gynaecology,* 113(1) : 75-85 ; Cohain, J. S., 2006, « Vaginal birth after caesarean section : Seeing the bigger picture », *British Journal of Midwifery,* 14(7) : 424-426.
142. Morales, K. J., Gordon, M. C., Bates, G. W. Jr., 2007, « Postcesarean delivery adhesions associated with delayed delivery of infant ». *Am J Obstet Gynecol,* 196(5) :461-466.
143. Declercq, E., Cunningham, D. K., Johnson, C., *et al.,* 2008. « Mothers' Reports of Postpartum Pain Associated with Vaginal and Cesarean Deliveries : Results of a National Survey », *Birth,* 35(1) : 16-24.
144. Wen, S. W., Rusen, I. D., Walker, M., *et al.,* 2004. « Comparison of maternal mortality and morbidity between trial of labor and elective caesarean

section among women with previous caesarean delivery», *American Journal of Obstetrics and Gynecology*, 191(4): 1263-1269.
145. Agence de la santé publique du Canada, 2004, *Rapport spécial sur la mortalité maternelle et la morbidité maternelle grave au Canada – Surveillance accrue: voie de la prévention*, Ottawa.
146. Minino, A. M., Heron, M. P., Murphy, S. L. *et al.*, 2007, «Deaths: Final Data for 2004», *National Vital Statistics Reports*, 55(19), 21 août.
147. Merialdi, M., 2005, «As novas pesquisas da OMS sobre cesariana. II Conferência International sobre Humanização do Parto et Nascimento», Rio de Janeiro, RJ, Brésil; Villar, J., Valladeres. E., Wojdyla, D., *et al.*, 2006. «Caesarean delivery rates and pregnancy outcomes: the 2005 WHO global survey on maternal and perinatal health in Latin America», *The Lancet* 367(9525):1819-1829.
148. Hall, M. H., Bewley, S., 1999, «Maternal mortality and mode of delivery», *The Lancet*, 354:776.
149. Ramos, G.J.L., *et al.*, 2003, «Morte maternal em hospital terciario do Rio Grande do Sul – Brasil: um estudo de 20 anos», *Re. Bras. Ginecol. Obstet.* 25(6):431-436. Cité par Diniz, S. G. et Duarte, A. C., 2004, *Parto normal ou casarea? O que toda mulher deve saber (e todo homem também)*. São Paulo, Editora UNESP.
150. Office of the Chief Coroner, 2006, *Second Annual Report – Maternal and Perinatal Death Review Committee*, Toronto, Ontario.
151. Enkin, M., Keirse, M.J.N.C., Neilson, J., *et al.*, 2000, *A Guide to Effective Care in Pregnancy and Childbirth*, 3rd Ed., Oxford University Press, 2000. Note: Ce livre est disponible en version électronique sur le site web: www.childbirthconnection.
152. Liu, S., Liston, R. M., Joseph, K. S., *et al.*, 2007, «Maternal mortality and severe morbidity associated with low-risk planned caesarean delivery versus planned vaginal delivery at term», *Canadian Medical Association Journal*, 176(4): 455-476.
153. Santé Canada, 2004, Système canadien de surveillance périnatale. *Rapport spécial sur la mortalité maternelle et la morbidité maternelle grave au Canada*, www.phac-aspc.gc.ca/rhs-ssg.
154. Kramer, M. S., Rouleau, J., Baskett, T. F., *et al.*, 2006, «Amniotic-fluid embolism and medical induction of labour: a retrospective, population based cohort study», *The Lancet*, 368(9545): 1444-1448.
155. Wen, S.H., Rusen I.D., Walker, M., *et al.* 2004, «Comparison of maternal mortality and morbidity between trial of labor and elective caesarean section among women with previous caesarean delivery», *American Journal of Obstetrics and Gynecology*, 191(4): 1263-1269; The Coalition for Improving Maternity Services, 2007, *op. cit.*
156. Villar, J., Valladeres, E., Wojdyla, D., *et al.*, 2006, «Caesarean delivery rates and pregnancy outcomes: the 2005 WHO global survey on maternal and perinatal health in Latin America», *The Lancet*, 367(9525):1819-1829.

157. Bertrán, A.P., Meridaldi, M., Lauer, J.A., *et al.*, 2007, « Rates of caesarean section : analysis of global, regional and national estimates ». *Paediatric and Perinatal Epidemiology*, 21 : 98-113.
158. Otamiri, G., Berg, G., Leden, T., *et al.*, 1991, « Delayed neurological adaptation in infants delivered by elective caesarean section and the relation to catecholamine levels », *Early Human Dev* 26 :51-60 ; Nissen, E., Uvnas-Moberg, K., Svensson, K.. *et al.*, 1996, « Different patterns of oxytocin prolactin but not cortisol release during breastfeeding of women delivered by caesarean section or by the vaginal route », *Early Hum Dev* 45 :103-118 ; Rowe-Murray, H., et Fisher, J., 2001, « Operative intervention in delivery is associated with compromised early mother-infant interaction », *Br J Obstet gynecol*, 108 :1068-1075. Études citées par Kroeger, M., et Smith, L., 2004, *Impact of Birthing Practices on Breastfeeding – Protecting the Mother and Baby Continuum*, Johns and Bartlett.
159. Ananth, C.V., Smulian, J.C., Vintzileos, A.M., 1997, « The association of placenta previa with history of cesarean delivery and abortion : a metaanalysis », *Am J Obstet Gynecol*, 177(5) : 1071-1078 ; Grobman, W.A., Gersnoviez, R., Landon, M.B., 2007, « Pregnancy Outcomes for Women With Placenta Previa in Relation to the Number of Prior Cesarean Deliveries », *Obstetrics et Gynecology*, 110(6) : 1249-1255.
160. Kirn, T.F., 2001, « Cesarean Rate Portends Rise in Placenta Accreta », *Ob Gyn News*. March 1, 36(5) : 23.
161. MacDorman, M.F., Declercq, E., Menacker, F., *et al.*, 2008, « Neonatal Mortality for Primary Cesarean and Vaginal Births to Low-Risk Women : Application of an "Intention-to-Treat" Model », *Birth* 35 (1) : 3-8.
162. Hansen, A.K., Wisborg, K., Uldbjerg, N., *et al.*, 2007, « Risk of respiratory morbidity in term infants delivered by elective caesarean section : cohort study », *British Medical Journal*, 11 décembre 2007, http ://www.bmj.com/cgi/content/full/bmj.39405.539282.BEvl.
163. Richardson, B.S., Czikk, M.J., daSylva, O., *et al.*, 2005, « The impact of labor at term on mesures of neonatal outcomes », *Am. J. Obst. Gynecol.* 192(1) :219-226.
164. Zweifler, J., Garza, A., Hugues, S., *et al.*, 2006, « Vaginal Birth AfterCaesarean in California – Before and After a Change in Guidelines ». *Annals of Family Medicine*, 4 :228-234.
165. Madar, J., Richmond, S., Hey, E., 1999, « Surfactant-deficient respiratory distress after elective delivery at « term », *Acta Paediatr* 88 : 1244-1248 ; DeNoon D.J., 2007, « C-Section Before 39th Week Ups Baby Breathing Problems », *WebMD Medical News*, à propos d'une étude danoise de l'hôpital universitaire d'Aarhus : Hansen, A.K., Wisborg, K., Uldbjerg, N., *et al.*, 2007, *op. cit.*
166. The Childbirth Connection, 2004, *What Every Woman Needs to Know About Cesarean Section*, www.childbirthconnection.org.
167. Silva, A.A., Lamy-Filho, F., Alves, M.T., 1998, « Trends in low birth weight :

a comparison of two birth cohorts separated by a 15-year interval in Ribeirão Preto, Brazil», *Bull World Health Organ* 76(1) : 73-84. Cité par Diniz, S.G., et Duarte, A.C., 2004, *Parto normal ou cesarea ? O que toda mulher deve saber (e todo homem também)*, São Paulo, Editora UNESP.

168. Levine, E.M., Ghai, V., Barton, J.J., *et al.*, 2001, « Mode of Delivery and Risk of Respiratory Diseases in Newborns », *Obstetrics and Gynecology*, 97(3) : 439-442.
169. Villar, J., Valladeres, E., Wojdyla, D., *et al.*, 2006. « Caesarean delivery rates and pregnancy outcomes : the 2005 WHO global survey on maternal and perinatal health in Latin America », *The Lancet*, 367(9525) :1819-1829.
170. Gerten, K.A., Coonrod, D.V., Bay, R.C., *et al.*, 2005. « Cesarean delivery and respiratory distress syndrome : does labor make a difference » ? *Am. J. Obstet. Gynecol.*, 193(3), partie 2 : 1061-1064.
171. Kapla, M., « Caesarian sections may increase asthma risk ». *Nature* (on-line, 29 oct. 2007) ; Sullivan MG, 2003. « Asthma associated with planned cesarean - Large Retrospective Study ». *Ob/Gyn News*, 15 mai 2003.
172. The Coalition for Improving Maternity Services, 2007. *op. cit.*
173. Childbirth Connection, 2004 ; Smith, G.C.S., Pelle, J.P., Dobbie, R., 2003, « Caesarean section and risk of unexplained stillbirth in subsequent pregnancy », *The Lancet*, 362(29) : 1779-1784.
174. Smith, G.C.S., Pell, J.P., Dobbie, R., 2004, *op. cit.*
175. Tollanes, M.C., Melve, K.K., Irgens, L.M., *et al.*, 2007, « Reduced Fertility After Cesarean Delivery : A Maternal Choice », *Obstetrics et Gynecology*, 110(6) : 1256-1263.
176. DeNoon, D.J., 2007, « C-Section Before 39th Week Ups Baby Breathing Problems », *WebMD Medical News*, 11 déc. 2007. À propos de l'étude danoise publiée : Hansen, A.K., Wisborg, K., Uldbjerg, N., *et al.*, 2007. *op. cit.*
177. Lagercrantz, H., et T.A. Slotkin, 1986. « The stress of being born ». *Scientific American*, 254(4) : 100-107.
178. Heritage, C.K., Cunningham, M.D., 1985, « Association of elective repeat cesarean delivery and persistent pumonary hypertension of the newborn », *Am. J. Obstet Gynecol*, 152 :726-729 ; Leder, M.E., Hirschfeld, S., Faranoff, A., 1980, « Persistent fetal circulation : An epidemiologic study », *Pediatr Res*, 14 :490 ; Reece, E.A., Moya, F., Yazigo, R., *et al.*, 1987. « Persistent pulmonary hypertension : Assessment of perinatal risk factors », *Obstet Gynecol*, 70 :697-700.
179. Sulyok, L., et Csaba, L.F., 1986, « Elective repeat cesarean delivery and persistent pulmonary hypertension of the newborn, *Am. J. Obstet Gynecol*, 155 :687-688.
180. Choquet, J., 2007, *Primum non nocere, impact des interventions obstétricales sur l'allaitement*, Journée Programme périnatalité petite enfance, CSSS de la Pommeraie, Cowansville.
181. Choquet, J., 2007, *op. cit.*

182. Hansen, A.K., Wisborg, K., Uldbjerg, N., *et al.*, 2007, *op. cit.*
183. Richardson, B., Czikk, M.J., da Silva, O., *et al*,. 2005, « The impact of labor at term on measures of netonatal outcome », *Am. J. Obstet. Gynecol.*, 192:219-226.
184. Morrison, J.J., Rennie, J.M., Milton, P., 2005, « Neonatal respiratory morbidity and mode of delivery at term: influence of timing of elective caesarean section », *BJOG*, 102: 101-106.
185. Madar, J., Richmond, J., Hey, K., 1999, « Surfactant-deficient respiratory distress after elective delivery at 'term' », *Acta Paediatr*, 88(11):1244-1248.

4 - UN AVAC OU UNE AUTRE CÉSARIENNE?

187. The Coalition for Improving Maternity Services, 2007, « Evidence Basis for the Ten Steps of Mother-Friendly Care », *The Journal of Perinatal Education – Advancing Normal Birth*, 16(1) Suppl.
188. Leeman, L.M., et Plante, L.A., 2006, « Patient-Choice Vaginal Delivery » ? *Annals of Family Medicine*, 4(3): 465-268; Jukelevics, N., 2004, « Once a cesarean, always a cesarean: the sorry state of birth choices in America ». *Mothering*, N°123: 46-55.
189. Levine, E.M., Ghai, V., Barton, J.J., *et al.*, 2001, « Mode of Delivery and Risk of Respiratory Diseases in Newborns », *Obstetrics and Gynecology*, 97(3): 439-442.
190. Ribeyron, T., 1991, La plus belle histoire de peau », *Guide-Ressources*, p.21-27.
191. Christensson, K., Cabrera, T., Christensson, E., *et al.*, 1995. « Separation distress call in the human neonate in the absence of maternal body contact », *Acta Paediatr*, 84(5):468-473; Michelsson, K., Christensson, K., Rothganger, H., *et al.*, 1996, « Crying in separated and non-separated newborns: sound spectrographic analysis », *Acta Paediatr*, 85(4): 858-865. Cités par Le Brenn, C., 2007, « Les soins administrés à la naissance au nouveau-né présumé bien portant sont-ils tous pertinents » ? *Les Dossiers de l'Obstétrique*, 364: 21-24.
192. Widstrom, A.M., *et al.*, 1990, « Shorterm effects of early suckling and touch of the nipple on maternal behaviour », *Early human development*. 21:153-163. Cité par Le Brenn, 2007, *op. cit.*
193. Widstrom, A.M., *et al.*, 1990, *op. cit.*; Nissen, E.E., Lilia, G., Widstrom, A., *et al.*, 1995, « Elevation of oxytocin levels early postpartum in women ». *Acta Obstet Gynecol Scand*, 74(7): 530-533. Cités par Le Brenn, 2007, op.cit.
194. Dr Gremmo-Feger, 2004, *L'accueil du nouveau-né en salle de naissance: les dogmes revisités*, XXIXe Journées niçoises de pédiatrie, 2 octobre. Cité par Le Brenn, 2007, *op. cit.*
195. Finigan, V., Davies, S., 2004, « « I just wanted to love, hold him forever »: women's lived experience of skin-to-skin contact with their baby immediately after birth », *Evidence Based Midwifery*, 2(2): 59-65; Feldman, R., Weller, A.; Zagoory-Sharon, O., *et al.*, 2007, *Psychological Science*, 18(11): 965-970.

196. Le Brenn, C., 2007, *op. cit.*
197. Widstrom, A.M., Ransio-Arvidson, A.B., Christensson, A.B., *et al.*, 1987, « Gastric suction in healthy newborn infants Effects on circulation and developing feeding behaviour, *Acta Paediatr Scand*, 76(4) : 566-572 ; Richard, L., Alade, O.M., 1990, « Effects of delivery room routines on success of first feed », *The Lancet*, 336 :1105-1107 ; Janson, U.M., *et al.*, 1995, « The effects of medically-oriented labour ward routines on prefeeding behaviour and body temperature in newborn infants », *J. Trop Pediatrics*, 41 : 360-363. Cité par Le Brenn, 2007, *op. cit.*
198. Kroeger, M., et Smith, L., 2004, *Impact of Birthing Practices on Breastfeeding – Protecting the Mother and Baby Continuum*, Johns and Bartlett.
199. Erlandsson, K., Dsilna, A., Fagerberg, I., *et al.*, 2007, « Skin-to-Skin Care with the Father after Cesarean Birth and Its Effect on Newborn Crying and Prefeeding Behavior », *Birth* 34(2) : 105-113.
200. Farnworth, A., Pearson, P.H., 2007, « Choosing mode of delivery after previous caesarean birth », *British Journal of Midwifery*, 15(4) : 188, 190, 192-194 ; Eden, K.B., Hashima, J.N., Osterweil P., 2004, « Childbirth preferences after caesarean birth : a review of the evidence », *Birth* 31(1) : 49-60.
201. McClain, C.S., 1985, « Why women choose trial of labor or repeat caesarean section », *Journal of Family Practice*, 21(3) : 210-216.
202. Moffat, M.A.Q., Bell, J.S., Porter, M.A., *et al.*, 2007. « Decision making about mode of delivery among pregnant women who have previously had a caesarean section : a qualitative study », *BJOG : An International Journal of obstetrics and Gynaecology*, 114(1) : 86-93.
203. Meddings, F., Philipps, F.M., Haith-Cooper, M., *et al.* 2007, « Vaginal birth after caesarean section (VBAC) : exploring women's perceptions », *Journal of Clinical Nursing*, 16(1) : 160-167.
204. Moffat, M.A.Q., Bell, J.S., Porter, M.A., *et al.*, 2007, *op. cit.*
205. Koelker, K., 1981, *Vaginal Birth After Cesarean*, The Penny Press, p. 2.
206. Mehlan, G., 1986, « Cesarean rate criticized at Chicago Conference », *C/Sec Newsletter*, 12(4) : 3.
207. Johnson, S.R., *et al.*, 1986, « Obstetric decision-making : responses to patients who request a cesarean delivery », *Obstetrics and Gynecology*, 67(6) :850.
208. Lajoie, F., 2007, « Se faire materner en toute autonomie - Dossier périnatalité », *L'Actualité médicale*, 28(11).
209. Belizan, J.M., Althabe, F., Barros, F.C., *et al.*, 1999, « Rates and implications of cesarean sections in Latin America : Ecological study », *British Medical Journal*, 319 : 1397-1400.
210. Glezerman, M., 2006, « Five years to the Term Breech Trial : the rise and fall on a randomized controlled trial », *Am J Obstet Gynecol*, 194(1) :20-25 ; Vendittelli, F., Pons, J.C., Lemery, D., *et al.*, 2006, « The term breech presentation : neonatal results and obstetric practices in France », *European Journal of Obstetrics and Gynecology and Reproductive Biology*, 125(2) : 176-184.

211. Hannah, M.E., Whyte, H., Hannah, A.W.J., *et al.*, 2004, « Maternal outcomes at 2 years after planned caesarean section versus planned vaginal birth for breech presentation at term : The international randomized Term Breech Trial », *Am J Obstet Gynec,* 191 : 917-927.
212. Cesario, S.K., 2004, « Reevaluation of Friedman's Labor Curve : a pilot study », *J. Obstet. Gynecol. Neonatal Nurs.*, 33(6) : 713-722.
213. Vercoustre, L., Roman, H., 2006, « Essai de travail en cas de césarienne antérieure – Revue de la littérature », *J. Gynecol Obstet Biol Reprod,* 35 : 35-45.
214. Lieberman, E., Ernst, E.K., Rooks, J.P., *et al.*, 2004, « Results of a National Study of Vaginal Birth After Cesarean in Birth Centers », *Obstet Gynecol,* 104(5 Part 1) : 933-942.
215. Guise, J.-M., McDonagh, M., Hashima, J., *et al.*, 2003, *Vaginal Birth After Cesarean (VBAC),* Evidence Report/Technology Assessment No. 71, Agency for Healthcare Research and Quality, March 2.
216. Moffat, M.A.Q., Bell, J.S., Porter, M.A., *et al.*, 2007, « Decision making about mode of delivery among pregnant women who have previously had a caesarean section : a qualitative study, *BJOG : An International Journal of obstetrics and Gynaecology,* 114(1) : 86-93.
217. Mercer, B.M., Gilbert, S., Landon, M.B., 2008, « Labor outcomes With Increasing Number of Prior Vaginal Births After Cesarean Delivery », *Obstetrics and Gynecology,* 111 : 285-291.
218. Lieberman, E., Ernst, E.K., Rooks, J.P., *et al.*, 2004. *op. cit.* ; Lieberman, E., 2001, « Risk factors for uterine rupture during a trial of labor after a cesarean section », *Clin Obstet et Gynecol,* 44 : 609-621 ; Flamm, B., 2001, « Vaginal Birth After Cesarean (VBAC) », *Best Pract Res Clin Obstet Gynaecol,* 15(1) :81-92 ; Landon, M.B., Spong, C.Y., Thom, E., *et al.*, 2006, « Risk of uterine rupture with a trial of labor in women with multiple and single prior caesarean delivery », *Obstetrics and Gynecology,* 108(1) : 12-20 ; Brill, Y., Windrim, R., 2003, « Vaginal birth after Caesarean section : review of antenatal predictors of success », *J Obstet Gynaecol Can,* 25(4) : 275-286.
219. Bujold, E., Mehta, S.H., Bujold, C., *et al.*, 2002, « Interdelivery interval and uterine rupture », *Am J Obtet Gynecol,* 187(5) : 1199-1202 ; Stamilio, D.M., DeFranco, E., Paré, E., *et al.*, 2007, « Short interpregnancy interval : risk of uterine rupture and complications of vaginal birth after cesarean delivery », *Obstet Gynecol,* 110(5) : 1075-1082 ; Auteur inconnu, cité dans Medscape Today Highlights of SMFM, 2006, « Cesarean Delivery » : www.medscape.com/viewarticle/523612_2
220. Mercer, B.M., Gilber,t S., Landon, M.B., *et al.*, 2008, « Labor Outcomes With Increasing Number of Prior Vaginal Births After Cesarean Delivery », *Obstetrics and Gynecology,* 111 :285-291 ; Lieberman, E., 2001, *op. cit.* ; Shimonovitz, S., Botosneano, A., Hochner-Celnikier, D., 2000, « Successful first vaginal birth after Cesarean section : a predictor of reduced risk for uterine rupture in subsequent deliveries », *Indian Med Assoc J,* 2 : 526-528 ;

Zelop, C.M., Shipp, T.D., Repke, J.T., *et al.*, 1999, « Uterine rupture during induced or augmented labor in gravid women with one prior cesarean delivery », *Am. J. Obstet. Gynecol.*, 181(4) : 882-886 ; Leung, A., Leung, E., Paul R., 1993, « Uterine rupture after previous caesarean delivery : maternal and fetal consequences », *Am. J. Obstet. Gynecol.*, 169 :945-950 ; Cahill, A.G., Stamilio, D.M., Odibo, A.O., *et al.*, 2006. « Is vaginal birth after caesarean (VBAC) or elective repeat caesarean safer in women with a prior vaginal delivery » ? *American Journal of Obstetrics and Gynecology*, 195(4) : 1143-1147 ; Goyet, M., et Bujold, E., 2006, *Society for Maternal-Fetal Medicine*, Jan 30-Feb 4, 2006, Miami Beach. Florida. Cité dans *Medscape OB/GYn et Women's Health* 2006 11(1) ; Hender, I., et E. Bujold, 2004, « Effect of Prior Vaginal Delivery of Prior Vaginal Birth After Cesarean Delivery on Obstetric Outcomes in Women Undergoing Trial of Labor », *Obstetrics et Gynecology*, 104 : 273-277.

221. Rosen, M.C., Dickinson, J.C., Westhoff, G.L., 1991, « Vaginal birth after cesarean : a meta-analysis of morbidity and mortality », *Obstet Gynecol.* 77 : 465-470 ; Brill, Y., Windrim, R., 2003, *op. cit.*

222. Bujold, E., Gauthier, R.J., 2001, « Should we allow a trial of labor after a previous caesarean for dystocia in the second stage of labor » ? *Obstet Gynecol* 98(4) : 652-655 ; Flamm, B., 2001, « Vaginal Birth Aftr Cesarean (VBAC) », *Best Pract Res Clin Obstet Gynaecol*, 15(1) :81-92 ; Van Bogaert, L.J., 2004, « Mode of delivery after one cesarean section », *International Journal of Gynecology and Obstetrics*, 87(1) : 9-13.

223. Giamfi, C., Juhasz, G., Gyamfi, P., *et al.*, 2006, « Single-versus double-layer uterine incision closure and uterine rupture », *Journal of Maternal-Fetal and Neonatal Medicine*, 19(10) : 639-643 ; Flamm, B., 2001. « Vaginal Birth After Cesarean (VBAC) », *Best Pract Res Clin Obstet Gynaecol*, 15(1) :81-92 ; Durnwald, D., et B. Mercer, 2003, « Uterine rupture, perioperative and perinatal morbidity after single-layer and double-layer closure at cesarean delivery », *Am. J. Obstet. Gynecol.*, 189(4) :925-929 ; Koppel, E., Struzyk, B., Zbieszczyk, J., 1983, « Cesarean section using single-layer tansisthmic uterine sutures », *Zentralbl Gynakol*, 105(23) : 1522-1525 ; The Coalition for Improving Maternity services, 2007, « Evidence Basis for the Ten Steps of Mother-Friendly Care », *The Journal of Perinatal Education*, 16(1) : Supplément. On peut en télécharger une copie du site web www.mother-friendly.org ; Enkin, M.W., Wilkinson, C., « Single versus two layer suturing for closing the uterine incision at caesarean section », 2000, *Cochrane Database Syst Rev*, 2000, (2) : CD000192 Cochrane Library Issue 2, Oxford, 2001 ; Bujold, E., Bujold, C., et Gauthier, R.J., 2001, « Uterine rupture during a trial of labor after a one versus two-layer closure of a low transverse cesarean », Abstracts of the 2001 21st annual meeting of the Society for Maternal-Fetal Medicine, *Am. J. Obstet Gynecol*, 2001 ; 184 (suppl) : S18 ; Bujold, E., *et al.*, 2005. « Single versus double layer closure and the risk of uterine rupture », *Am. J. Obstet. Gynecol.*, 193 : S20 ; National Perinatal

Epidemiology Unit, United Kingdom, 2006. « CAESARean Section Surgical Techniques », www.npeu.ox.ac.uk/caesar.

224. Rochelson, B., Pagano, M., Conetta, L., *et al.*, 2005, « Previous preterm cesarean delivery : identification of a new risk factor for uterine rupture in VBAC candidates », *Journal of Maternal-Fetal and Neonatal Medicine*, 18(5) : 339-342 ; Sciscione, *et al.*, 2006. Drexel University College of Medicine, Philadelphia, Pennsylvania, étude rapportée au congrès de la Society for Maternal-Fetal Medicine, Jan 30-Feb4, 2006, Miami Beach, Floride, In www.medscape.come/viewarticle/523616_2 ; Kwee, A., Smink, M., van der Laar, R., *et al.*, 2007, « Outcome of subsequent delivery after a previous early preterm cesarean section », *Journal of Maternal-Fetal and Neonatal Medicine*, 20(1) : 33-37.

225. Blackwell, S.C., Hassan, S.S., Wolfe, H.M., 2000, « Vaginal birth after caesarean in the diabetic gravida », *J. Reprod Med*, 45(12) : 987-990.

226. Shipp, T.D., Zelop, C., Repke, J.T., *et al.*, 2002, « The association of maternal age and symptomatic uterine rupture during a trial of labor after prior caesarean delivery » *Obstet Gynecol*, 99 : 585-588 ; Kaczmarczyk, M., Sparén, P., Terry, P., *et al.*, 2007, « Risk factors for uterine rupture and neonatal consequences of uterine rupture : a population-based study of successive pregnancies in Sweden », *BJOG : An International Journal of Obstetrics and Gynaecology*, 114(10) : 1208-1214 ; Bujold, E., Blackwell, S.C., Gauthier, R.J., 2004, « Cervical ripening with transcervical foley catheter and the risk of uterine rupture », *Obstet. Gynecol.*, 103(1) : 18-23.

227. Ravasia, D.J., Brain, P.H., Pollard, J.K., 1999, « Incidence of uterine rupture among women with müllerian duct anomalies who attemps vaginal birth after caesarean delivery », *Am J obstet Gynecol*, 181(4) : 877-881.

228. Kaczmarczyk, M., Sparén, P., Terry, P., *et al.*, 2007, op.cit.

229. Goodall, P.T., Ahn, J.T., Chapa, J.B., *et al.*, 2005, « Obesity as a risk factor for failed trial of labor in patients with previous caesarean delivery », *American Journal of Obstetrics and Gynecology*, 192(5) : 1423-1426 ; Juhasz, G., Gyamfi, C., Gyamfi, P., *et al.*, 2005, « Effect of body mass index and excessive weight gain on success of vaginal birth after cesarean delivery », *Obstet Gynecol*, 106(4) : 741-746.

230. Lieberman, E., 2001, « Risk factors for uterine rupture during a trial of labor after a cesarean section », *Clin Obstet et Gynecol*, 44 : 609-621 ; Goyet, M., et Bujold, E., 2006, Society for Maternal-Fetal Medicine, Jan 30-Feb 4, 2006. Miami Beach. Florida. Cité dans *Medscape OB/GYn et Women's Health* 2006 11(1) ; Kaczmarczyk, M., Sparén, P., Terry, P., *et al.* 2007, *op. cit.* ; Elkousy, M.A., Sammel, M., Stevens, E., *et al.*, 2003, « The effect of birth weight on vaginal birth after caesarean delivery success rates », *American Journal of Obstetrics and Gynecology*, 188 (3) : 824-830 ; Parry, S., Severs, C.P., Schdev, H.M., *et al.*, 2000, « Ultrasonographic prediction of fetal macrosomia. Association with caesarean delivery », *J Reprod Med*, 45(1) : 17-22 ; Vercoustre, L., Roman, H., 2006, « Essai de travail en cas de césa-

rienne antérieure – Revue de la literature », *J. Gynecol Obstet Biol Reprod*, 35 : 35-45. Citant l'étude de Lao, T.T., Chin, R.K.H., et Leung, B.F.H., 1987, « Is X-Ray pelvimetry useful in a trial of labour after caesarean section » ? *European Journal of Obstetrics, gynecology, and reproductive biology*, 24(4) : 277-283 ; Office of the Chief Coroner, 2006, Second Annual Report Maternal and Perinatal Death Review Committee, Ontario, www.ontca.ca.

231. Ford, A.A., Bateman, B.T., Simpson, L.L., 2006, « Vaginal birth after caesarean delivery in twin gestations : a large, nationwide sample of deliveries », *American Journal of Obstetrics and Gynecology*, 195(4) : 1138-1142 ; 9 études citées par Vercoustre, L., Roman, H., 2006, « Essai de travail en cas de césarienne antérieure – Revue de la littérature », *J. Gynecol Obstet Biol Reprod*, 35 : 35-45.
232. Coassolo, K.M., Stamilio, D.M., Paré, E., *et al.*, 2005, « Safety and efficacy of vaginal birth after cesarean attempts at or beyond 40 weeks of gestation », *Obstetrics et Gynecology*, 106(4) :700-706 ; Lieberman, E., 2001, « Risk factors for uterine rupture during a trial of labor after a cesarean section », *Clin Obstet et Gynecol*, 44 : 609-621 ; Zelop, C.M., Shipp, T.D., Cohen, A., *et al.*, 2001, « Trial of labor after 40 weeks' gestation in women with prior caesarean », *Obstet Gynecol*, 97(3) : 391-393 ; Goyet, M., et Bujold, E., 2006, *op. cit.* ; Lieberman, E., Ernst, E.K., Rooks, J.P., *et al.*, 2004, « Results of a National Study of Vaginal Birth After Cesarean in Birth Centers », *Obstet Gynecol*, 104(5 Part 1) :933-942 ; Kaczmarczyk, M., Sparén, P., Terry, P., *et al.*, 2007, *op. cit.*
233. De Meeus, J.B., Ellia, F., Magnin, G., 1998, « External cephalic version after previous caesarean section : a series of 38 cases », *Eur J Obstet Gynecol Reprod Biol*, 81 : 65-68 ; Flamm, B.L., Fried, M.W., Lonky, N.M., 1991, « External cephalic version after previous caesarean section », *Am J. Obstet Gynecol*, 165 : 370-372 ; Auteurs cités par Vercoustre, L., Roman, H., 2006, *op. cit.*
234. Marpeau, L., 2000, « Faut-il laisser accoucher les sièges par voie basse » ? In : Vigot Diffusion. *Mise à jour en gynécologie obstétrique*, Paris, Collège National des Gynécologues et Obstétriciens Français, p. 127-144. Cité par Vercoustre, L., Roman, H., 2006. *op. cit.*
235. Quinones, J.N., Stamilio, D.M., Paré, E., *et al.*, 2005. « The Effect of Prematurity on Vaginal Birth After Cesarean Delivery : Success and Maternal Morbidity », *Obstetrics et Gynecology*, 105 : 519-524 ; Durnwald, D., *et al.*, 2006, The Ohio state University, Columbus, Ohio. Présenté au congrès de la Society for Maternal-Fetal Medicine, 30 Jan- 4 Fév., 2006, Miami Beach, Floride. Cité dans *Highlights of SMFS* 2006. www.medscape.com/viewarticle/523616_2.
236. Srinivas, S.K., Stamilio, D.M., Stevens, E.J., *et al.*, 2006, « Safety and success of vaginal birth after cesarean delivery in patients with preeclampsia », *American Journal of Perinatology*, 23(3) : 145-152.

237. Lieberman, E., Ernst, E.K., Rooks, J.P., *et al.*, 2004, « Results of a National Study of Vaginal Birth After Cesarean in Birth Centers », *Obstet Gynecol,* 104(5 Part 1) : 933-942.
238. Latendresse, G., Murphy, P.A., Fullerton, J.T., 2005, « A description of the management and outcomes of vaginal birth after caesarean birth in the homebirth setting », *J Midwifery Women's Health,* 50(5) : 386-391.
239. Goyet, M., et Bujold, E., 2006, Society for Maternal-Fetal Medicine 30 Jan 30-4 fév., Miami Beach, Floride. Cité dans *Medscape OB/GYn et Women's Health,* 2006 11(1).
240. Voir le chapitre sur le risque de l'AVAC et : British Columbia Perinatal Health Program, 2008, *Caesarean Birth Task Force Report,* Vancouver, C.-B. Fév 2008.
241. Walmsley, K., Hobbs, L., 1994., « Vaginal birth after lower segment caesarean section ». *Modern Midwife,* 4(4) : 20-21 ; Goyet, M., et Bujold, E., 2006, Society for Maternal-Fetal Medicine, Jan 30-Feb 4, 2006. Miami Beach. Floride. Cité dans *Medscape OB/GYn et Women's Health,* 2006 11(1).
242. Bujold, E., Blackwell, S.C., Hendler, I., *et al.*, 2004, « Modified Bishop's score and induction of labor in patients with a previous caesarean delivery », *Am J Obstet Gynecol,* 191(5) : 1644-1648.
243. Walmsley, K., Hobbs, L., 1994, « Vaginal birth after lower segment caesarean section ». *Modern Midwife,* 4(4) : 20-21.
244. Goyet, M., et Bujold, E., 2006, *op. cit.* ; Goyet, M., et Gauthier, R.J., 2001, « Should we allow a trial of labor after a previous caesarean for dystocia in the second stage of labor » ? *Obstet Gynecol,* 98(4) : 652-655.
245. Brill, Y., Windrim, R., 2003, « Vaginal birth after Caesarean section : review of antenatal predictors of success », *J Obste Gynaecol Can,* 25(4) : 275-286.
246. Martin, J.N., 1988, « Vaginal birth after caesarean section », *Obs et Gyn Clinics in North America,* 15(4) :729.
247. « Finding alternatives to cesarean section ». 1988. *Contemporary Obstetrics and Gynecology,* p. 196.
248. Bujold, E., 2006, *Prise en charge de scénarios d'AVAC,* Congrès des omnipraticiens en obstétrique, SOGC, Montréal, 17 novembre.
249. Prieur, B., 1987, *L'une à l'autre,* 4(1) : 20.
250. KFSM, 2008, Mary Marsh Reports, « Rights of women to choose birthing method », 5 *News,* 26 février 2008.
251. Stratton, B., 2006, « 50 Ways to Protest a VBAC Denial », *Midwifery Today* n°78. www.midwiferytoday.com/articles/50ways_vbac.asp ; Stratton B., 2004, « Confronting an anti-VBAC hospital », *Clarion* 19(4) : 1 ; Sundaramurthy, A., 2004, « Fighting for a hospital VBAC », *Clarion* 19(4) : 9-11.
252. Il s'agit du cas Middlesex Superior Court C.A. No. 88-6450, Mass 1993, aux États-Unis.
253. « Federal Public Prosecutor supports Parto do Princípio and sponsors hearing on c-section abuse », 2007, www.partodoprincipio.com.br, 30 sept.

254. Jukelevics, N., 2004, « Once a cesarean, always a cesarean : the sorry state of birth choices in America », *Mothering,* » 123 : 46-55.. Pour plus de renseignements sur le projet du Vermont, « Birth Choices after a Cesarean Section » du 3 octobre 2002 – voir aussi Northern New England Perinatal Quality Improvement Network, www.nnepqin.org

4 – LA CÉSARIENNE, UNE CICATRICE ÉMOTIONNELLE ?

256. Sufrin, C., 1986, « Birth story, growth story », *The VBAC Association of Ontario Newsletter,* été 1986, n°6.
257. Waldenstrom, U., 2004, « Why do some women change their opinion about childbirth over time » ? *Birth,* 31(2) : 102-107.
258. http ://nouvelles.sympatico.msn.radio-canada.ca, le 27 novembre 2007.
259. Norwood, C., 1984, *How to Avoid a Cesarean Section,* Simon et Schuster, p. 3 !
260. Faúndes, A., De Pádua, K.S., Duarte, Osis M.F., *et al.*, 2004, « Opinião de mulheres e médicos brasileiros sobre a preferência pela via de parto », *Rev Saúde Pública,* 38(4) : 488-494.
261. Selo-Ojeme, D., Abulhassan, N., Mandal, R., *et al.*, 2008, « Preferred and actual delivery mode after a caesarean in London, UK », *Int J. Gynaecol Obste, On-line* : April 24th.
262. Émission *Sunday Morning,* Radio-Canada, 9 mars 1986 (entrevue).
263. Klein, M., et le Sous-comité médical (sous la dir. d'Yves Lefèvre), 1987, *Controverses obstétricales et les soins maternels,* Direction des communications, ministère de la Santé et des Services sociaux, Québec.
264. Shearer, E., *Cesarean prevention and VBAC,* symposium organisé par l'Edmonton VRAC Association et l'Edmonton Childbirth Education Association, Edmonton, juin 1987.
265. Schneider, G., 1981, « Management of normal labour and delivery in the case room a critical appraisal », *CMA Journal,* 125 : 350-352 ; Oakley, A., 1983, « Social consequences of obstetric technology : the importance of measuring "soft" outcomes », *Birth,* 10(2) : 99-109 ; Humenick, S.S., 1981, « Mastery : the key to childbirth satisfaction - A review », *Birth and the Family Journal,* 8(2) : 79-90.
266. Klein, M., et le Sous-comité médical (sous la dir. d'Yves Lefèvre), 1987, *op. cit.*
267. Fillipi, V., 2007, *The Lancet,* 370 :1329-1337. Cité par www.orgyn.com/en/authfiles/printfiles/print_495993995.asp : « Subsequent mental health impaired in women with severe obstetric complications », 13 oct. 2007.
268. National Institutes of Health, 1981, *Cesarean Childbirth,* Public Health Service, US Department of Health and Human Services, 1981.
269. Fenwick, J., Gamble, J., et Mawson, J., 2003, « Women's experiences of Caesarean section and vaginal birth after Caesarean : A Birthrites initiative », *International Journal of Nursing Practice,* 9(1) : 10.

270. Chit Ying, L., Levy, Va., Shan, C.O., *et al.*, 2001, « A qualitative study of the perceptions of Hong Kong Chinese women during caesarean section under regional anaesthesia », *Midwifery*, 17 : 115-122.
271. Cohen, N., et Estner, L., 1983, *Silent Knife Cesarean Prevention and VBAC*, Bergin et Garvey, 1983.
272. National Institute of Health *Cesarean Childbirth* Statement on-line 1980, Sep 22-24 ; 3(6) : 1-30.
273. *ICEA News*, 23 janvier 1984.
274. Baptisti-Richards, L., 1987, *The Vaginal Birth After Cesarean Experience – Birth Stories by Parents and Professionals*, Bergin et Garvey.
275. Panuthos, C., 1983, « The psychological effects of cesarean deliveries », *Mothering*, 26 : 62.
276. Marut, J.S., Mercer, R.T., 1979, « Comparison of Primiparas' Perceptions of Vaginal and Cesarean Births », *Nursing Research*, 28 : 260-266.
277. Panuthos, C., 1983. *op. cit.*
278. National Institute of Health. *Cesarean Childbirth*, *op. cit.*, p.458.
279. Harrisson, M., 1982, *A Woman in Residence*, Penguin Books, 1982, p. 80.
280. *Pre and Perinatal Psychology Journal*, Psychology Association of North America Human Sciences Press, New York; Verny, T., Kelly, J., 1981, *The Secret Life of the Unborn Child*, A Delta Book.
281. Bailham, D., et Joseph, S., 2003, « Post-traumatic stress following childbirth : a review of the emerging literature and directions for research and practice », *Psychology, Health and Medicine*, 8(2) : 159-168 ; Ryding, E.L., Awijma, K., Wijma, B., 1998, « Experiences of emergency caesarean section : A phenomenological study of 53 women », *Birth*, 25(4) : 246-251.
282. Nicholls, K., et Ayers, S., 2007, « Childbirth-related post-traumatic stress disorder in couples : A qualitative study », *British Journal of Health Psychology*, 12(4) : 491-509.
283. Ayers, S., 2007, « Thoughts and Emotions During Traumatic Birth : A Qualitative Study », *Birth*, 34(3) : 253-263.
284. Jukelevics, N., 2004, « Once a cesarean, always a cesarean : the sorry state of birth choices in America », *Mothering*, 123 : 46-55.
285. Korte, D., et Scaer, R., 1984, *A Good Birth, A Safe Birth*, Bantam Books, New York.
286. Deming, M., Comello N., 1988, « Grieving and Healing », *The Cesarean Prevention Clarion*, 5 (3,4).
287. Deming, M., Comello, N., 1988, *op. cit.*

5 – AVOIR UN ENVIRONNEMENT FAVORABLE ET DU SOUTIEN

289. Da Motta, C.C.L., Rinne, C., Naziri, D., 2006, « The Influence of Emotional Support During Childbirth : A Clinical Study », *Journal of Prenatal et Perinatal Psychology and Health*, 20(4) : 325-341.
290. *The Personnel and Guidance Journal*, Juin 1984, p. 619-623.

291. Saisto, T., Halmesmaki, E., 2003, « Fear of childbirth : A neglected dilemma », *Acta Obstetricia and Gynecological Scandinavia,* 82 : 201-208 ; Zar, M., Wijma, K., et Wijma, B., 2001, « Pre and postpartum fear of childbirth in nulliparous and parous women », *Scandinavian Journal of Behaviour Therapy,* 30(2) : 75-81.

292. Consulter le site www.bonapace.com. Cette méthode est enseignée au Québec en périnatalité.

293. De Gasquet, B., Installation de la parturiente et postures pendant le travail, www.infosaccouchement.org/articles.php ?lng=fretpg=25

294. The Coalition for Improving Maternity Services, 2007. *op. cit.*

295. Panuthos, C., 1983, « The psychological effects of cesarean deliveries *Mothering.* 26 : 64.

296. Fisher, C., Hauck, Y., Fenwick, J., 2006, « How social context impacts on women's fears of childbirth : A Western Australian example », *Social Science and Medicine,* 63 : 64-75.

297. Jukelevics, N., 2004, « Once a cesarean, always a cesarean : the sorry state of birth choices in America », *Mothering,* 123 : 46-55.

298. Institut de la statistique du Québec, 6 février 2007, pour la période 2000-2004.

299. Johnson, K.C., Daviss, B.A., 2005, « Outcomes of planned home births with certified professionnel midwives : large prospective study in North America », *British Medical Journal,* 330(7505) : 1416-1427.

300. Althabe, F., Belizan, J.F., 2006, « Caesarean section : the paradox », *The Lancet,* 368 : 1472-1473.

301. Anonyme, Cesarean Section – « Why Does the National U.S. Cesarean Section Rate Keeps Going Up » ? Déc. 2007. www.childbirthconnection.org/article.asp ?ck=10456.

302. Coalition for Improving Maternity Services, Grassroots Advocates Committee, Birth Survey Project, 2007, www.thebirthsurvey.com.

303. The Coalition for Improving Maternity Services, 2007, *op. cit.*

304. Latendresse, G., Murphy, P.A., Fullerton, J.T., 2005, « A description of the management and outcomes of vaginal birth after caesarean birth in the homebirth setting », *J Midwifery Women's Health,* 50(5) : 386-391.

305. Klaus, M.H., Obertson, M.O., (eds), 1982, *Birth, Interaction and Attachment – Exploring the Foundation for Modern Perinatal Care, NJ* : Johnson et Johnson Baby.

306. Brüggemann, O.M., Parpinelli, M.A., Duarte, Osis J.F., 2005, « Evidências sobre o suporte durante o trabalho de parto/parto : uma revisão da literatura », *Cad. Saúde Publica.* Rio de Janeiro, 21(5) :1316-1327.

307. Hodnett, ED., Gates, S., Hofmeyr, G.J., Sakala, C., 2005. « Continuous support for women during childbirth - Cochrane Review », *The Cochrane Library,* Issue 2, Chichester, UK : John Wiley et Sons, Ltd ; Yogev, S., 2004, « Support in labour : a literature review », *MIDIRS Midwifery Digest,* 14(4) : 486-492.

308. Rosen, P., 2004, « Supporting Women in Labor : Analysis of Different Types of Caregivers », *Journal of Midwifery and Women's Health,* 49(1) : 24-31 ; Brüggemann, O.M., Parpinelli, M.A., Duarte, Osis J.F., 2005, *op. cit.*
309. Simkin, P., et Klaus, P., 2004, *When Survivors Give Birth : Understanding and Healing the Effects of Early Sexual Abuse on Childbearing Women,* Seattle, WA, Classic Day Publishing.
310. Rosen, P., 2004, *op. cit.* ; Yogev, S., 2004, *op. cit.* ; Wolman, W.L., Chalmers, B., Hofmeyr, G.J., *et al.*, 1993, « Postpartum depression and companionship in the clinical birth environment : A randomized, controlled study », *Am. J. Obstet Gynecol,* 168(5) : 1388-1393.
311. Yogev, Sharon. 2004. *op. cit.*
312. Simkin, P., et Klaus, P., 2004. *op. cit.*
313. Hodnett, E., 2002, « Pain and women's satisfaction with the experience of childbirth : A systematic review », *Am. J. Obstet. Gynecol.*, 186(5) : S160-172 ; Rosen, P., 2004, *op. cit.*
314. Yogev, Sharon. 2004. *op. cit.*
315. Pascali-Bonaro, D., et Kroeger, M., 2004, « Continuous Female Companionship During Childbirth : A Crucial Resource in Times of Stress or Calm », *Journal of Midwifery and Women's Health,* 49(4) : Suppl. 1 : 19-27. Citant Hofmeyr, G.J., Nikodem, V.C., Wolman, W.-L., *et al.*, 1991, « Companionship to modify the clinical birth environment : effects on progress and perceptions of labour, and breastfeeding », *British Journal of Obstetrics and Gynaecology*, 98(8) : 756-764.
316. Rosen, P., 2004. *op. cit.*
317. Hofmeyr, G.J., Nikodem, V.C., Wolman, W.-L., *et al.*, 1991. *op. cit.*
318. Yogev, Sharon. 2004. *op. cit.*
319. Vadeboncoeur H., 2004, *La naissance au Québec à l'aube du troisième millénaire : De quelle humanization parle-t-on ?,* thèse de doctorat, Sciences humaines appliquées, Université de Montréal
320. Kennell, J.H., McGrath, S.K., 1993, « Labor support by a doula for middle-income couples. The effect on caesarean rates », *Pediatric Res*, 33 : 12A. Cité par Klaus, M.H., Kennell, J.H., et Klaus, P.H., 2002, *The Doula Book*, note 5 chapitre 8.
321. Lacharité, C., Mailhot, L., Boilard, H., *et al.,* 2001, « L'accompagnement à la naissance – Une forme de soutien efficace pour promouvoir l'adaptation parentale des pères et des mères lors de la période postnatale », Actes du 6e Symposium québécois de recherche sur la famille. In Lacharité, C., et Pronovost, G., (sous la dir. de), *Comprendre la famille,* 2002, Presses Universitaires du Québec.
322. Pepleau, H., 1972, « A working definition of anxiety », conférence donnée à l'Association des infirmières hawaïennes, Université d'Hawaï. Cité par Affonso, D., *Impact f Cesarean childbirth,* 1981, F.A. Davis.
323. National Institutes of Health, 1981, *Cesarean Childbirth,* Public Health Service, US Department of Health and Human services, p. 424.

6 – POUR FAVORISER L'AVAC DURANT LE TRAVAIL

325. Organisation mondiale de la santé, 2003, *Soins liés à la grossesse, à l'accouchement et à la période néonatale: Guide des pratiques essentielles*; OMS, 1997, *Les soins liés à un accouchement normal: guide pratique – Rapport d'un groupe de travail technique.*
326. Report on confidential enquiries into maternal deaths in England and Wales 1973-1975, Department of Health and Social security, Her Majesty's Stationery Office, London, 1979; Pritchard J.A., MacDonald, P.C., *Williams Obstetrics*, New York, Appleton-Century Crofts, 15e édition, 1976.
327. Scheepers, H., Essed, G.G., Brouns, F., 1998, « Aspects of food and fluid intake during labour. Policies of midwives and obstetricians in The Netherlands », *European Journal of Obstetrics, Gynecology, and Reproductive Biology,*. 7(1): 37-40; Schuitemaker, N., van Roosmalen, J., Dekker, G., *et al.*, 1997, « Maternal mortality after cesarean section in The Netherlands », *Acta obstetricia and Gynecologica Scandinavica,* 76(4): 332-334. Cité dans CIMS, 2007, *op. cit.*
328. CIMS, 2007, *op. cit.*
329. Choquet, J., 2007, *Primum non nocere, impact des interventions obstétricales sur l'allaitement,* Journée Programme périnatalité petite enfance, CSSS de la Pommeraie, Cowansville.
330. Yildirim, G., Beji, N.K., 2008, « Effects of Pushing Techniques in Birth on Mother and Fetus: A Randomized Study », *Birth,* 35(1): 31-32
331. Cesario, S.K., 2004, « Reevaluation of Friendman's Labor Curve: a pilot study », *J Obstet Gynecol Neonatal Nurs,* 33(6):713-722.
332. The Coalition for Improving Maternity services, 2007, « Evidence Basis for the Ten Steps of Mother-Friendly Care », *The Journal of Perinatal Education,* 16(1): Supplément. On peut en télécharger une copie du site web www.motherfriendly.org.
333. Bujold, E., Hammoud, A., Kudish, B., *et al.*, 2003, « Stage of labor and risk of uterine scar separation », SFMF Abstracts, *Am J. Obstet Gynecol.* p.S140.
334. Klein, M et le Sous-comité médical (sous la dir. d'Yves Lefèvre), 1986, *Controverses obstétricales et les soins maternels,* Comité régional d'humanisation des soins en périnatalité, CSSSRMM, p. 28.
335. CIMS, 2007, *op. cit.*
336. Choquet, J., 2007, *op. cit.*
337. Harrisson, M., 1982, *A Woman in Residence,* Penguin Books.
338. Vadeboncoeur, H., 2004, *La naissance au Québec à l'aube du 3e millénaire: de quelle humanisation parle-t-on ?* Thèse de doctorat. Sciences humaines appliquées, Université de Montréal.
339. Jukelevics, N., 2004, « Once a cesarean, always a cesarean: the sorry state of birth choices in America », *Mothering,* 123: 46-55.
340. Childbirth Connection, 2006. *Listening to Mothers II: Second National U.S. Survey of Women's Childbearing Experiences,* www.childbirthconnection.org.

341. Institut canadien de l'information sur la santé, 2004, *Donner naissance au Canada :un profil régional,* Ottawa.
342. Institut canadien de l'information sur la santé, 2004, *op. cit.*
343. British Columbia Perinatal Health Program, 2008, *Caesarean Birth Task Force Report,* Vancouver, Feb. 2008.
344. Tracy, S.K., Sullivan, E., Wang, Y.A., *et al.*, 2007, « Birth outcomes associated with interventions in labour amongst low risk women : A population-based study », *Women and Birth,* 20(2) : 41-48.
345. Vadeboncoeur, H., 2004, « La femme en travail peut-elle exercer son autonomie en centre hospitalier » ? Dans Grégoire, L., et S. St-Amant, 2004, *Au cœur de la naissance,* Montréal : Éditions du Remue-Ménage ; Vadeboncoeur, H., 2004, *op. cit.* ; Hivon, M., et V. Jimenez, 2006. *Perception d'une naissance et naissance d'une perception : Où en sont les femmes ?* Publication du centre de recherche et de formation, Montréal, CSSS de la Montagne.
346. Alfirevic, Z., Devane, D., Gyte, G.M.L., 2006, « Coninuous cardiotocography (CTG) as a form of electronic fetal monitoring (EFM) for fetal assessment during labour », *Cochrane Database of Systematic Reviews.* Issue 3.
347. CIMS, 2007, *op. cit.*
348. Task Force on Predictors of Fetal Distress, mars 2004, cité par Anderson, G., 1994, Canadian Task Force on the Periodic Health Examination. Canadian *Guide to Clinical Preventive Health Care,* Ottawa, Santé Canada. 1994 : 158-165. Reproduit sous le titre Intrapartum Electronic Fetal Monitoring. www.ctfphc.org/Full_Text_printable/Ch15full.htm.
349. The Maternity Care Working Party, 2007, *Making normal birth a reality. Consensus statement from the Maternity Care Working Party,* Royal College of Obstetricians and Gynaecologists, The Royal College of Midwives et NCT, Royaume-Uni.
350. Gerbelli, C., 2001, « La péridurale », Université du Québec à Trois-Rivières, Cet article est disponible sur le site web www.ecofamille.com/1-11596-La-peridurale.php.
351. Choquet, J., 2007, *Primum non nocere, impact des interventions obstétricales sur l'allaitement,* Journée Programme de périnatalité petite enfance, CSSS de la Pommeraie, Cowansville.
352. Clark et Alfonso, *Soins infirmiers,* 1979, p. 464.
353. Institut canadien d'information sur la santé, 2007, *Donner naissance au Canada - Analyse en bref,* Ottawa.
354. The Coalition for Improving Maternity Services, 2007, *op. cit.*
355. Klein, M.C., 2006, « Does epidural analgesia increase rate of cesarean section » ? *Canadian Family Physician,* 52 : 419-421 ; Klein, M.C., 2006. « L'analgésie péridurale accroît-elle les taux de césariennes » ? *Le Médecin de famille canadien* ; http ://www.cfpc.ca/cfp/2006/Apr/Vol52-apr-editorials-2_fr.asp.
356. Kotaska, A.J., Klein, M.C.,, Liston, R.M., 2006, « Epidural analgesia associated with low-dose oxytocin augmentation increases cesarean births : A

critical look at the external validity of randomized trials », *American Journal of Obstetrics and Gynecology*, 194 : 809-814.

357. Baumgardner, D.J., et Muehl, P., 2003, « Effect of labor epidural anesthesia on breast-feeding of healthy full-term newborns delivered vaginally », *Journal of the American Board of Family Practice*, 16(1) : 7-13.
358. Riordan, J., Gross, A., Angeron J, *et al.*, 2000, « The effect of labor pain relief medication on neonatal suckling and breastfeeding duration », *Journal of Human Lactation*, 16(1) :7-12.
359. Ransjö-Ardvison, A.B., Matthiesen, A.S., Lilja, G., *et al.* 2001, « Maternal analgesia during labor disturbs newborn behavior : effects on breastfeeding, temperature and crying », *Birth*, 28(1) : 5-12.
360. Kiehl, E.M., Anderson, G.C., Wilson, M.E., *et al.*, 1996, « Social status, mother-infant time together, and breastfeeding duration », *J Hum Lact*, 12(3) : 201-206.
361. Choquet, J., 2007, *op. cit.*
362. Gouvernement du Québec, Loi sur la santé et les services sociaux, L.R.Q, Chapitre S-4.2.

7 – ACCOUCHER, UN DÉFI EXCLUSIVEMENT FÉMININ

364. Kitzinger S., 1984, Communication non publiée, conférence de l'International Childbirth Education Association, St-Louis, Missouri.
365. Newton N. *et al.*, 1966, « Parturient mice : effect of environment on labor », *Science*, 151 : 1560-1561.
366. Peterson G., 1984, *Birthing Normally*, Mindbody Press.
367. Panuthos C., 1984, *Transformation through Birth – A Woman's Guide*. p. 6.
368. Baldwin R., et Palmarini T., 1986, *Pregnant Feelings*, Celestial Arts, Berkeley, p. 2.
369. Jordan B et Davis-Floyd R., 1993, *Birth in Four Cultures : a crosscultural investigation of childbirth in Yucatan, Holland, Sweden and the United States*, Prospect Heights, III. :Waveland Press.
370. Rocheleau L., 2001, *Étude exploratoire des attentes et des besoins des femmes en périnatalité*, mémoire de maîtrise, Montréal, Université-du Québec-à-Montréal.
371. Aria, B., et Dunham, C., 1991, *Mamatoto*, The Body Shop, A Penguin Book, p. 98.
372. Menage, J., 1993, « Post-traumatic disorder in women who have undergone obstetric and/or gynaecological procedures : A consecutive series of 30 cases of PTSD », *Journal of Reproductive et Infant Psychology*. 11(4) : 221-228 ; Ayers, S.M., Pickering, A.D., 2001, « Do Women Get Posttraumatic Stress Disorder as a Result of Childbirth ? A Prospective Study of Incidence », *Birth*, 28(2) :111-118 ; Soet, J.E., Brack, G.A., Dilorio, C., 2003, « Prevalence and predictors of women's experience of psychological trauma during childbirth », *Birth*, 30(1) : 36-46.

373. Bailham, D., et Joseph, S., 2003, « Post-traumatic stress following childbirth : a review of the emerging literature and directions for research and practice », *Psychology Health et Medicine*, 8 (2) : 159-168.
374. Soderquist, J., Wijma, K., Wijma, B., « Traumatic stress after childbirth : The role of obstetric variables », *J Psychosom Obstet Gynaecol*, 2002;23 :31.
375. Simkin, P., 1991, « Just another day in a woman's life ? Women's long-term perceptions of their first birth experience », Part I, *Birth*, 18(4) :203-210 ; Simkin, P., 1992, « Just another day in a woman's life ? Nature and consistency of women's long term memories of their first birth experience », *Birth*, 19 :64-81.
376. Peterson, G., 1996, « Childbirth, the ordinary miracle : effects of devaluation of childbirth on women's self-esteem and family relationships », *Pre and Perinatal Psychology Journal*, 11(2) : 101-109.
377. Oakley, A., Rajan, L., 1990, « Obstetric tchnology and maternal emotional well-being : a further research note », *Journal of Reproductive and Infant Psychology*, 8(1) :45-55.
378. Littlewood, J., McHugh, N., 1997, *Maternal Distress and Postnatal Depression*, MacMillan Press.
379. Rocheleau, L., 2001, *Étude exploratoire des attentes et des besoins des femmes en périnatalité*, mémoire de maîtrise. Montréal : Université-du Québec-à-Montréal.
380. De Koninck, M., 1988, *Femmes, enfantement et changement social : le cas de la césarienne*, thèse de doctorat, Université Laval, Québec.
381. Simkin, P., 1992, *op. cit.*
382. Halldorsdottir S, Karlsdottir SI. 1996. « Empowerment or discouragement : women's experience of caring and uncaring encounters during childbirth ». *Health Care for Women International*. 17(4)361-379.
383. Klassen, P.E., 2001, « Sacred maternities and postbiomedical bodies : Religion and nature in contemporary home birth », *Signs*, 26(3) : 775-809.
384. Viisaiven, K., 2001, « Negotiating control and meaning : home birth as a self-constructed choice in Finland », *Social Science and Medicine*, 52(7) :1109-1121, citation p. 1114.
385. Green, J.M., Coupland, V.A., Kitzinger, J., 1990, « Expectations, experiences and psychological outcomes of childbirth : a prospective study of 825 women », *Birth*, 17(1) :15-24.
386. Stadlmayr, W., Bitzer, J., Hosli, I., *et al.*, 2001, « Birth as a multidimensional experience : comparison of the English and German-language versions of Salmon's Item List », *Journal of Psychosomatics Obstetrics and Gynecology*, 22 : 205-214.
387. Callister, L.C., 2004, « Making meaning : women's birth narratives », *JOGNN : Journal of Obstetric, Gynecologic and Neonatal Nursing*, 33(4) : 508-518.
388. DeVries, R., Salvesen, H.B., Wiegers, T.A., *et al.*, 2001, « What (and why) do women want ? The desires of women and the design of maternity care »,

In *Birth By Design – Pregnancy, Maternity Care, and Midwifery in North America and Europe*, sous la dir. De Raymond DeVries *et al.*, New York : Routledge, p.243-265.
389. Stadlmayr, W., Bitzer, J., Hosli, I., *et al.*, 2001, *op. cit.*
390. Aria, B., et Dunham, C., 1991, *Mamatoto,* The Body Shop, A Penguin Book, p. 98.
391. Johnson, L.H., 1997, *Childbirth as a Developmental Milestone,* Doctoral thesis, Psychoanalysis and Women's Studies, The Union Graduate School, Cincinnati, Ohio.
392. Bizieau, S., 1996, « Que peut apporter le respect de la physiologie de l'accouchement ? Évaluation des pratiques médicales autour de la naissance », Actes du colloque Naissance et Société, 7 juin 1996, *Cahiers de l'Université de Perpignan,* n°22.
393. Lemay, C., 1999, *Anthropology of Homebirth : Voice of Women and Midwives,* International Confederation of Midwives, Manilla.
394. Klassen, P.E., 2001, « Sacred maternities and postbiomedical bodies : Religion and nature in contemporary home birth », *Signs,* 26(3) : 775-809.

Listes des tableaux et des figures

Table des matières